A DANÇA
DO UNIVERSO

MARCELO GLEISER

A DANÇA DO UNIVERSO

Dos Mitos de Criação ao Big Bang

14ª reimpressão

Copyright © 1997 by Marcelo Gleiser

Grafia atualizada segundo o Acordo Ortográfico da Língua Portuguesa de 1990, que entrou em vigor no Brasil em 2009.

Capa
Jeff Fisher

Ilustrações
Carlos Matuck

Preparação
Carlos Alberto Inada

Revisão
Renato Potenza Rodrigues
José Muniz Jr.

Índice onomástico
Vivian Miwa Matsushita

Dados Internacionais de Catalogação na Publicação (CIP)
(Câmara Brasileira do Livro, SP, Brasil)

Gleiser, Marcelo
 A dança do universo: dos mitos de criação ao Big Bang /
Marcelo Gleiser — 1ª ed. — São Paulo : Companhia das Letras, 2006.

Bibliografia.
ISBN 978-85-359-0848-0

1. Big Bang — Teoria 2. Cosmologia 3. Criação 4. Evolução
5. Religião e ciência 6. Vida — Origem I. Título.

06-3671   CDD-113

Índices para catálogo sistemático:
1. Cosmologia : Metafísica : Filosofia 113
2. Natureza : Metafísica : Filosofia 113
3. Universo : Origem : Metafísica : Filosofia 113

Todos os direitos desta edição reservados à
EDITORA SCHWARCZ S.A.
Rua Bandeira Paulista, 702, cj. 32
04532-002 — São Paulo — SP
Telefone: (11) 3707-3500
www.companhiadasletras.com.br
www.blogdacompanhia.com.br

SUMÁRIO

Agradecimentos *8*
Prefácio *9*

PARTE 1: ORIGENS
1. Mitos de criação *14*
2. Os gregos *38*

PARTE 2: O DESPERTAR
3. O Sol, a Igreja e a nova astronomia *88*
4. O herético religioso *129*
5. O triunfo da razão *157*

PARTE 3: A ERA CLÁSSICA
6. O mundo é uma máquina complicada *190*

PARTE 4: TEMPOS MODERNOS
7. O mundo do muito veloz *242*
8. O mundo do muito pequeno *268*

PARTE 5: MODELANDO O UNIVERSO
9. Inventando universos *304*
10. Origens *347*
    Epílogo: Dançando com o Universo *382*

Glossário *386*
Notas *391*
Bibliografia e leitura adicional *405*
Índice onomástico *409*
Sobre o autor *415*

À memória de meus pais

AGRADECIMENTOS

Gostaria de expressar minha profunda gratidão aos vários amigos e colegas que encontraram tempo para ler e criticar o manuscrito original. O incentivo de Freeman Dyson foi fundamental, dando-me a coragem necessária para embarcar neste longo projeto. A influência de Rocky Kolb como amigo, mentor (desculpe-me, Rocky, você não é tão velho assim, mas...) e colaborador foi muito importante na realização deste livro, e continua sendo em relação a minha carreira. Em Dartmouth, aprendi bastante com os comentários e sugestões de Joseph Harris, Richard Kremer e Kari McCadam. Rodolfo Franconi, meu único colega brasileiro em Dartmouth, teve a generosidade e a paciência de ler e reler o manuscrito, corrigindo meu enferrujado português.

Gostaria também de agradecer a Luiz Schwarcz pelo apoio, e a Carlos Alberto Inada pelo belíssimo trabalho de revisão de texto. A meus filhos, Andrew, Eric e Tali, por me ensinarem a olhar para o mundo sempre com os olhos e o coração abertos: quem disse que o espaço-tempo tem apenas quatro dimensões? A Wendy, por sua paciência e compreensão durante os dois longos anos em que me ocupei deste projeto. Finalmente, gostaria de agradecer a meu pai por ter me ensinado a apreciar a beleza do mundo e das pessoas a minha volta.

Gostaria de agradecer ao professor Roberto de Andrade Martins pela cuidadosa leitura de meu livro e pelas suas sugestões e comentários incluídos na segunda edição.

PREFÁCIO

Dos cantos de rituais ancestrais até as equações matemáticas que descrevem flutuações energéticas primordiais, a humanidade sempre procurou modos de expressar seu fascínio pelo mistério da Criação. De fato, todas as culturas de que temos registro, passadas e presentes, tentaram de alguma forma entender não só nossas origens, mas também a origem do mundo onde vivemos. Dos mitos de criação do mundo de culturas pré-científicas às teorias cosmológicas modernas, a questão de por que existe algo ao invés de nada, ou, em outras palavras, "por que o mundo?", inspirou e inspira tanto o religioso como o ateu.

Ao retraçarmos os passos desse vasto projeto, exploraremos os vários meios com que a imaginação humana confrontou e continua a confrontar o mistério da criação; belas metáforas e um riquíssimo simbolismo cruzam as fronteiras entre ciência e religião, expressando uma profunda universalidade do pensamento humano. Entretanto, veremos que essa mesma universalidade demonstra a existência de certas limitações em nossa imaginação. O problema é que tanto nossa percepção sensorial como os processos de pensamento que usamos para organizar o mundo à nossa volta são restringidos por uma visão polarizada da realidade, que se baseia em opostos como dia-noite, frio-quente, macho-fêmea etc. Devido a essas limitações, podemos oferecer apenas um pequeno número de argumentos lógicos que visam dar sentido àquilo que transcende essa polarização, o Absoluto de onde tudo se origina, seja ele Deus, um mítico "ovo cósmico" ou as leis da física.

Embora ciência e religião abordem a questão da origem do Universo com enfoques e linguagens que têm pouco em comum, certas ideias forçosamente reaparecem, mesmo que vestidas em roupas diferentes. Portanto, este livro começa com uma análise dos mitos de criação de várias culturas, e termina com uma discussão paralela de ideias científicas modernas sobre a origem do Universo. Ao apresentar uma classificação geral de mitos de criação e de teorias cosmológicas baseada em como essa questão é abordada por ambos, espero esclarecer tanto as semelhanças como as diferenças entre o enfoque religioso e o científico.

Neste estudo dos mitos de criação e da cosmologia moderna, examinaremos de que forma a nossa compreensão da Natureza e do Universo como um todo desenvolveu-se de mãos dadas com a evolução da física, desde suas origens com os filósofos pré-socráticos da Grécia antiga, até a introdução da mecânica quântica e da teoria da relatividade durante as três primeiras décadas do século XX.

Este livro é também sobre as pessoas responsáveis pelo desenvolvimento da nossa visão do Universo, visão esta que está sempre em constante evolução. Não só explicarei as ideias desses vários indivíduos, mas também explorarei suas motivações, sucessos e lutas travadas no desenrolar desse longo drama. Como veremos, a religião teve (e tem!) um papel crucial no processo criativo de vários cientistas. Copérnico, o tímido cônego que pôs o Sol novamente no centro do cosmo, era mais um conservador do que um herói das novas ideias heliocêntricas. Kepler, que nos ensinou que os planetas se movem ao redor do Sol em órbitas elípticas, misturava, de forma única, misticismo e ciência. Galileu, o primeiro a apontar o telescópio para as estrelas, era um homem religioso (e muito ambicioso), que acreditava poder salvar sozinho a Igreja católica de um embaraço futuro. O universo de Newton era infinito, a manifestação do poder infinito de Deus. Einstein escreveu que a devoção à ciência era a única atividade verdadeiramente religiosa nos tempos modernos.

Acredito que ao conhecer esses cientistas vamos entender melhor não só sua ciência, mas também os cientistas em geral; como eles pensam, sentem e que elementos subjetivos fazem parte de seu processo criativo. A noção, infelizmente bem generalizada, de que os cientistas são pessoas frias e insensíveis, um grupo de excêntricos que dedicam sua vida ao estudo de questões arcanas que ninguém pode entender, é profundamente equivocada. Como espero mostrar, a física é muito mais do que a mera resolução de equações e interpretação de dados. Até arrisco dizer que existe poesia na física, que a física é uma expressão profundamente humana da nossa reverência à beleza da Natureza. Física é, também, um processo de autodescoberta, de "pró-cura", como me disse certa vez o psicanalista Hélio Pellegrino, que acontece quando tentamos transcender as limitações da vida diária através da contemplação de questões de natureza mais profunda. Espero que, após terminar este livro, você concorde comigo.

Este livro é para todo indivíduo, cientista ou não, que tenha curiosidade acerca do Universo em que vivemos. Embora trate de ciência, história da ciência e da relação entre ciência e religião, este não é um tratado acadêmico sobre esses assuntos. A ideia aqui não é ser exaustivo ou muito detalhado, pois isso iria contrariar minhas intenções, transformando este livro em algo que não é. Dada a grande variedade de tópicos, vários detalhes foram postos de lado, intencionalmente ou não. Para os leitores que queiram mais informação, ofereço uma lista para leitura adicional na bibliografia.

Gosto de comparar o cientista que escreve sobre ciência para o público em geral com um tradutor tentando encontrar modos para descrever certas imagens e ideias em uma nova língua que talvez não seja tão adequada quanto a língua original, no caso a matemática. Inevitavelmente, algo será sempre perdido na tradução, certas ideias e imagens terão seus significados obscurecidos ao serem expressas dentro de outra estrutura linguística. Como solução, frequentemente apelarei para sua imaginação, invocando imagens da vida diária que irão ajudar na elucidação de certos aspectos mais técnicos. Assim como em música não é necessário saber ler uma partitura para poder apreciar a beleza de uma sinfonia, em física tampouco se precisa saber resolver uma equação para apreciar a beleza de uma teoria. Minha esperança é que a tradução seja boa o suficiente para que você possa compartilhar da minha paixão pela ciência e por esse Universo que jamais deixará de nos surpreender e maravilhar.

Parte 1
ORIGENS

1. MITOS DE CRIAÇÃO

Muitos pensam que a pesquisa científica é uma atividade puramente racional, na qual o objetivismo lógico é o único mecanismo capaz de gerar conhecimento. Como resultado, os cientistas são vistos como insensíveis e limitados, um grupo de pessoas que corrompe a beleza da Natureza ao analisá-la matematicamente. Essa generalização, como a maioria das generalizações, me parece profundamente injusta, já que ela não incorpora a motivação mais importante do cientista, o seu fascínio pela Natureza e seus mistérios. Que outro motivo justificaria a dedicação de toda uma vida ao estudo dos fenômenos naturais, senão uma profunda veneração pela sua beleza? A ciência vai muito além da sua mera prática. Por trás das fórmulas complicadas, das tabelas de dados experimentais e da linguagem técnica, encontra-se uma pessoa tentando transcender as barreiras imediatas da vida diária, guiada por um insaciável desejo de adquirir um nível mais profundo de conhecimento e de realização própria. Sob esse prisma, o processo criativo científico não é assim tão diferente do processo criativo nas artes, isto é, um veículo de autodescoberta que se manifesta ao tentarmos capturar a nossa essência e lugar no Universo.

À primeira vista, pode parecer estranho que um livro escrito por um cientista sobre a evolução do pensamento cosmológico comece com um capítulo sobre mitos de criação de culturas pré-científicas. Existem duas justificativas para minha escolha.

Primeira, esses mitos encerram todas as respostas lógicas que podem ser dadas à questão da origem do Universo, incluindo as que encontramos em teorias cosmológicas modernas. Com isso não estou absolutamente dizendo que a ciência moderna está meramente redescobrindo a antiga sabedoria, mas que, quando nos deparamos com a questão da origem de todas as coisas, podemos discernir uma clara universalidade do pensamento humano. A linguagem é diferente, os símbolos são diferentes, mas, na sua essência, as ideias são as mesmas.

É claro que existe uma grande diferença entre um enfoque religioso e um enfoque científico no estudo da origem do Universo. Teorias científicas são supostamente testáveis e devem ser refutadas se elas não descrevem a realidade. Mesmo que no momento estejamos ainda longe de podermos testar modelos que descrevem a origem do Universo, um modelo matemático só será considerado seriamente pela comunidade científica se puder ser testado experimentalmente. Esse fato básico traz várias dificuldades aos modelos que tentam descrever a origem do Universo. Afinal, como podemos testar esses modelos? No momento, o máximo que podemos esperar é que eles nos deem informações sobre certas propriedades básicas do Universo observado. Mesmo que isso esteja ainda longe de ser um teste da utilidade desses modelos, pelo menos já é um começo. Mais tarde, retornaremos a esses modelos e discutiremos em maiores detalhes suas promessas e dificuldades. Por ora, é importante apenas que tenhamos em mente que mitos de criação e modelos cosmológicos têm algo de fundamental em comum: ambos representam nossos esforços para compreender a existência do Universo.

A segunda razão para começar este livro com mitos de criação é mais sutil. Esses mitos são essencialmente religiosos, uma expressão do fascínio com que as mais variadas culturas encaram o mistério da Criação. Como discutirei em detalhe, é precisamente esse mesmo fascínio que funciona como uma das motivações principais do processo criativo científico. Acredito que esse fascínio seja muito mais primitivo do que o veículo particular escolhido para expressá-lo, seja através da religião organizada ou da ciência. Para a maioria dos cientistas o estudo da Natureza é encarado como um desafio intelectual. Sua motivação para enfrentar esse desafio vem de uma profunda fé na capacidade da razão humana de poder entender o mundo à sua volta. A física se transforma em uma ferramenta desenhada para decifrar os enigmas da Natureza, a encarnação desse processo racional de descoberta. Como escreveu Richard Feynman, em seu maravilhoso livro *Feynman lectures on physics*,

> imagine que o mundo seja algo como uma gigantesca partida de xadrez sendo disputada pelos deuses, e que nós fazemos parte da audiência. Não sabemos quais são as regras do jogo; podemos apenas observar seu desenrolar. Em princípio, se observarmos por tempo suficiente, iremos descobrir algumas das regras. As regras do jogo é o que chamamos de física fundamental.[1]

Podemos interpretar esse texto de dois modos diversos. Um é dizer que a física é apenas um modo racional de estudar a Natureza; outro é dizer que a física é mais do que um mero desafio intelectual, que a física é a linguagem dos deuses.

A maioria dos cientistas modernos opta pela primeira interpretação. Mas alguns não. Para estes, a busca do conhecimento científico possui elementos essencialmente místicos, uma espécie de conexão com uma fonte de inteligência superior. Talvez isso venha a chocar muita gente, incluindo vários cientistas. Contudo, se voltarmos um pouco no tempo, veremos que alguns dos cientistas responsáveis pelo desenvolvimento de nossa visão do Universo eram profundamente religiosos. Acredito que o misticismo, *se interpretado como a incorporação da nossa irresistível atração pelo desconhecido*, tem um papel fundamental no processo criativo de vários cientistas tanto do passado como do presente. Negar esse fato é fechar os olhos para a história, e para um aspecto fundamental da ciência. Para que possamos entender as raízes desse *misticismo racional*, inicialmente iremos focalizar nossa atenção nos mitos de criação de civilizações pré-científicas.

A NATUREZA DOS MITOS DE CRIAÇÃO

Há milênios, muito antes de esse corpo de conhecimento que hoje chamamos de ciência existir, a relação dos seres humanos com o mundo era bem diferente. A Natureza era respeitada e idolatrada, sendo a única responsável pela sobrevivência de nossa espécie, a qual vivia basicamente da caça e de uma agricultura bastante rudimentar. Na esperança de que catástrofes naturais tais como vulcões, tempestades ou furacões não destruíssem as suas casas e plantações, ou matassem os animais e peixes, várias culturas atribuíram aspectos divinos à Natureza. Os pormenores desse processo de deificação da Natureza variam de acordo com a localização, clima ou com o grau de isolamento de um determinado grupo. Em certas culturas, vários deuses controlavam (ou até personificavam) as diferentes manifestações naturais, enquanto em outras a própria Natureza era divina, a "Deusa-Mãe". Rituais e oferendas procuravam conquistar a simpatia divina, garantindo assim a sobrevivência do grupo. Através dessa relação com os deuses, os indivíduos buscavam ordenar sua existência, dando sentido a fenômenos misteriosos e ameaçadores. Por outro lado, a relação com os deuses tinha também uma função social, impondo valores morais e éticos que eram fundamentais para a coesão do grupo.

Essa relação religiosa com a Natureza se estendia para além das funções mais imediatas de bem-estar e segurança do grupo, abrangendo também necessidades de ordem mais metafísica. Um exemplo típico é a interpretação da morte em diferentes religiões. Em certos casos, a morte é apenas uma passagem para uma nova vida, uma ponte ligando uma existência a outra, em um ciclo que se repete eternamente. Em outros, a morte representa uma ascensão a uma realidade absoluta, a promessa de uma merecida existência eterna no Paraíso, após as várias atribulações e dificuldades da vida. Qualquer que seja a cultura, a busca pela compreensão da morte através da religião satisfaz a necessidade que temos de lidar com o que é tantas vezes imprevisível e inexplicável. Para o crente, a fé conforta e dá a certeza de que sua própria morte não é o fim de tudo. Já para o cético, a própria ciência pode oferecer algum conforto. Como escreveu o físico americano Sheldon Glashow: "talvez possamos, ao entendermos a ciência, encarar mais facilmente nossa própria mortalidade e a da nossa espécie e planeta".[2]

Outra situação em que a religião tem um papel muito importante é na questão da origem do Universo. Essa é talvez a pergunta mais fundamental que podemos fazer com relação à nossa existência. Tanto assim que neste livro vamos chamá-la de "A Pergunta". Afinal, estamos aqui porque o Universo oferece condições para que a vida inteligente possa evoluir, ao ponto de tornar possível que (pelo menos) uma espécie, que habita um pequeno planeta orbitando em torno de uma pequena estrela situada em uma dentre bilhões de galáxias no Universo, possa se perguntar sobre sua origem. Ao nos perguntarmos sobre a nossa origem, ou sobre a origem da vida, estamos implicitamente nos perguntando sobre a origem do Universo, a "origem das origens". Portanto, não é nenhuma surpresa que a cosmologia exerça tanto fascínio atualmente. Devido à sua natureza, a ciência tem de oferecer respostas universais, independentes de pontos de vista religiosos ou morais. Ao se questionar sobre a origem do Universo, os cosmólogos atuam, ao menos na percepção popular, como criadores de mitos universais, capazes de transpor barreiras de credo e raça.

Quando refletimos sobre a origem do Universo, imediatamente percebemos que devemos nos defrontar com problemas bem fundamentais. Como podemos compreender qual é a origem de "tudo"? Se assumirmos que "algo" criou "tudo", caímos em uma regressão infinita; quem criou o algo que criou o tudo? Como podemos entender o que existia antes de "tudo" existir? Se dissermos que "nada" existia antes de "tudo", estamos assumindo a existência de "nada", o que implicitamente assume a existência de um "tudo" que lhe é contrário. Nada já é muito, como na história de Alice no País das Maravilhas, em que o Rei Vermelho pergunta a Alice: "O que você está vendo?", e Alice responde: "Nada". O rei, impressionadíssimo, comenta: "Mas que ótimos olhos você tem!".[3] Quando tentamos entender o Universo como um todo, somos limitados pela nossa perspectiva "interna", como um peixe inteligente que tenta descrever o oceano como um todo. Isso é verdade tanto em religião como em ciência. Em ciência, o problema é particularmente agudo em cosmologia quântica, onde a mecânica quântica é aplicada na descrição da origem do Universo.[4]

Na mecânica quântica tradicional, o observador tem um papel privilegiado, sua presença sendo de alguma forma responsável pelos resultados de um dado experimento. Para que possamos aplicar a mecânica quântica ao Universo como um todo, o papel do observador tem de ser modificado, basicamente porque "ninguém estava lá para tirar medidas". E aqui nos defrontamos com uma barreira aparentemente intransponível, que tem suas origens no modo como pensamos e nos comportamos em sociedade: o problema da polarização entre pares de opostos imbuída na nossa percepção da realidade. Quando tentamos organizar o mundo à nossa volta, a distinção entre opostos é fundamental. Nossa existência e ações são rotineiramente baseadas em pares de opostos, como dia e noite, frio e quente, culpado e inocente, feio e bonito, morto e vivo, rico e pobre. Sem essa distinção nossos valores não fariam sentido, nossa agricultura não funcionaria, e nossa espécie provavelmente não sobreviveria. O problema é que pagamos um preço por sermos assim. Perguntas que transcendem a distinção entre opostos ficam sem resposta. Pelo menos, sem uma resposta que possamos chamar de lógica. Mas isso não significa que deixamos de fazer essas perguntas. Ao contrário, o fascinante é que, em *todas* as culturas de que temos conhecimento, "A Pergunta" foi feita. A necessidade de entendermos nossa origem e a origem de todo o Universo, ou seja, o problema da Criação, é inerente ao ser humano, transpondo barreiras temporais e geográficas. Ela estava presente há milênios, quando nos abrigávamos em cavernas durante tempestades, e ela está presente agora, quando encontramos tempo para refletir sobre nossa existência.

Uma vez que nos perguntamos sobre a origem do Universo, encontrar uma resposta se torna muito tentador. O caminho que cada indivíduo escolhe depende, sem dúvida, de quem está fazendo a pergunta. Uma pessoa religiosa vai procurar respostas dentro do contexto de alguma religião, que poderá ser tanto uma religião organizada como uma versão mais pessoal. O ateu tentará, talvez, achar uma resposta dentro de um contexto científico. Religiosas ou não, certamente a maioria das pessoas terá alguma resposta. O veículo encontrado por várias culturas foi o mito. Mitos são histórias que procuram viabilizar ou reafirmar sistemas de valores, que não só dão sentido à nossa existência como também servem de instrumento no estudo de uma determinada cultura.

Um exemplo trágico é o mito da supremacia ariana, usado pelos nazistas durante a Segunda Guerra Mundial como plataforma de coesão na Alemanha. Outro exemplo é o mito segundo o qual aquele que se interessa por ciência tem de ser "diferente", ou pelo menos levemente desajustado na arte da comunicação social. Ou que mulheres não devem se interessar por ciência porque "isso é coisa de homem". Como consequência desse mito, cientistas são muitas vezes rotulados de frios ou calculistas, quando na verdade a dedicação à ciência é uma atividade profundamente humana, cheia de paixão e reverência pela beleza da Natureza. E, infelizmente, mulheres cientistas ainda são uma minoria absoluta em vários países. Uma das razões que me levaram a escrever este livro é precisamente meu desejo de refutar esses mitos.

Esses exemplos mostram que o poder de um mito não está em ele ser falso ou verdadeiro, mas em ser efetivo. Isso não pode ser mais verdade do que quando nos deparamos com os *mitos de Criação* (ou *cosmogônicos* — do grego *kosmogonos*), que abordam o problema da origem do Universo. É claro que, quando diferentes culturas tentam formular uma explicação para a origem de "tudo", elas têm de usar uma linguagem essencialmente metafórica, baseada em símbolos que têm significado dentro da cultura geradora do mito. Metáforas também são comuns em ciência, especialmente a ciência que explora fenômenos alheios à nossa percepção sensorial, como por exemplo no mundo do muito pequeno e do muito rápido, o domínio da física atômica e subatômica.

Isso explica por que mitos de determinadas culturas podem parecer completamente sem sentido em outras. De fato, um erro bastante comum é usarmos valores ou símbolos da nossa cultura na interpretação de mitos de outras culturas. Outro erro grave é interpretar um mito cientificamente, ou tentar prover mitos com um conteúdo científico. Os mitos têm que ser entendidos dentro do contexto cultural do qual fazem parte. Por exemplo, o mito assírio "Uma outra versão da criação do homem" (*c.* 800 a.C.) começa com cinco deuses, Anu, Enlil, Shamash, Ea e Anunnaki, discutindo a criação do mundo enquanto estão sentados no céu. Se não sabemos qual o significado dessas divindades para o povo assírio, a imagem de cinco deuses conversando no céu pode nos parecer bastante simplista. Porém, uma vez entendido o que cada deus representa, o mito passa a fazer muito mais sentido. Anu simboliza o poder do céu ou do ar, Enlil o poder da terra, Shamash o Sol ou fogo, Ea a água, e Anunnaki o destino. Para os assírios, a Criação ocorreu quando os quatro elementos e o tempo se combinaram para dar forma ao mundo e à vida. Sua religião é baseada em rituais que celebram o poder da Natureza, sendo a missão dos devotos a manutenção e o incremento do poder e da fertilidade da Terra, uma lição que nós todos devemos encarar muito seriamente hoje em dia.

Devido ao seu profundo significado, os mitos de criação nos fornecem um retrato fundamental de como determinada cultura percebe e organiza a realidade à sua volta. Em breve, teremos oportunidade de analisar alguns exemplos, escolhidos pelo modo como o problema da Criação é abordado. A ideia aqui não é oferecer uma análise detalhada dos vários mitos usando métodos da antropologia cultural, algo que prefiro deixar para os antropólogos, mas apenas discutir as várias possibilidades criadas pelas diferentes culturas para lidar com "A Pergunta". Dentro desse foco mais restrito, veremos que os vários mitos de criação pré-científicos exibem todas as respostas possíveis "À Pergunta". Em outras palavras, depois de despojados de sua rica (e muitas vezes belíssima) simbologia, os mitos podem ser classificados de acordo com o modo como explicam a Criação (ou sua ausência!). Na parte final do livro, onde discutiremos as teorias da cosmologia moderna, vamos encontrar alguns traços dessas ideias antigas, memórias distantes talvez, que de alguma forma permaneceram vivas nos confins de nosso inconsciente, demonstrando uma profunda universalidade da criatividade humana.

UMA CLASSIFICAÇÃO DOS MITOS DE CRIAÇÃO

Conforme vimos antes, a restrição fundamental que devemos enfrentar quando tentamos entender a origem de "tudo" é a limitação imposta pela nossa percepção bipolar da realidade; o processo ou entidade responsável pela Criação tem necessariamente que criar *ambos* os opostos, estando portanto além dessa dicotomia. A solução encontrada para esse problema pelas várias culturas é essencialmente religiosa. Em geral, todas as culturas assumem a existência de uma realidade absoluta, ou simplesmente de um Absoluto, que não só abrange como transcende *todos* os opostos. Esse Absoluto é o elemento central na estrutura de todas as religiões, dando assim um caráter religioso aos mitos de criação. O Absoluto, então, incorpora em si a síntese de todos os opostos, existindo por si só, independente da existência do Universo. Ele não tem uma origem, já que está além de relações de causa e efeito. Esse Absoluto pode ser Deus, ou o domínio de vários deuses, ou o Caos Primordial, ou mesmo o Vazio, o Não Ser.

Por outro lado, vivemos na nossa realidade polarizada, de onde tentamos compreender a essência do Absoluto. A ponte que estabelece a relação entre o Absoluto e a realidade é o mito de criação. Em outras palavras, através de seus mitos as religiões proclamam sua realidade, relacionando o compreensível ao incompreensível. O processo de criação do Universo envolve sempre a distinção entre os opostos, a desintegração da união existente no Absoluto que gera a polarização inerente à realidade.

Quais são, então, as respostas dadas pelas várias culturas "À Pergunta"? O simbolismo utilizado por uma cultura na narração de seus mitos nunca é tão expressivo quanto nos seus mitos de criação. Um belo exemplo vem dos índios Hopi, dos Estados Unidos. Nele existem duas personagens principais, Taiowa (o

Criador, representando o Ser) e Tokpela (o espaço infinito, representando o Não Ser).

O primeiro mundo foi Tokpela. Mas antes, se diz, existia apenas o Criador, Taiowa. Todo o resto era espaço infinito. Não existia um começo ou um fim, o tempo não existia, tampouco formas materiais ou vida. Simplesmente um vazio incomensurável, com seu princípio e fim, tempo, formas e vida existindo na mente de Taiowa, o Criador. Então Ele, o infinito, concebeu o finito: primeiro Ele criou Sotuknang, dizendo-lhe: "Eu o criei, o primeiro poder e instrumento em forma humana. Eu sou seu tio. Vá adiante e perfile os vários universos em ordem, para que eles possam trabalhar juntos, de acordo com meu plano". Sotuknang seguiu as instruções de Taiowa; do espaço infinito ele conjurou o que se manifestaria como substância sólida, e começou a moldar as formas concretas do mundo.

Nesse mito, o Infinito cria o finito, dando forma concreta à matéria. Claramente, Taiowa representa o Absoluto a que nos referimos antes, que é onipresente (está presente simultaneamente em todos os lugares), onisciente (tem conhecimento de tudo) e onipotente (tem poder infinito). O Universo é criado pela ação de um "Ser Positivo", em um determinado momento; ou seja, a Criação ocorre em um momento específico, implicando que o Universo tem uma idade finita.

Já em outros mitos, o papel do tempo na Criação é muito diferente. O Universo não foi criado em um momento específico, mas existiu e existirá para sempre, isto é, o Universo tem uma idade infinita. Por exemplo, na religião hindu, na qual o tempo tem uma natureza circular, a Criação é repetida eternamente, num ciclo de criação e destruição simbolizado pela dança rítmica do deus Xiva:

> Na noite do Brama (a essência de todas as coisas, a realidade absoluta, infinita e incompreensível), a Natureza é inerte e não pode dançar até que Xiva assim o deseje. O deus se

alça de seu estupor e, através de sua dança, envia ondas pulsando com o som do despertar, e a matéria também dança, aparecendo gloriosamente à sua volta. Dançando, Ele sustenta seus infinitos fenômenos, e, quando o tempo se esgota, ainda dançando, Ele destrói todas as formas e nomes por meio do fogo e se põe de novo a descansar.[5]

A dança de Xiva simboliza tudo que é cíclico no Universo, incluindo sua própria evolução. Através de sua dança, o deus cria o Universo e seu conteúdo material, mantendo-o durante sua existência e finalmente destruindo-o quando chega o tempo apropriado. Esse ciclo se repete por toda a eternidade, sem um começo ou um fim. Para os hindus, nossa existência se manifesta através da tensão dinâmica entre os opostos, vida e morte, criação e destruição. A dança do deus simboliza não só a natureza rítmica do tempo, como também a natureza efêmera da vida, ajudando os devotos a encarar sua própria mortalidade.

Como neste livro examinaremos a evolução do pensamento cosmológico e o papel do que chamo de "misticismo racional" no processo criativo científico, nosso estudo dos mitos de criação se restringirá às ideias básicas sobre Criação, que podemos identificar por trás da rica simbologia usada nos mitos. Portanto, de agora em diante vamos nos concentrar mais nas *respostas* oferecidas pelos vários mitos de criação ao problema da Criação, deixando de lado os detalhes das culturas que os geraram. A classificação dos mitos de criação que ofereço a seguir é baseada em várias antologias que podem ser achadas na literatura. Para os leitores mais curiosos, cito alguns exemplos na bibliografia.

Os mitos de criação podem ser separados em dois grupos principais, de acordo com a resposta dada à questão do "Início". Enquanto alguns mitos supõem que o Universo teve um início, ou seja, um momento a partir do qual o Universo passou a existir, como no exemplo dos índios Hopi, outros supõem que o Universo existiu desde sempre, como no exemplo da dança do deus Xiva. No primeiro caso, o Universo tem uma idade finita, enquanto no segundo o Universo tem uma idade infinita. Imagino que você poderia argumentar que, no caso do Universo cíclico, cada ciclo começa com uma Criação. Isso é verdade para aquele ciclo em particular, mas como existe um número infinito de ciclos, não podemos falar de um "Início", mas sim de infinitos inícios, todos igualmente importantes. O tempo é efetivamente circular, sem começo nem fim, permitindo portanto uma fácil distinção entre esse tipo de mito e aqueles que supõem um Início único.

A fim de organizar melhor nossas ideias, vamos chamar os mitos que supõem um (e apenas um) momento da Criação de "mitos *com* Criação". Já os mitos em que o Universo é eterno, ou criado e destruído infinitas vezes, chamemos de "mitos *sem* Criação". Dentro de cada um desses grupos existem subgrupos, definidos de acordo com o processo responsável pela existência do Universo. No diagrama a seguir, apresento uma classificação dos mitos cosmogônicos.

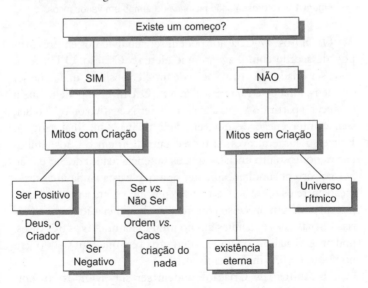

Figura 1.1: Uma classificação dos mitos cosmogônicos.

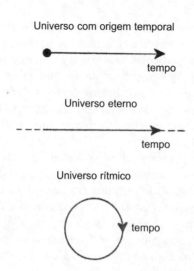

Figura 1.2: Representação pictórica do tempo em vários mitos.

Os "mitos *com* Criação" podem ser subdivididos em três grupos, de acordo com o agente que efetua a Criação. O Universo pode ser criado a partir da ação de um Ser positivo, que pode ser um deus, uma deusa ou vários deuses. O Universo pode também aparecer a partir do Vazio absoluto, o Ser Negativo ou o Não Ser, sem a intervenção de uma entidade divina. Ou, finalmente, o Universo surge através da tensão entre Ordem e Caos, ambos partes do Absoluto inicial. Aqui, as potencialidades de Ser e Não Ser coexistem simultaneamente, sem que exista ainda uma separação entre os opostos. Essa tensão por fim gerará a matéria, que, por meio de um processo contínuo de diferenciação, toma as várias formas que se manifestam no mundo natural. Nos três casos, podemos visualizar o tempo como uma reta que tem sua origem no ponto $t = 0$, o instante inicial.

Os "mitos *sem* Criação" podem ser subdivididos em dois grupos. Como não existe um momento definido de criação, as únicas possibilidades são um Universo que existe e existirá para toda a eternidade, ou um Universo que é continuamente criado e destruído, em um ciclo que se repete para sempre. No primeiro caso, podemos visualizar o tempo como uma linha reta que se origina num ponto infinitamente distante de onde estamos agora. Portanto, todos os pontos na linha reta são equivalentes, e o que definimos como o início do tempo passa a ser uma escolha subjetiva. Nós é que escolhemos quando começamos a contar a passagem do tempo. No segundo caso, podemos visualizar o tempo como um círculo que sempre retorna ao seu ponto de partida. Novamente, não existe nenhum ponto especial que possamos identificar como o início do tempo.

ALGUNS EXEMPLOS

A seguir, ilustrarei essa classificação dos mitos cosmogônicos com alguns exemplos, começando pelos "mitos *com* Criação". Essa seleção de mitos é bastante pessoal, inspirada principalmente por sua beleza e relevância para meu argumento. Os mitos que assumem a existência de um início são, sem dúvida, os mais comuns, em especial aqueles que invocam um "Ser Positivo" no papel do Criador. Para o mundo ocidental, o mito de criação mais conhecido é encontrado no Gênesis 1:1-5 (*c.* 400 a.C.):

> No princípio Deus criou o céu e a terra. A terra, porém, estava informe e vazia, e as trevas cobriam a face do abismo, e o Espírito de Deus movia-se sobre as águas. E Deus disse: Exista a luz. E a luz existiu. E Deus viu que a luz era boa; e separou a luz das trevas. E chamou à luz dia, e às trevas noite. E fez-se tarde e manhã: o primeiro dia.*

Deus, o Absoluto, exerce Seu infinito poder criativo através de palavras que dão existência ao Universo e ao seu conteúdo ("Exista a luz. E a luz existiu"). O processo de criação se efetua

---
* Extraído da *Bíblia sagrada*, 47ª ed. São Paulo: Edições Paulinas, 1990.

por meio da separação entre opostos, em particular entre luz e trevas, a mais primitiva polarização da nossa realidade. Essa separação permite então a definição do Dia e da Noite, marcando o início da passagem do tempo. Devido ao caráter verbal do processo de criação, alguns autores chamam esse tipo de Ser Positivo de "Deus Pensador". Criação é, de certa forma, um ato racional, expresso através de palavras. A mesma ideia aparece em vários outros mitos, como, por exemplo, no mito assírio já discutido e no mito maia "Popol Vuh".

Outro exemplo de Ser Positivo é o "Deus Organizador", em que a divindade (ou divindades) exerce o papel de controlador da oposição primordial entre Ordem e Caos. O Caos representa o Mal, a desordem, e é simbolizado em vários mitos por monstros como serpentes ou dragões, ou simplesmente deuses maléficos que lutam contra outros deuses em batalhas cósmicas relatadas muitas vezes em textos épicos, como no caso do *Enuma elis* dos babilônios. Neste, a batalha é entre duas gerações de deuses, pais e filhos, com os filhos saindo vencedores no final. A Terra surge do corpo mutilado da Deusa-Mãe. Em outros mitos, o Caos é representado de modo mais abstrato, fazendo inicialmente parte do Absoluto, junto com a Ordem. Encontramos um belíssimo exemplo no poema *Metamorfoses*, do romano Ovídio (43 a.C.-18 d.C.), escrito por volta do ano 8 d.C., uma rara expressão de interesse por essas questões vinda da literatura romana.

Antes de o oceano existir, ou a terra, ou o firmamento,
A Natureza era toda igual, sem forma. Caos era chamada,
Com a matéria bruta, inerte, átomos discordantes
Guerreando em total confusão:
Não existia o Sol para iluminar o Universo;
Não existia a Lua, com seus crescentes que lentamente se preenchem;
Nenhuma terra equilibrava-se no ar.
Nenhum mar expandia-se na beira de longínquas praias.
Terra, sem dúvida, existia, e ar e oceano também,
Mas terra onde nenhum homem pode andar, e água onde
Nenhum homem pode nadar, e ar que nenhum homem pode respirar;

Ar sem luz, substância em constante mudança,
Sempre em guerra:
No mesmo corpo, quente lutava contra frio,
Molhado contra seco, duro contra macio.
O que era pesado coexistia com o que era leve.
Até que Deus, ou a Natureza generosa,
Resolveu todas as disputas, e separou o
Céu da Terra, a água da terra firme, o ar
Da estratosfera mais elevada, uma liberação.
E as coisas evoluíram, achando seus lugares a partir
Da cega confusão inicial.
O fogo, esse elemento etéreo,
Ocupou seu lugar no firmamento,
sobre o ar; sob ambos, a terra,
Com suas proporções mais grosseiras, afundou; e a água
Se colocou acima, e em torno, da terra.
Esse Deus, que do Caos
Trouxe ordem ao Universo, dando-lhe
Divisão, subdivisão, quem quer que ele seja,
Ele moldou a terra na forma de um grande globo,
Simétrica em todos os lados, e fez com que as águas se
Espalhassem e elevassem, sob a ação dos ventos uivantes [...][6]

Caos aqui não representa destruição ou desordem, mas sim a potencialidade de coexistência de todos os opostos, sem que sua existência individual possa se manifestar: "[...] terra, sem dúvida, existia, [...], mas terra onde nenhum homem pode andar [...]. No mesmo corpo, quente lutava contra frio, molhado contra seco, duro contra macio [...]". E então Deus, cuja origem permanece inexplicável, aparece e organiza o Caos, separando os opostos e arranjando os elementos básicos (o fogo, o ar, a terra e a água) em seus devidos lugares, de acordo com a doutrina aristotélica (ver o próximo capítulo).

Dentro ainda do subgrupo caracterizado pelo Ser Positivo, alguns mitos usam Deus como um artesão, como no mito dos índios Hopi já citado, ou no segundo mito do Gênesis, no qual

Deus forma Adão a partir da terra e lhe dá vida ao soprar em seus pulmões. Outros usam a metáfora da procriação, que reaparece em várias versões: a Mãe Deusa, que literalmente dá à luz a Terra, ou que dá à luz outros deuses, que constroem a Terra; ou um Deus que cria uma companheira ou que usa sua parte feminina interna para criar o mundo. Um tipo final de mito com um Ser Positivo usa um sacrifício divino no processo de criação. Deus, o Absoluto, morre, dando então vida à Criação, o relativo. Um exemplo pode ser encontrado em uma das várias versões do mito chinês de P'an Ku (século III):

> A criação do mundo não terminou até que P'an Ku morreu. Somente sua morte pôde aperfeiçoar o Universo: de seu crânio surgiu a abóbada do firmamento, e de sua pele a terra que cobre os campos; de seus ossos vieram as pedras, de seu sangue, os rios e os oceanos; de seu cabelo veio toda a vegetação. Sua respiração se transformou em vento, sua voz, em trovão; seu olho direito se transformou na Lua, seu olho esquerdo, no Sol. De sua saliva e suor veio a chuva. E dos vermes que cobriam seu corpo surgiu a humanidade.

Um segundo tipo de mito *com* Criação assume que *nada* existia antes da criação do Universo. Não existia um Deus ou deuses, mas sim puro vazio, o Ser Negativo ou o Não Ser. A Criação surge do nada, sem nenhuma justificativa de como esse processo foi possível. Um exemplo vem do hinduísmo, no Chandogya Upanis.ad, III, 19:

> No início esse [Universo] não existia. De repente, ele passou a existir, transformando-se em um ovo. Depois de um ano incubando, o ovo chocou. Uma metade da casca era de prata, a outra, de ouro. A metade de prata transformou-se na Terra; a de ouro, no Firmamento. A membrana da clara transformou-se nas montanhas; a membrana mais fina, em torno da gema, em nuvens e neblina. As veias viraram rios;

o fluido que pulsava nas veias, oceano. E então nasceu Aditya, o Sol. Gritos de saudação foram ouvidos, partindo de tudo que vivia e de todos os objetos do desejo. E desde então, a cada nascer do Sol, juntamente com o ressurgimento de tudo que vive e de todos os objetos do desejo, gritos de saudação são novamente ouvidos.

O tema do ovo cósmico é muito comum em mitos de criação. Numa das versões do mito de P'an Ku, ele próprio surge de um ovo. Um aspecto interessante desse mito é que o ovo aparece do nada, e a criação acontece espontaneamente, através da dissociação do ovo cósmico, sem a intervenção de um ser divino. O ovo nesse mito tem o mesmo papel que P'an Ku no mito relatado acima, ou seja, o de fonte de todas as coisas. Entretanto, não encontramos a ideia de sacrifício divino como fonte da Criação, mas apenas o modelo bastante familiar de um ovo chocando. Não sabemos de onde vem o ovo; ele "passou a existir", transformando-se em um Universo que também passou a existir, como se fosse o resultado da flutuação do Ser proveniente do Não Ser primordial. Outro exemplo de criação a partir do nada vem dos índios Maori da Nova Zelândia:

> *Do nada a procriação,*
> *Do nada o crescimento,*
> *Do nada a abundância,*
> *O poder de aumentar o sopro vital;*
> *Ele organizou o espaço vazio,*
> *E produziu a atmosfera acima,*
> *A atmosfera que flutua sobre a Terra;*
> *O grande firmamento organizou a madrugada,*
> *E a Lua apareceu;*
> *A atmosfera acima organizou o calor,*
> *E o Sol apareceu;*
> *Eles foram jogados para cima,*
> *Para serem os olhos principais do Céu:*
> *E então o firmamento transformou-se em luz,*

A madrugada, o nascer do dia, o meio-dia.
O brilho do dia vindo dos céus.

Novamente, não existe um Ser responsável pela criação do mundo, que aparece do nada, resultado de uma inexorável necessidade de existir.

O último tipo de mito *com* Criação representa a Criação como resultado da tensão entre Ser e Não Ser, ambos originalmente coexistindo no Caos primordial. Entretanto, ao contrário da cosmogonia de Ovídio, aqui não encontraremos um Deus como responsável pela Criação; o processo criativo ocorre à medida que a ordem surge do Caos, a partir da interação dinâmica entre tensões opostas. Usando uma linguagem científica moderna, podemos dizer que, nesse tipo de mito, a complexidade observada na Natureza emerge de um estado original de desordem por meio de uma manifestação espontânea de auto-organização. Essa ideia é claramente expressa em um mito taoísta anterior a 200 a.C.:

> No princípio era o Caos. Do Caos veio a pura luz que construiu o Céu. As partes mais concentradas juntaram-se para formar a Terra. Céu e Terra deram vida às 10 mil criações [Natureza], o começo, que contém em si o crescimento, usando sempre o Céu e a Terra como seu modelo. As raízes do Yang e do Yin — os princípios do masculino e do feminino — também começaram no Céu e na Terra. Yang e Yin se misturaram, os cinco elementos surgiram dessa mistura e o homem foi formado. [...] Quando Yin e Yang diminuem ou aumentam seu poder, o calor ou o frio são produzidos. O Sol e a Lua trocam suas luzes. Isso também produz o passar do ano e as cinco direções opostas do Céu: leste, oeste, sul, norte e o ponto central. Portanto, Céu e Terra reproduzem a forma do homem. Yang fornece e Yin recebe.

Os opostos são representados por Yin e Yang, com Yin representando passividade, escuridão e fraqueza, e Yang representando atividade, brilho e força. A Criação resulta da complementaridade dinâmica entre os opostos, da tensão que surge da necessidade de ambos existirem no mesmo Universo.

Agora examinaremos brevemente os mitos *sem* Criação. Já discutimos um exemplo dessa categoria, o Universo pulsante do hinduísmo, no qual a Criação surge e ressurge ciclicamente através da dança rítmica do deus Xiva. Um exemplo de um Universo eterno, sem criação, é encontrado no jainismo, uma religião originária da Índia, aparentemente fundada por Maavira, um contemporâneo de Buda, do século VI a.C. A versão que apresentamos é atribuída a Jinasena, um jainista que viveu por volta do ano 900 d.C. A ideia da Criação é rejeitada por completo, por meio de uma sequência de argumentos lógicos extremamente lúcidos e, acrescento, bastante antipáticos.

Alguns homens tolos declaram que o Criador fez o mundo.
A doutrina que diz que o mundo foi criado é errônea e deve ser rejeitada.
Se Deus criou o mundo, onde estava Ele antes da criação?
Se você argumenta que Ele era então transcendente, e que portanto
　　　[não precisava de suporte físico, onde está Ele agora?
Nenhum ser tem a habilidade de fazer este mundo —
Pois como pode um deus imaterial criar algo material?
Como pôde Deus criar o mundo sem nenhum material básico?
Se você argumenta que Ele criou o material antes, e depois o mundo,
　　　[você entrará em um processo de regressão infinita.
Se você declarar que esse material apareceu espontaneamente, você entra
　　　[em outra falácia,
Pois nesse caso o Universo como um todo poderia ser seu próprio criador.
Se Deus criou o mundo como um ato de seu próprio desejo, sem nenhum
　　　[material,
Então tudo vem de Seu capricho e nada mais — e quem vai acreditar
　　　[numa bobagem dessas?
Se Ele é perfeito e completo, como Ele pode ter o desejo de criar algo?
Se, por outro lado, Deus não é perfeito, Ele jamais poderia criar um
　　　[Universo melhor do que um simples artesão.
[...]

Se Ele é perfeito, qual a vantagem que Ele teria em criar o Universo?
Se você argumenta que Ele criou sem motivo, por que essa é
Sua natureza, então Deus não tem objetivos.
Se Ele criou o Universo como forma de diversão, então isso é uma
[brincadeira de crianças tolas, que em geral acaba mal.
[...]
Portanto, a doutrina que diz que Deus criou o mundo não faz nenhum
[sentido
Homens de bem devem combater os que creem na divina criação,
[enlouquecidos por essa doutrina maléfica.
Saiba que o mundo, assim como o tempo, não foi criado, não tendo
[princípio nem fim,
E é baseado nos Princípios, vida e Natureza.
Eterno e indestrutível, o Universo sobrevive sob a compulsão de sua
[própria natureza,
Dividido em três seções — inferno, terra e firmamento.

O Universo é eterno e indestrutível, sendo mantido e mudando de acordo com princípios naturais. Através dessa rejeição frontal de processos de criação ou destruição, os jainistas tentavam liberar a alma do eterno ciclo de transmigração típico do hinduísmo, na esperança de que ela alcançasse um estado de inatividade onisciente.

Lemos exemplos dos vários tipos de mitos de criação, de acordo com a classificação apresentada na página 25. Acredito que esses cinco subgrupos encerram as possíveis respostas dadas pelos mitos de criação ao problema da origem do Universo. No entanto, existe uma última alternativa, que é admitir que o problema da origem de todas as coisas não é acessível à compreensão humana, e que, portanto, permanecerá para sempre um mistério: já que pensamos porque existimos, é inútil tentarmos usar o pensamento para compreender a origem de nossa própria existência. Aqui está um claro exemplo achado no hinduísmo, no *Rigveda* X, escrito por volta do século XII a.C.:

Antes de o Ser ou o Não Ser existirem
Ou a atmosfera, ou o firmamento, ou o que está ainda além,

O que fazia parte do quê? Onde? Sob a proteção de quem?
O que era a água, as profundezas, o insondável?
Nem morte ou imortalidade existiam,
Nenhum sinal da noite ou do dia
Apenas o Um respirava, sem ar, sustentado por sua própria energia.
Nada mais existia então.
No princípio a escuridão existia submersa em escuridão
Tudo isso era apenas água latente, em estado embrionário.
Quem quer que ele seja, o Um, ao passar a existir,
Escondido no Vazio,
Foi gerado pelo poder do calor.
No princípio esse Um evoluiu,
Transformando-se em desejo, a primeira semente da mente.
Aqueles que são sábios, ao buscar seus corações,
Encontraram o Ser no Não Ser.
Existia o abaixo? Existia o acima?
[...]
Quem realmente sabe? Quem pode declará-lo? E assim nasceu, e se
 [transformou em uma emanação.
Dessa emanação os deuses, mais tarde, apareceram.
Quem sabe de onde tudo surgiu?
[...]
Apenas aquele que preside no mais elevado dos céus sabe.
Apenas ele sabe, ou talvez nem ele saiba!

Existe um ser responsável pela Criação, mas o mito é completamente reticente com relação à sua natureza ou essência. Os deuses inferiores não entendem o propósito da Criação, e mesmo o Um todo-poderoso talvez não o compreenda. Não existe uma resposta clara, já que a verdadeira natureza da Criação é incompreensível.

Concluímos aqui nossa breve exploração de culturas pré-científicas e seus esforços para compreender o mistério da Criação. Em seguida, iremos traçar a emergência e evolução da ciência ocidental, desde suas origens com os filósofos pré-socráticos até a física do século XX. Durante essa jornada, enfatizarei como o estudo científico da Natureza progressivamente mudou não só a nossa concepção do que é o Universo ou de como este surgiu, mas também as nossas noções de espaço, tempo e matéria. O desenvolvimento gradual de um enfoque racional, usado por cientistas para confrontar os mistérios da Natureza, criou uma nova visão de mundo, oferecendo uma alternativa ao que antes era domínio exclusivo da religião.

À medida que um número maior de fenômenos naturais passou a ser compreendido cientificamente, a religião lenta e forçosamente passou a se preocupar mais com o mundo espiritual do que com o mundo natural. Essa "divisão de águas" entre ciência e religião se deu de forma bem dramática, conforme veremos adiante. Na verdade, esse drama continua a se desenrolar ainda hoje, devido à aplicação errônea tanto de ciência em debates teológicos como de religião em debates científicos.

Durante a narrativa dessa história, discutiremos não só a ciência como também as motivações e crenças, tantas vezes esquecidas, de alguns dos maiores cientistas de todos os tempos, incluindo Galileu, Newton e Einstein. Se eu for bem-sucedido, ao terminar este livro você considerará a imagem estereotipada do cientista como o frio racionalista (se já não a considera agora!) completamente absurda. Se eu for muito bem-sucedido, ao terminar este livro, a ciência vai significar algo muito diferente do mero estudo e exploração dos fenômenos naturais. Você verá a ciência como o foco de aspirações profundamente humanas, produto da necessidade que temos de explicar nossa origem e destino, inspirados por este vasto e misterioso Universo.

O debate entre ciência e religião restringe-se na maior parte das vezes à discussão de sua mútua compatibilidade: será possível que uma pessoa possa questionar o mundo cientificamente e ainda assim ser religiosa? Acredito que a resposta é um óbvio sim, contanto que seja claro para essa pessoa que ambas não devem interferir entre si de modo errado, ou seja, que existem limites tanto para a ciência como para a religião. Cientistas não devem abusar da ciência, aplicando-a a situações claramente especulativas, e, apesar disso, sentirem-se justificados em declarar que resolveram ou que podem resolver questões de natureza teológica. Teólogos não devem tentar interpretar textos sagrados cientificamente, porque estes não foram escritos com esse objetivo. Para mim, o que é realmente fascinante é que tanto a ciência como a religião expressam nossa reverência e fascínio pela Natureza. Sua complementaridade se manifesta na motivação essencialmente religiosa dos maiores cientistas de todos os tempos. A reverência que tanto os inspirou, e que me inspira a ser um cientista hoje, é em essência a mesma que inspirou os criadores de mitos de outrora. Quando, nos confins silenciosos de nossos escritórios, nos deparamos com algumas das questões mais fundamentais sobre o Universo, podemos ouvir, mesmo que sufocados pelo som monótono dos computadores, o canto de nossos antepassados ecoando no tempo, convidando-nos para dançar.

2. OS GREGOS

A verdadeira constituição das coisas gosta de ocultar-se.
Heráclito de Éfeso, c. 500 a.C.

NA DEDICATÓRIA DE SEU LIVRO *O progresso da sabedoria* (1605) a Jaime I, sir Francis Bacon declara que "de todas as pessoas ainda vivas que conheci, sua Majestade é o melhor exemplo de um homem que representa a opinião de Platão, de *que todo conhecimento é apenas memória*".[1] Embora Platão tenha provavelmente escrito essas linhas como uma alegoria à sua crença na imortalidade da alma, e Bacon, como parte de um astuto plano para obter certos favores do rei (que, por sinal, funcionou muito bem), podemos nos referir a elas como uma alegoria à enorme importância que o pensamento grego exerceu e exerce no desenvolvimento da cultura ocidental.

Após derrotar os persas em uma série de conflitos durante as primeiras décadas do século V a.C., a civilização grega viveu um século e meio de grande esplendor, inspirada pela liderança de Péricles, que governou Atenas por 32 anos, de 461 a 429. Nem mesmo as amargas disputas entre Atenas, Esparta e outros Estados, que acabaram resultando na Guerra do Peloponeso, entre 431 e 404, conseguiram ofuscar o incrível nível de sofisticação atingido durante esse período. Nas palavras de H. G. Wells, "[...] durante esse período o pensamento e o impulso criativo e artístico dos gregos ascenderam a níveis que os transformaram numa fonte de luz para o resto da História".[2] Que essa luz tenha continuado a brilhar através dos tempos, sobrevivendo a séculos de intolerância religiosa e muitas guerras, é a prova concreta de coragem intelectual daqueles que acreditam que a busca do conhecimento é o antídoto contra a cegueira causada pela repressão e pelo medo.

As primeiras chamas a iluminar o caminho surgiram dos poemas épicos atribuídos ao legendário "poeta cego" Homero, a

Ilíada e a *Odisseia*, que datam provavelmente do século VIII a.C. Na época, povoados gregos espalhavam-se pela costa mediterrânea desde o Sul da Itália e a Sicília até o mar Negro e a Ásia Menor, hoje Turquia. Esses épicos, juntamente com os jogos olímpicos, ofereciam uma referência comum que unia os pequenos vilarejos, muitas vezes separados uns dos outros pelo oceano, por montanhas e mesmo pela raça. Baseados nas conquistas gregas na época da Guerra de Troia (século XII a.C.), os poemas serviam como vínculo não só linguístico, mas também cultural e histórico, entre os vários povoados, fornecendo uma identidade homogênea que representava a civilização grega de então. Segundo os poemas homéricos, o Universo tinha a forma de uma casca de ostra (como o escudo do herói Aquiles), cercada por um rio-oceano, sem dúvida inspirado em ideias semelhantes vindas dos babilônios. Na *Odisseia*, o céu estrelado é descrito como sendo feito de bronze ou ferro, sustentado por pilares. Encontramos também várias referências a constelações, como por exemplo Órion e as Plêiades, e às fases da Lua.

Essas imagens simplistas do cosmo certamente não se comparam ao nível de sofisticação atingido pelos astrônomos babilônios, que mil anos antes já haviam compilado tabelas detalhadas dos movimentos dos planetas. Por exemplo, as pedras de Ammizaduga (*c.* 1580 a.C.) cobrem o nascimento e o ocaso do planeta Vênus por um período de mais de vinte anos.[3] Essas tabelas serviam como calendários, usados tanto na organização de atividades sociais importantes para a sobrevivência do grupo — como o plantio e as colheitas — como em cerimônias religiosas e previsões astrológicas.

Embora os babilônios tenham alcançado uma grande sofisticação em astronomia, seu Universo, ainda povoado e controlado por deuses, não era tão diferente do de Homero. O mito de criação babilônio narrado no *Enuma eliš*, "Quando acima", descreve a origem do Universo e a subsequente organização do mundo como resultado do trabalho de vários deuses. Os babilônios não estavam interessados em tentar entender as *causas* dos movimentos celestes, já que explicações míticas eram perfeitamente satisfatórias. Essa situação iria mudar, ao menos temporariamente, dois séculos após Homero, durante o período pré-socrático da filosofia grega.[4] Durante esse período, os deuses foram (praticamente) exilados do Universo, e explicações das causas responsáveis por fenômenos naturais foram procuradas dentro da própria Natureza, baseadas em argumentos fundamentados em um raciocínio direcionado ao mundo material em vez do mito.

OS IÔNICOS

Durante o século VI a.C., o comércio entre os vários Estados gregos cresceu em importância, e a riqueza gerada levou a uma melhoria das cidades e das condições de vida. O centro das atividades era em Mileto, uma cidade-Estado situada na parte sul da Iônia, hoje a costa mediterrânea da Turquia. Foi em Mileto que a primeira escola de filosofia pré-socrática floresceu. Sua origem marca o início da grande aventura intelectual que levaria, 2 mil anos depois, ao nascimento da ciência moderna. De acordo com Aristóteles, Tales de Mileto foi o fundador da filosofia ocidental. Segundo o cronógrafo Apolodoro (século II a.C.), Tales nasceu em 624 a.C.; já o grande historiador grego Diógenes Laércio (século III d.C.) escreveu que Tales morreu durante a quinquagésima oitava Olimpíada (548-545), com a idade de 78 anos.[5]

A reputação de Tales era legendária. Usando seu conhecimento astronômico e meteorológico (provavelmente herdado dos babilônios), ele previu uma excelente colheita de azeitonas com um ano de antecedência. Sendo um homem prático, conseguiu dinheiro para alugar todas as prensas de azeite de oliva da região e, quando chegou o verão, os produtores de azeite de oliva tiveram que pagar a Tales pelo uso das prensas, que acabou fazendo uma fortuna.

Supostamente, Tales também previu um eclipse solar que ocorreu no dia 28 de maio de 585 a.C., que efetivamente causou

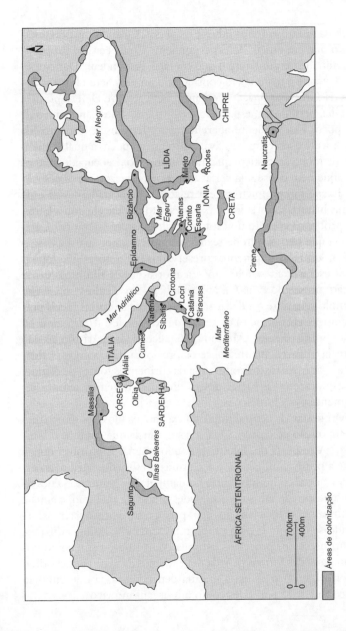

Figura 2.1: Mapa das colônias gregas por volta de 550 a.C.

o fim da guerra entre os lídios e os persas. Quando lhe perguntaram o que era difícil, Tales respondeu: "Conhecer a si próprio". Quando lhe perguntaram o que era fácil, respondeu: "Dar conselhos". Não é à toa que era considerado um dos Sete Homens Sábios da Grécia antiga. No entanto, nem sempre ele era prático. Um dia, perdido em especulações abstratas, Tales caiu dentro de um poço. Esse acidente aparentemente feriu os sentimentos de uma jovem escrava que estava em frente ao poço, a qual comentou, de modo sarcástico, que Tales estava tão preocupado com os céus que nem conseguia ver as coisas que estavam a seus pés.

Existe muita polêmica em relação à veracidade dessas e de outras histórias sobre Tales. Nada escrito por ele chegou até nós, um problema comum no estudo da filosofia pré-socrática. A evidência que temos vem de textos secundários, por sua vez baseados em escassos fragmentos preservados por autores que muitas vezes escreveram séculos após a morte desses filósofos, desde Platão, no século IV a. C., até Simplício, no século VI d.C. Um exemplo relevante é a discussão tendenciosa de certas ideias pré-socráticas encontrada nos textos de Aristóteles, *Metafísica* e *De caelo*, "Sobre os céus". Mesmo reconhecendo que Aristóteles não escrevia imparcialmente sobre os pré-socráticos, somos obrigados a usar esses textos como uma das principais fontes de estudo. Ao explorarmos as ideias desses filósofos, devemos sempre ter em mente essas limitações.

A questão de central importância para os filósofos iônicos era a composição do cosmo. Qual é a substância que compõe o Universo? A resposta de Tales é que tudo é água. É provável que, à parte a possível influência das culturas do Oriente Médio, ao escolher a água como substância fundamental da Natureza, Tales tinha se inspirado em suas qualidades únicas de mutação; a água é continuamente reciclada dos céus para a terra e oceanos, transformando-se de líquida para vapor, representando, assim, a dinâmica intrínseca dos processos naturais. Mais ainda, assim como nós e a maioria das formas de vida dependemos da água para existir, o próprio Universo exibia a mesma dependência, já que também era considerado por Tales como um organismo vivo.

Essa visão orgânica do cosmo representa um esforço de unificação dos mecanismos responsáveis pelos processos naturais e nossa própria fisiologia. Quando disse que "todas as coisas estão cheias de deuses", ou que o magnetismo se deve à existência de "almas" dentro de certos minerais, Tales não estava invocando deuses para explicar suas observações, mas adivinhando intuitivamente que muitos dos fenômenos naturais são causados por tendências ou efeitos inerentes aos próprios objetos. De fato, a palavra *alma* deve ser compreendida aqui como uma espécie de princípio vital, por intermédio do qual *todas* as coisas são animadas, e não no seu sentido religioso moderno. Mesmo que essas ideias pareçam simples para nós, sua importância histórica é crucial. Com suas perguntas, Tales inaugurou um novo período na história do conhecimento, em que a Natureza passou a ser província da razão, e não de deuses ou causas sobrenaturais. Ao tentar explicar os vários mecanismos complexos da Natureza através de um princípio unificador originado dentro da própria Natureza, Tales se posicionou a parte do passado, fundando a tradição filosófica ocidental.

Após Tales encontramos Anaximandro, também de Mileto, aproximadamente catorze anos mais jovem. Anaximandro levou as ideias de Tales a um nível de sofisticação mais elevado, postulando que o Universo era eterno e infinito em extensão e seu centro era ocupado pela Terra, à qual atribuiu uma forma cilíndrica. Ele até declarou que a razão entre o diâmetro e a altura do cilindro era um terço. A Terra era circundada por uma grande roda cósmica, cheia de fogo, e o Sol, um furo na superfície dessa roda, que deixava o fogo escapar. À medida que a roda girava, o Sol também girava, explicando o movimento do Sol em torno da Terra. Eclipses se deviam ao bloqueio total ou parcial do furo. A mesma explicação era dada para as fases da Lua, que também era um furo em outra roda cósmica. Finalmente, as estrelas eram pequenos furos em uma terceira roda cósmica, que Anaximandro curiosamente colocou mais perto da Terra do que a Lua ou o Sol.

Mesmo que essas imagens possam parecer bizarras, elas representam o primeiro modelo mecânico do Universo. Nas palavras de Arthur Koestler, "a barca do deus Sol é substituída pelos mecanismos internos de um relógio".[6] A substância fundamental do Universo não era a água ou qualquer outra substância familiar, mas algo intangível, o Ilimitado, "de onde provêm todos os céus e os mundos neles contidos".[7]* Note o uso do plural: já que o Universo de Anaximandro era eterno e infinito em extensão, um número infinito de "mundos" existiram antes do nosso. Após sua existência, dissolveram-se na matéria primordial antes que outros aparecessem. Essa imagem dinâmica de um Universo infinitamente velho, onde a matéria aparece e desaparece continuamente, lembra-nos o mito hindu em que o processo de criação e destruição é representado pela dança do deus Xiva, discutido no capítulo 1. Entretanto, note que aqui não existe um Criador, nenhum Deus ou deuses responsáveis pelo eterno ciclo de criação e destruição. Para Anaximandro, o Universo dança sozinho.

O discípulo mais famoso de Anaximandro foi Anaxímenes de Mileto. Seguindo o espírito da escola iônica, Anaxímenes também postulou a existência de uma substância fundamental na Natureza. Desafiando seus mestres, ele acreditava que o ar, à medida que sua densidade mudava, compunha todas as coisas. Quando rarefeito, o ar se tornava fogo; mais denso, o ar se tornava vento e subsequentemente água, terra e pedra. Aparentemente, deve-se também a Anaxímenes a ideia de que as estrelas são fixas, presas a uma esfera cristalina que gira em torno da Terra. Sendo transparentes, as esferas cristalinas são uma explicação bem mais plausível para os movimentos celestes do que as rodas furadas de Anaximandro, que ninguém podia ver. (Em sua defesa, Anaximandro dizia que suas rodas cósmicas estavam sempre cercadas por densa neblina.) A ideia de esferas cristalinas reaparecerá, em várias reencarnações, durante os 2 mil anos seguintes da história da astronomia.

* As citações dos fragmentos dos pré-socráticos seguem a tradução de Carlos Alberto Louro Fonseca, Beatriz Rodrigues Barbosa e Maria Adelaide Pegado (G. S. Kirk e J. E. Raven. *Os filósofos pré-socráticos*. Lisboa: Fundação Calouste Gulbenkian, 1982).

Os milésios (outro nome para o trio de filósofos de Mileto) não eram os únicos interessados em estudar o Universo. Conforme veremos em breve, outros pensadores gregos mantinham pontos de vista bem diferentes a respeito de como entender a natureza essencial das coisas. E a Grécia não estava sozinha. Ao mesmo tempo que os gregos plantavam as sementes da filosofia ocidental, Sidarta Gautama, o Buda, pregava na Índia que para atingir o nirvana devemos nos liberar da ambição e dos prazeres sensuais, enquanto na China Lao-Tseu transcendia nossa representação polarizada da realidade através da união mística do Tao, e Confúcio estabelecia princípios morais de vida e liderança na sociedade. O século VI a.C. foi um ponto de transição na história da humanidade. É como se algo estivesse flutuando no ar, com o poder mágico de excitar as faculdades racionais das pessoas em níveis sem precedentes, uma "brisa de despertar" que se espalhou pelo planeta, convidando a mente a confrontar os mecanismos internos da alma e da Natureza.

O último dos iônicos de importância para nós é Heráclito de Éfeso, que floresceu por volta de 500 a.C. Embora Mileto tenha sido destruída pelos persas em 494 a.C., as ideias de Tales e de seus discípulos chegaram até Éfeso, localizada justo ao norte. Alguns fragmentos dos escritos de Heráclito foram mencionados por outros autores, incluindo Platão e Aristóteles. Devido a seu estilo baseado em charadas de difícil compreensão, Heráclito era conhecido como "o Obscuro". Seu sarcasmo e suas constantes críticas a outros filósofos lhe valeram poucos amigos ou discípulos. No final de sua vida, Heráclito se tornou um eremita, completamente isolado do mundo. Segundo uma lenda, ao ficar doente, com uma inflamação da pele, Heráclito foi até a vila mais próxima para procurar auxílio médico. No entanto, ao invés de explicar seus sintomas de forma compreensível, Heráclito começou a discursar com frases enigmáticas que os médicos não conseguiam entender. Desanimado, Heráclito enterrou-se sob uma montanha de estrume, esperando que o calor fizesse com que sua inflamação evaporasse. Seu tratamento não funcionou e ele morreu, sujo e solitário, aos sessenta anos.

Embora exista pouco consenso entre os especialistas sobre a verdadeira natureza do pensamento de Heráclito, o aspecto mais importante de seus ensinamentos baseia-se na doutrina de que "tudo está em mudança e nada permanece parado", como escreveu Platão no *Crátilo*.[8] Em uma de suas citações mais conhecidas, Heráclito diz que "não se poderia penetrar duas vezes no mesmo rio". Ele estendeu essa ideia desde a Natureza até o comportamento humano, sempre enfatizando a importância da tensão e complementaridade entre opostos como a força motriz por trás do dinamismo do mundo à nossa volta. "Princípio e fim, na circunferência de um círculo, são idênticos";[9] (fragmento 103); "o mesmo é em nós vivo e morto, desperto e dormindo, novo e velho; pois estes, tombados além, são aqueles e aqueles de novo, tombados além, são estes" (fragmento 88); "[os homens] não compreendem como o divergente consigo mesmo concorda; harmonia de tensões contrárias, como de arco e lira" (fragmento 51). Portanto, de acordo com Heráclito, o equilíbrio é atingido através da necessária complementaridade entre os opostos, a qual ele chamou de *Logos*, como o arco, que deve ser envergado para trás de modo a poder arremessar a flecha para a frente. Com alguma liberdade, podemos identificar traços do pensamento taoísta em Heráclito, embora devamos ter cuidado ao interpretar esses fragmentos fora de contexto.

Para Heráclito, a substância básica era o fogo, possivelmente devido ao seu poder de transformar as coisas, de pô-las em movimento. Entretanto, o foco principal de sua filosofia eram as transformações criadas pela tensão entre os opostos, enquanto para seus colegas iônicos as transformações observadas na Natureza eram uma manifestação secundária da substância básica. Esse ponto de vista discordava do de Tales e seus discípulos. O universo de Heráclito era eterno, e em constante estado de fluxo; "Este mundo, o mesmo de todos os seres, nenhum deus, nenhum homem o fez, mas era, é e será um fogo sempre vivo, acendendo-se em medidas e apagando-se em medidas" (fragmento 30). Os objetos celestes eram pratos contendo fogo, sendo o Sol o mais quente e brilhante. Eclipses ocorriam à medida que o prato contendo o Sol girava, cobrindo sua luz. O mesmo acontecia com as fases da Lua. Não é particularmente claro se Heráclito de fato levava essas ideias a sério. É sua visão da Natureza como uma entidade dinâmica, sempre em transformação, que terá um papel fundamental no desenvolvimento futuro do pensamento grego.

OS ELEÁTICOS

Enquanto Heráclito estava ocupado ensinando que tudo está em perpétua mutação, ideias completamente antagônicas estavam sendo desenvolvidas na cidade de Eleia, no Sul da Itália. Parmênides (*c.* 515-450 a.C.) acreditava que toda mutação é ilusória; já que mudança implica transformação, algo que *é* não pode mudar. Ele considerava a ênfase dada pelos milésios aos processos transformativos que ocorrem no mundo natural como sendo não só desnecessária, mas também incorreta. Segundo Parmênides, a realidade é imutável, estática, e sua essência está incorporada na individualidade divina de Eon, ou Ser, que permeia todo o Universo. Esse Ser é onipresente, já que qualquer descontinuidade em sua presença seria equivalente à existência de seu oposto, o Não Ser. Uma imagem que vem à mente é a de um lago, cuja superfície perfeitamente calma se estende em todas as direções.

Um verdadeiro racionalista, Parmênides trouxe uma dose de lucidez às ideias dos iônicos, que, segundo os eleáticos, eram baseadas em "pura especulação". Enquanto os iônicos baseavam seus argumentos em observações empíricas de fenômenos naturais, de fora para dentro, o enfoque de Parmênides era de dentro para fora. Na elaboração de suas ideias sobre a essência da realidade, ele utilizou argumentos lógicos para concluir que a resposta não se encontrava na perpétua mutação, mas sim na ausência de mutação, na plenitude estática do Ser. Parmênides escreveu que o Ser absoluto "nem jamais era nem será, pois é agora todo junto, uno, contínuo" (fragmento 8). Portanto, Eon não pôde ser criado por algo porque isso implica a existência de outro Ser. Do mesmo modo, Eon não pôde ser criado a partir do nada, pois isso implica a existência do Não Ser. Eon simplesmente é.

Como então os eleáticos tentaram reconciliar sua doutrina monística da imutabilidade com o fato óbvio de que a Natureza exibe tantas transformações? Surpreendentemente, eles não tentaram nenhuma reconciliação. Pelo contrário, tentaram provar que o movimento ou a mutação são de fato impossíveis, uma ilusão dos sentidos. Talvez as melhores ilustrações dessas ideias sejam os paradoxos de Zenão, um discípulo de Parmênides. Seu método é conhecido como "regressão infinita". A origem desse nome será esclarecida em breve. Como exemplo, examinaremos seu paradoxo mais famoso, o da corrida entre Aquiles e a tartaruga. O que Zenão deseja mostrar é que, em uma corrida entre os dois, se a tartaruga começar na frente, Aquiles jamais conseguirá ultrapassá-la. Como para vencer a corrida Aquiles tem de se mover, se ele não ultrapassar a tartaruga fica provado que, pelo menos em teoria, o movimento é impossível.

Vamos examinar a prova de Zenão: quando o veloz Aquiles cobrir a distância original entre ele e a tartaruga, ela terá avançado um pouco mais adiante. Quando Aquiles cobrir essa nova distância, a tartaruga terá avançado novamente um pouco mais, e assim por diante, *ad infinitum*. Segundo esse argumento, Aquiles só alcançaria a tartaruga depois de um período de tempo infinito! O maior herói do exército de Agamenon durante a Guerra de Troia não pode vencer uma tartaruga em uma corrida.[10]

Essa conclusão inquietante de início nos deixa perplexos. Como um argumento racional aparentemente tão lógico pode contrariar por completo os nossos sentidos? A simplicidade dos argumentos de Zenão deve ter provocado sérias dores de cabeça em seus adversários. Felizmente, os argumentos estão errados; mesmo que matematicamente possamos dividir a distância entre Aquiles e a tartaruga em segmentos cada vez menores, para descrever o movimento devemos também dividir o tempo em segmentos cada vez menores. É a razão entre distância e tempo, a velocidade, que é relevante aqui. E, se você dividir um número pequeno por outro número pequeno, o resultado não é necessariamente um número pequeno. Por exemplo, 4/2 = 2, mas também 2/1 = 2 e 0,2/0,1 = 2 etc. Como a velocidade de Aquiles é muito maior do que a da tartaruga, ele cobrirá uma distância maior no mesmo intervalo de tempo, e vencerá a corrida sem dificuldade. O movimento só é uma ilusão no mundo abstrato dos eleáticos.

A física moderna e a ciência em geral devem muito aos eleáticos. Uma das funções mais importantes da física é a busca de leis universais que sejam capazes de descrever fenômenos naturais observados tanto no dia a dia como no laboratório. Ao chamarmos essas leis de "universais", estamos implicitamente supondo que elas são válidas não só em qualquer parte do Universo, mas também em qualquer momento de sua história. Essa suposição baseia-se na nossa crença de que a Natureza, em um nível mais profundo de análise, é de fato imutável, e que, portanto, as leis que concebemos para descrever seu funcionamento são também imutáveis.[11] Como o Eon de Parmênides, essas leis existem aqui e agora, independentemente de qualquer mudança ou processos naturais tornados possíveis a partir delas. De fato, é justamente por causa dessa imutabilidade das leis da física que o estudo racional da Natureza é possível. Um filósofo eleático provavelmente diria que, ao concebermos as leis da física, estamos desvelando a essência do Ser Absoluto. Decerto, seríamos convidados a discutir as várias facetas de Eon, cercados pelas muralhas fortificadas de Eleia. E, quem sabe, poderíamos até desafiar Zenão para uma corrida...

OS PITAGÓRICOS

Pitágoras é, talvez, o mais legendário filósofo da Antiguidade. Cercado de mistério, considerado por seus discípulos e seguidores como um semideus capaz de promover milagres, falar com demônios e até descer ao Hades (e voltar para contar a história), Pitágoras e sua seita forjaram uma profunda síntese entre filosofia e religião, entre o racional e o místico, que é sem dúvida uma das maiores façanhas do conhecimento humano. Sua filosofia religiosa influenciou e moldou o pensamento de alguns dos maiores filósofos e cientistas da história, incluindo Platão e Kepler. Alguns autores consideram Pitágoras o fundador da ciência, enquanto outros, levados pela enorme repercussão do seu pensamento em várias áreas do conhecimento, consideram Pitágoras "o fundador da cultura europeia em sua vertente mediterrânea ocidental".[12] Sem dúvida, o legado intelectual de Pitágoras terá um papel muito importante no restante deste livro.

Pitágoras nasceu entre 585 e 565 a.C., na ilha de Samos, localizada no mar Egeu, perto da costa, entre Mileto e Éfeso. Filho de joalheiro, Pitágoras desde cedo deve ter percebido a importância das formas e proporções geométricas, e sua associação com a simetria e a beleza. Acredita-se que ele estudou com Anaximandro, e que portanto conhecia a ideia iônica de uma substância primária responsável por tudo que existe no cosmo. Ele viajou por toda a Grécia, Ásia e Egito, e deve ter absorvido os ensinamentos das várias religiões orientais, assim como o conhecimento matemático dos babilônios. Em 530 a.C., fundou uma seita religiosa na cidade de Crotona, no Sul da Itália. Essa seita rapidamente se tornou uma força dominante na região, tanto na esfera política como na espiritual. Devido aos seus ensinamentos antidemocráticos, essa supremacia local foi tragicamente encerrada por volta do ano de 495 a.C. Pitágoras teve de se mudar para Metaponto e a maioria de seus seguidores foi exilada ou morta. A essa altura, contudo, "a voz do Mestre" já havia se espalhado por várias colônias em torno de Crotona, chegando até Atenas no século IV a.C.

Para que possamos entender a incrível reputação de Pitágoras, devemos examinar suas ideias isentando-as de noções modernas que condenem como absurda qualquer relação entre misticismo e ciência. Para os pitagóricos não havia uma distinção entre ambos, um servindo de inspiração para a outra e vice-versa. Essa união era baseada na noção de que "tudo é número", uma ideia que de certa forma substituía a busca iônica de uma substância fundamental pela busca de relações numéricas entre todos os aspectos da Natureza e da vida. Em contraste com os iônicos, essa busca não era apenas racional, mas também mística. Se todas as coisas possuem forma, e formas podem ser descritas por números, então os números se tornam a essência do conhecimento, a porta para um nível superior de sabedoria. E, como a busca do conhecimento era considerada a única rota para a apreensão da natureza divina, os números, nas mãos dos pitagóricos, se transformaram em uma ponte entre a razão humana e a mente divina.

O objetivo principal dos pitagóricos era atingir um estado catártico, de completa purificação da alma, através da intoxicação do espírito pela beleza dos números. Eles acreditavam que a contemplação abstrata dos números e de suas relações matemáticas tinha o poder de levar o estudioso a um estado de elevada espiritualidade, que transcendia as limitações da vida diária. Para chegar a esse estágio, os membros da fraternidade (que, aliás, incluía homens e mulheres em pé de igualdade) tinham de seguir uma série de regras que impunham restrições sociais e até dietéticas, como por exemplo a proibição de comer grãos e carne, de se aproximar de açougueiros ou caçadores, e seguir preceitos de total lealdade e discrição. À medida que os discípulos ascendiam em direção ao conhecimento supremo, eles participavam de rituais de iniciação que exploravam não só os segredos "mágicos" da matemática, mas também seu uso como instrumento útil no estudo do mundo natural.

De onde vem essa revolucionária associação entre a matemática e o divino? Uma das primeiras descobertas dos pitagóricos, em geral atribuída ao próprio Pitágoras, foi a relação entre intervalos musicais e proporções numéricas simples. Os intervalos básicos da música grega podem ser expressos como razões entre os números inteiros 1, 2, 3 e 4. O tom de uma lira (ou, para nós, de um violão), quando ferimos uma corda apertando-a na metade de seu comprimento, é uma oitava mais alto do que o tom da corda soando livremente; se ferimos a corda apertando-a a 2/3 do seu comprimento, o tom é uma quinta mais alto;

a 3/4, uma quarta mais alto. Com isso, os pitagóricos mostraram que era possível construir toda a escala musical com base em razões simples entre números inteiros; números, e razões simples entre eles, explicavam por que certos sons eram agradáveis aos ouvidos, enquanto outros eram desagradáveis.[13] A matemática passa a ser associada à estética, os números, à beleza.

Essa descoberta tem uma enorme importância histórica: pela primeira vez a matemática é usada para descrever uma experiência sensorial, ou seja, como veículo de estudo da mente humana. Em inúmeros rituais do passado e do presente, a música sempre foi utilizada para induzir estados de transe capazes de abrir as portas da percepção espiritual. Para os pitagóricos, a explicação para esse poder mágico da música estava nos números. A sensação de harmonia não se devia simplesmente a sons agradáveis aos ouvidos, e sim a números dançando de acordo com relações matemáticas.

Os números também eram representados por formas geométricas. Por exemplo, o número 4 era um quadrado (imagine os quatro vértices de um quadrado), enquanto o número 6 era associado a um triângulo (imagine os três vértices de um triângulo e adicione um ponto no meio da linha que une os três vértices). A adição de números quadrados produz números quadrados ou retangulares, como em 4 + 4 = 8, e a série de números quadrados é obtida adicionando números ímpares sucessivamente, *1 + 3 = 4 + 5 = 9 + 7 = 16 + 9 = 25*, e assim por diante.

Essas relações entre números e formas geométricas levaram à descoberta do famoso teorema de Pitágoras: a soma dos quadrados dos catetos de um triângulo retângulo é igual ao quadrado da hipotenusa. Curiosamente, parece que Pitágoras não foi o responsável pela invenção desse teorema.[14]

Para os pitagóricos o número 10 era considerado mágico. Eles o chamavam de *tetraktys* (nome derivado do número 4), já que podia ser obtido ao somarmos os quatro primeiros números, 1 + 2 + 3 + 4 = 10. Note que esses são precisamente os números envolvidos nas escalas musicais, o que, para os pitagóricos, não era nenhuma coincidência; apenas o número sacro é capaz de descrever a verdadeira natureza da harmonia. E aqui os pitagóricos dão um passo gigantesco em direção ao desenvolvimento das ideias que podemos chamar de precursoras da ciência moderna: eles estenderam sua noção abstrata da harmonia dos fenômenos que ocorrem na escala humana aos fenômenos na escala celeste.[15] Segundo os pitagóricos, o Sol e os planetas, com sua beleza majestosa, devem satisfazer às mesmas leis harmônicas que induzem a comunhão dos humanos com o divino através da música. Eles acreditavam que as distâncias entre os planetas devem obedecer às mesmas razões entre números inteiros satisfeitas pelas notas da escala musical. Ao girar em torno da Terra em suas órbitas, o Sol e os planetas gerariam uma melodia cósmica, o sistema solar se transformando em um gigantesco instrumento que ressonaria a música divina, a harmonia das esferas celestes.

Aparentemente, apenas o Mestre era capaz de ouvir a música celeste. Isso, no entanto, não representava um problema para os pitagóricos, que respondiam orgulhosos que "o que acontece com os homens é o que acontece com o ferreiro, tão acostumado com o constante bater de seu martelo que nem é mais capaz de ouvi-lo".[16] Como nascemos ouvindo a música das esferas, somos incapazes de ouvi-la. Sejamos ou não surdos para as harmonias celestes, o que é crucial aqui é que os pitagóricos iniciaram uma nova tradição no pensamento ocidental, a busca de relações matemáticas que descrevem fenômenos naturais. Essa busca representa a essência das ciências físicas.

Infelizmente, a motivação mística que inspirou os pitagóricos a ascender a níveis de espiritualidade mais elevados causou também uma certa resistência às suas ideias, que foram rotuladas por muitos como mera superstição. No entanto, ao longo da história do conhecimento, encontramos vários indivíduos que compartilharam com os pitagóricos seu fascínio místico pelos números e pelo seu poder de inspirar ordem no funcionamento aparentemente caótico da natureza, uma das manifestações da noção que introduzi no capítulo 1 como racionalismo místico. O legado pitagórico inspirou, direta ou indiretamente, alguns dos maiores gigantes que moldaram nossa visão moderna do Universo. Ao avaliarmos a importância histórica das ideias pitagóricas, devemos sempre separar as motivações individuais dos cientistas, que podem exibir vários elementos do pensamento pitagórico, dos resultados finais de sua pesquisa.

A contribuição dos pitagóricos para a astronomia não se limitou à extensão da harmonia musical ao movimento dos planetas. Astrônomos pitagóricos sugeriram que não só a Terra se move, como também não é o centro do Universo. O primeiro passo nessa direção foi dado por Filolau de Crotona, que por volta de 450 a.C. quase foi morto durante um ataque contra os pitagóricos, o qual praticamente extinguiu sua influência no Sul da Itália. Achando refúgio perto de Coríntia, na Grécia, ele fundou um pequeno grupo de pitagóricos.

De acordo com Filolau, a Terra gira em torno de um "fogo central", o "forno do Universo". Esse fogo central é o responsável por todo o vigor e a energia do cosmo, gerando inclusive o calor do Sol. O Sol simplesmente redistribui esse calor entre as outras luminárias celestes. O fogo central era invisível, já que estava sempre situado em oposição ao lado habitado da Terra, conforme mostra o diagrama a seguir. Note que o mesmo acontece com a Lua, que sempre nos mostra a mesma face. Entre a Terra e o fogo central, Filolau propôs um outro corpo celeste, o *antichthon*, ou Contraterra. Esse corpo também é invisível ao olho humano, estando sempre situado em posição diametralmente oposta ao lado habitado da Terra. Depois da Terra vinham a Lua e o Sol, seguidos pelos cinco planetas conhecidos então (Mercúrio, Vênus, Marte, Júpiter e Saturno), e pela esfera cristalina que carregava as estrelas fixas.

É muito provável que Filolau tenha tido razões de ordem prática para propor esse sistema. Para um observador situado na Terra, o Sol e os planetas parecem ter dois tipos de movimento completamente diferentes; um deles é o movimento diário em torno da Terra, que também é exibido pelas estrelas. Mas, em contraste com as estrelas, que permanecem fixas em suas posições relativas, o Sol e os planetas exibem outro tipo de movimen-

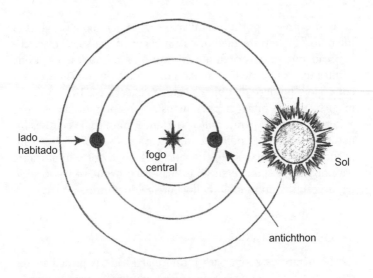

Figura 2.2: O sistema de Filolau: noite na Terra.

to, girando com períodos diferentes em torno do zodíaco, o cinturão dividido nas doze constelações familiares dos horóscopos. Enquanto o Sol leva aproximadamente 365 dias para completar uma revolução, no caso dos planetas os períodos variam de 88 dias para Mercúrio até 29 anos para Saturno. Ao fazer com que a Terra girasse diariamente em torno do fogo central, Filolau conseguiu separar esses dois movimentos; da mesma maneira que uma criança girando em um carrossel vê o parque girando na direção oposta, a rotação da Terra fazia com que o céu inteiro girasse na direção oposta. Isso explica o movimento diário do céu. Claramente, o mesmo resultado final poderia ter sido obtido supondo que a Terra gira em torno de seu eixo, como um pião. Mas essa ideia vai demorar um pouco mais para surgir.

De acordo com o historiador da ciência Theodor Gomperz, "em nenhuma outra tradição intelectual encontraremos uma imagem do Universo ao mesmo tempo tão delicada e sublime".[17] Tudo revolve em torno do fogo central, "a cidadela de Zeus", uma expressão do profundo senso de simetria e da admiração dos gregos por um Universo regido pelo poder divino. A inclusão da Contraterra gerou e ainda gera discussões nos círculos acadêmicos. Aristóteles, com muito sarcasmo, escreveu que a única motivação de Filolau para incluir a Contraterra foi fazer com que o número de objetos celestes chegasse a 10, o número mágico para os pitagóricos. Outros argumentaram que a Contraterra foi criada para explicar o grande número de eclipses lunares, já que ela periodicamente lançava sua sombra sobre a superfície lunar. Deixando os debates de lado, o que é importante para nós é que o universo de Filolau foi o primeiro passo sério na direção de um modelo heliocêntrico do cosmo.

OS ATOMISTAS

Se pararmos agora para recapitular as ideias principais das três escolas pré-socráticas discutidas até aqui, veremos rapidamente que elas estão em sério conflito. De um lado temos os iônicos, propondo que em sua essência a Natureza pode ser reduzida a um único princípio material, seja ele a água, para Tales, o ilimitado, para Anaximandro, ou o ar, para Anaxímenes. Heráclito vai ainda mais além, propondo que a mutação é o princípio fundamental, sendo uma consequência do perpétuo conflito entre opostos em busca de um equilíbrio final que, por definição, é inalcançável. Para ele, o fogo, esse mediador de transformações, é a substância primária. Do outro lado temos os eleáticos, propondo que qualquer mudança é mera ilusão sensorial, que o que é fundamental, Eon, o Ser Absoluto, estático e onipresente, não pode mudar. Ignorando ambas as escolas, os pitagóricos festejam a harmonia divina dos números, imersos em seu abstrato misticismo matemático. É claro que a questão de maior importância para os filósofos da metade do século V a.C. era o problema da mutação. Qual o caminho, portanto, que um jovem e ambicioso filósofo da época deveria escolher? Ao invés de optar por esse ou aquele partido, talvez a melhor saída fosse tentar de alguma forma conciliar essas ideias conflitantes dentro de um esquema filosófico mais flexível. Essa é precisamente a brilhante tática escolhida por Leucipo e Demócrito, os fundadores da escola atomista.

Não se sabe muito bem quando Leucipo nasceu, nem se conhecem mais detalhes de sua vida. É provável que ele também fosse de Mileto, embora algumas fontes digam que ele nasceu em Eleia, enquanto outras dizem que nasceu em Abdera, Trácia, local de nascimento de Demócrito (*c.* 460-*c.* 370 a.C.), seu mais famoso pupilo. O que sabemos é que seu período de maior atividade se deu entre 450 e 420 a.C., e que foi pupilo de Zenão. Note que essas datas colocam o período de atividade de Leucipo e o nascimento de Demócrito após o nascimento de Sócrates. Leucipo e Demócrito são em geral considerados os últimos grandes filósofos pré-socráticos. Aristóteles e Teofrasto[18] creditam Leucipo pela concepção da hipótese atomista, ou corpuscular, embora na prática seja difícil distinguir suas contribuições das de Demócrito. De qualquer forma, é de praxe se atribuir a Leucipo as ideias principais do atomismo, e a Demócrito sua elaboração mais detalhada.

A grande inovação dos atomistas é a introdução da ideia de que a mutação não é necessariamente incompatível com a noção eleática de que a essência da Natureza é imutável. Segundo eles, se supusermos que as entidades que promovem essas mudanças são imutáveis, é possível conciliar os dois pontos de vista sem grandes dificuldades. Aqui entra a ideia do átomo, do grego *atomon*, que significa "aquilo que não pode ser cortado". De acordo com Leucipo e Demócrito, o mundo é composto por infinitos átomos, que são indestrutíveis, perfeitamente densos e de infinitas formas. Os átomos movem-se no Vazio, ou vácuo. Devido ao seu movimento através do Vazio, os átomos sofrem colisões entre si. Às vezes, essas colisões fazem com que átomos de formas compatíveis se unam, formando assim estruturas materiais mais complicadas. Em última instância, todos os objetos materiais que observamos na Natureza são compostos por agregados de átomos, unidos por sua compatibilidade geométrica.

Os átomos, seres passivos, são perfeitamente inertes, não tendo nenhuma propriedade física individual. Por exemplo, os átomos da água e do ferro são essencialmente idênticos, diferindo apenas em sua forma; enquanto os átomos da água, por serem redondos e suaves, não podem se unir facilmente, os átomos do ferro são inexatos e duros, explicando por que eles podem se unir para formar estruturas sólidas. A importância da geometria para explicar a variedade das formas que observamos na Natureza é, sem dúvida, uma clara referência à tradição matemática pitagórica. No entanto, ainda mais importante, ao postular a existência do Ser (átomos) e do Não Ser (Vazio), em pé de igualdade, os atomistas obtiveram uma síntese belíssima entre permanência e mutação, entre ser e vir-a-ser, ou devir.

A hipótese atomista é, talvez, a ideia pré-socrática de impacto mais óbvio na ciência moderna. Conforme aprendemos no segundo grau, todos os elementos químicos são compostos por átomos, que, por sua vez, são compostos por prótons, nêutrons e elétrons. Embora existam várias analogias entre as ideias de Leucipo e Demócrito e a teoria atômica moderna, essas analogias exibem sérias limitações, e podem de fato confundir mais do que informar. Sem dúvida, a ideia fundamental dos atomistas, de que a matéria é composta de agregados de átomos, é incrivelmente moderna. Entretanto, os átomos modernos têm muito pouco a ver com seus primos pré-socráticos. Eles não são infinitos em número, não são indivisíveis. A física atômica é uma ciência experimental, baseada numa firme estrutura conceitual, sendo que a ideia da validação experimental de uma teoria não existia para os gregos, tendo entrado na ciência apenas no século XVII, com Galileu.

Mais ainda, a visualização dos átomos como pequenas bolas de bilhar movendo-se no espaço vazio é essencialmente incorreta, conforme veremos mais tarde no capítulo 8. Se estendermos a analogia com bolas de bilhar às partículas que compõem o átomo, a situação fica ainda mais difícil. A insistência em construir analogias entre o atomismo pré-socrático e o atomismo moderno não leva a nada de novo; a importância científica do atomismo grego é basicamente histórica, já que suas ideias inspiraram cientistas interessados em entender a estrutura da matéria até o início do século XX. Uma vez ficando isso claro, podemos identificar um caminho que se estende desde as especulações de Leucipo até a descoberta do núcleo atômico por Rutherford, e ainda mais além.

Usando suas ideias atomistas, Demócrito propôs um modelo interessante, embora um pouco confuso, para descrever a origem dos mundos que ele acreditava existirem espalhados pelo Universo. No início, havia apenas átomos movendo-se em todas as direções, sem nenhuma ordem ou objetivo aparente. Esse movimento provocou colisões entre os átomos, que por sua vez geraram grandes vórtices, ou redemoinhos, formados basicamente de átomos de natureza semelhante. Aparentemente, essa seleção de átomos se deu através do movimento circular dos vórtices, que funcionava como uma espécie de filtro. À medida que mais e mais átomos se aglomeravam nos vórtices, novos mundos eram criados. Como existem infinitos átomos, e o Vazio por definição também era infinito, um número infinito de mundos é constantemente criado e destruído por todo o Universo, o nosso sendo apenas um deles, sem nenhuma importância maior. Essas ideias de infinitos mundos existindo em um Universo infinito, já presentes no pensamento de Anaximandro, vão reaparecer 2 mil anos mais tarde nos escritos do filósofo italiano Giordano Bruno. Tragicamente, essas ideias, aliadas a outras de natureza mais teológica, irão custar-lhe a vida nas mãos da Inquisição.

De acordo com Diógenes Laércio, Demócrito foi um dos escritores mais prolíficos da Antiguidade. Seus trabalhos abrangem não só a física e a cosmologia, que discutimos aqui, mas também zoologia, botânica, medicina, tratados militares e ética. Ele estendeu a ideia atomista da composição da matéria à descrição de nossas sensações e comportamento. Por exemplo, um gosto ácido é composto por átomos pontiagudos, pequenos e finos, enquanto um gosto doce é composto por átomos redondos e grandes. A cor branca é causada por átomos planos e suaves, que não projetam sombra, enquanto a cor preta é causada por átomos de formas imprecisas. Emoções são causadas por átomos colidindo com os átomos que compõem a alma, e assim por diante. Por trás dessas ideias, podemos decifrar um ambicioso plano de ação social, desenhado para liberar a humanidade do medo e da superstição causados pela crença nos deuses e no sobrenatural. De acordo com Demócrito, a Natureza não tem uma razão especial de ser, ou motivos secretos que justifiquem certos fenômenos ou comportamentos. Tudo é basicamente redutível a átomos movendo-se no Vazio. Uma vez que compreendamos esse simples fato, Demócrito garante que nossas almas irão se sentir mais leves e que entraremos em um estado de graça perpétuo, caracterizado por uma constante alegria de ser. Por essas ideias, Demócrito ficou conhecido como "O Filósofo Sorridente".

A expressão mais brilhante do papel social e religioso do atomismo é, para mim, encontrada no poema *De rerum natura*, "Da natureza das coisas", escrito pelo poeta romano Lucrécio (96-55 a.C.):

> Nem mesmo o brilho do Sol, a radiação que sustenta o dia, pode dispersar o terror que reside na mente das pessoas. Apenas a compreensão das várias manifestações naturais e de seus mecanismos internos tem o poder de derrotar esse medo. Ao discutir esse tema, nosso ponto de partida será baseado no seguinte princípio: *nada pode ser criado pelo poder divino a partir do nada*. As pessoas vivem aterrorizadas porque não compreendem as causas por trás das coisas que acontecem na terra e no céu, atribuindo-as cegamente aos caprichos de algum deus. Quando finalmente entendermos que nada pode surgir do nada, teremos uma imagem muito melhor de como formas materiais podem ser criadas, ou como fenômenos podem ser ocasionados sem a ajuda de um deus.

E, um pouco mais adiante:

> Porque a mente quer descobrir, através do uso da razão, o que existe no longínquo e infinito espaço, longe dos problemas desse mundo — aquela região onde o intelecto sonha em penetrar, aonde a mente, livre, estende seu voo em direção ao desconhecido.[19]

Que lúcida argumentação em favor de uma descrição científica da Natureza! O texto de Lucrécio incorpora de modo transparente a fé na razão como a única arma capaz de combater o medo causado por superstições e crenças em divindades. É esse tipo de atitude que torna possível o desenvolvimento da ciência. Para que o discurso científico tenha uma natureza universal, é fundamental que ele não dependa de nenhuma crença religiosa ou interpretação subjetiva. Equações têm as mesmas soluções para um cientista hindu, muçulmano ou judeu. Essa universalidade se manifesta

IÔNICOS	Tales (c. 600)	água/estudo racional da Natureza
	Anaximandro (c. 550)	O Ilimitado/primeiro modelo mecânico do cosmo
	Anaxímenes (c. 520)	ar/esferas cristalinas
	Heráclito (c. 500)	fogo/tudo está em fluxo
ELEÁTICOS	Parmênides (c. 480)	Eon/toda mudança é ilusória
	Zenão (c. 460)	paradoxos envolvendo o movimento
PITAGÓRICOS	Pitágoras (c. 520)	misticismo numérico/ matematização da Natureza
	Filolau (c. 450)	modelo do cosmo como "fogo central"
ATOMISTAS	Leucipo (c. 430)	tudo é feito de átomos indivisíveis
	Demócrito (c. 400)	elaboração da hipótese atomista

Figura 2.3: Tabela contendo os filósofos pré-socráticos discutidos no texto. As datas são aproximadas.

de modo bastante claro na *prática* da ciência, no dia a dia do trabalho de pesquisa. Infelizmente, por causa dessa interpretação impessoal, a ciência gradativamente adquiriu a reputação de ser uma atividade apenas racional, destituída de um lado mais humano ou emocional; números são frios, equações são apenas uma coleção de símbolos criados por especialistas para descrever fenômenos que aparentemente têm muito pouco a ver com a realidade. Pior ainda, muitos pensam que, ao estudarmos um fenômeno natural cientificamente, destruímos sua beleza.

Numa primeira leitura de Lucrécio, podemos achar que ele propaga essa ideia da fria racionalidade da ciência. Mas, se lermos com mais cuidado, veremos que, por trás da defesa da atitude racional, podemos discernir a outra face da ciência, sua face humana. Para os atomistas, a ciência deve ser entendida como uma resposta a uma necessidade social, a necessidade de liberar as pessoas da escravidão causada pela superstição e pelo medo do sobrenatural. Seu poder reside precisamente nessa universalidade, na sua independência intrínseca de qualquer subjetividade. Isso não significa que não existe lugar para individualidade na ciência. Muito pelo contrário, insisto que é na *inspiração* do trabalho científico, na escolha dessa ou daquela linha de pesquisa por parte do cientista, no seu estilo de trabalho, que iremos encontrar o indivíduo; a necessidade de aprendermos sempre mais, de fazermos parte do constante processo de descoberta, de iluminarmos através da razão os escuros corredores da ignorância e do medo, de transcendermos as limitações da nossa percepção tão restrita desse vasto Universo. Criada pelo indivíduo, a ciência acaba alcançando o universal. Como veremos neste livro, esse trajeto está longe de ser linear, longe de ser frio e racional. O legado científico dos gregos não se reduz apenas ao desenvolvimento do ambiente intelectual que virá a propiciar o nascimento da ciência. A meu ver, igualmente importante é a clara ênfase dada ao papel do indivíduo no processo de criação científica.

PLATÃO E ARISTÓTELES

Enquanto Demócrito descrevia o mundo em termos de átomos indivisíveis, Sócrates pregava que era inútil tentarmos entender o mundo antes de entendermos a nós mesmos. A trabalhar como assistente na oficina de joias de seu pai, em Atenas, Sócrates preferia ir até o mercado, para discursar sobre a necessidade de uma nova filosofia moral e de novas práticas governamentais, a um público formado principalmente de jovens. Nas palavras de Cícero, "Sócrates convidou a filosofia a descer dos céus".[20] Sua influência cresceu, assustando os pais dos "jovens corrompidos", e Sócrates foi preso e condenado à morte por envenenamento. Esse incidente serve como barômetro do confuso clima social que reinava em Atenas no final do século V a.C.; em 404, a Guerra do Peloponeso chegou ao fim, com Atenas se rendendo a Esparta. Dentro do grande tumulto político da época, as pessoas voltaram sua atenção para valores espirituais mais abstratos, em busca de algum consolo.

Nascido em 427 a.C., Platão encarnava o espírito de seu tempo. Desgostoso com a situação política, pupilo de Sócrates, Platão acreditava que a situação sociopolítica só poderia mudar se um novo código moral, baseado em verdades imutáveis, fosse desenvolvido e adotado por todos. Fiel a seus ideais, Platão resolveu formular esse novo sistema filosófico que ele pretendia utilizar como base na educação de futuros "filósofos-reis". Embora ele tenha falhado miseravelmente na educação de novos líderes, a enorme influência de Platão como filósofo sobrevive até hoje.[21] Sua academia, fundada por volta de 380 a.C., sobreviveu até 529 d.C., e pode ser considerada uma das primeiras universidades da História.

Para Platão, o mundo é dividido em duas partes, o mundo das ideias e o mundo dos sentidos. Apenas o mundo das ideias, composto de formas perfeitas e imutáveis, pode representar a essência da realidade. Segundo ele, qualquer representação concreta de uma ideia é necessariamente imprecisa. Por exemplo, um círculo desenhado não será jamais tão preciso quanto a *ideia* de um círculo, que só é perfeita em nossa mente. Um círculo só pode existir no mundo das ideias, já que o mundo dos sentidos é apenas uma representação grosseira de sua perfeição abstrata. Como consequência dessa doutrina, Platão tinha certo desprezo pelas ciências que dependiam de observações, já que observações são sempre artificiais. Essa posição fez com que Platão adquirisse a fama, um tanto exagerada, de inimigo da ciência. Embora ele tivesse, através de sua filosofia, insistido num enfoque abstrato, também encorajou seus pupilos a estudar os céus, na esperança de que esse estudo ajudasse no desenvolvimento de um corpo de conhecimento calcado em verdades mais profundas do que "meros" movimentos celestes.

A importância atribuída por Platão à geometria vem de uma forte influência pitagórica em seu pensamento. Quando ele disse que "Deus é um eterno geômetra", estava, efetivamente, traduzindo o misticismo numérico dos pitagóricos em um novo misticismo geométrico, no qual a existência de ordem na Natureza era interpretada como o resultado de um plano universal, arquitetado por uma mente divina. Esse Artesão, ou Demiurgo, não é responsável pela criação do Universo ou da matéria (formada de combinações de ar, terra, fogo e água), mas usa sua inteligência divina para impor ordem ao mundo. O mundo sensorial não é tão perfeito quanto o mundo das formas, mas é nesse mundo que são revelados os mecanismos operacionais da Mente Divina. Portanto, o estudo da astronomia é justificado como um veículo capaz de sondar a mente do Demiurgo, já que o próprio Universo reflete sua inteligência.

Essa teleologia — a crença de que a Natureza resulta de uma arquitetura premeditada — está em contradição frontal com a crença atomista em um Universo puramente randômico, sem nenhum objetivo.[22] Embora o Demiurgo criado por Platão seja muito diferente dos deuses antropomórficos da mitologia grega, a presença de uma divindade é uma característica fundamental de sua filosofia. É possível que a necessidade de um deus que represente um ideal intangível, porém concreto, de pureza seja maior em tempos de crise social e política.

As contribuições de Platão ao pensamento cosmológico são de difícil acesso, devido à linguagem nebulosa e mítica usada em seu livro *Timeu*. Entretanto, ao examinarmos esse texto identificamos algumas ideias de grande importância. Por exemplo, Platão supôs que os corpos celestes eram esféricos e que seu movimento é circular e uniforme, ou seja, que eles giram sempre com a mesma velocidade angular. De acordo com Simplício, Platão propôs um desafio aos estudantes de sua Academia que influenciou o desenvolvimento da astronomia nos 2 mil anos seguintes: como descrever as irregularidades e detalhes dos movimentos planetários em termos de combinações de simples movimentos circulares? A busca de uma solução a esse desafio é conhecida pela expressão "salvar os fenômenos", isto é, a redução dos complicados movimentos exibidos pelos corpos celestes a simples movimentos circulares. A motivação de Platão era simples: como o círculo, essa figura geométrica perfeita, habita o mundo abstrato das formas, se a organização do mundo reflete a mente do Demiurgo, os movimentos dos corpos celestes têm de ser baseados em círculos. Portanto, podemos concluir que a contribuição de maior importância de Platão à cosmologia não foi o desenvolvimento de um novo modelo ou sistema, mas o papel que desempenhou como fundador de toda uma escola de pensamento astronômico baseada na descrição racional dos movimentos celestes.

Obviamente, Platão estava a par da presença de "irregularidades" nos movimentos planetários. Como essas irregularidades são um fator crucial no desenvolvimento da astronomia até o trabalho de Kepler, no século XVII, é muito importante que compreendamos a sua natureza. Se seguirmos o trajeto de um planeta através do céu noturno durante vários meses, observaremos que seu movimento é bastante errático; em comparação com as constelações de fundo, veremos que, após avançar em sua trajetória, o planeta parece mover-se para trás durante um período, antes de retomar seu movimento na direção original. Esse movimento para trás, chamado de *movimento retrógrado*, é causado simplesmente pela velocidade orbital menor, em com-

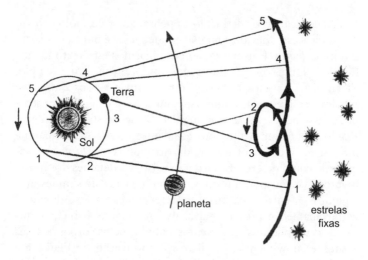

Figura 2.4: Movimento retrógrado: os números indicam a passagem do tempo.

paração com a da Terra, dos planetas externos (Marte, Júpiter, Saturno...). (Ver o diagrama da figura 2.4.) No entanto, para os gregos, com seu universo centrado na Terra, a origem do movimento retrógrado era muito misteriosa. Tanto que a palavra *planeta* vem do grego *planetes*, que significa "viajante".

Foi Eudóxio (*c.* 408-356 a.C.), nascido na antiga cidade espartana de Cnido, no Sudoeste da Ásia Menor, que propôs uma solução brilhante para o desafio de seu mestre Platão. O modelo proposto por Eudóxio demonstra não só seu domínio da geometria, mas também uma atenção para detalhes observacionais que até então não haviam feito parte do pensamento grego. Seu modelo era baseado em uma série de esferas concêntricas, com a Terra imóvel no centro, uma espécie de Universo em forma de cebola. Cada um dos cinco planetas, assim como o Sol e a Lua, estava associado a uma coleção de esferas imaginárias, quatro para cada planeta e três para o Sol e para a Lua. Adicionando a esfera das estrelas fixas, o modelo de Eudóxio contava com um total de 27 esferas para descrever os movimentos dos objetos celestes.

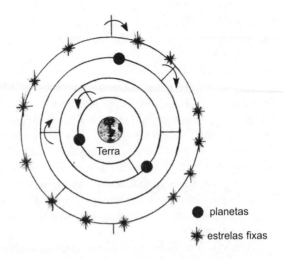

Figura 2.5: O Universo das esferas concêntricas proposto por Eudóxio de Cnido.

Resumidamente, era assim o seu funcionamento: considere um planeta com suas quatro esferas, cada uma delas podendo girar livremente em torno de um eixo, em ambos os sentidos (horário ou anti-horário) e com qualquer velocidade. O movimento final do planeta é determinado pela combinação dos movimentos das quatro esferas. A esfera mais externa é responsável pela rotação diária do céu, completando seu giro em 24 horas. A próxima esfera controla a rotação do planeta através do zodíaco e, como cada planeta tem seu próprio período de rotação, essa velocidade variava de planeta para planeta. Em seguida, vêm as duas esferas internas, que, segundo Eudóxio, giravam com a mesma velocidade mas em sentidos opostos, e em torno de eixos diferentes.

Essa combinação dos movimentos das duas esferas interiores em sentidos opostos foi a grande descoberta de Eudóxio. Ele mostrou que esses dois movimentos geravam uma figura em forma de 8, que "descrevia" de forma aproximada as peculiaridades do movimento retrógrado. Com a adição das duas esferas externas, Eudóxio obteve uma descrição bastante razoável, embora apenas qualitativa, do movimento dos planetas, do Sol e da Lua vistos por um observador terrestre.

Sem dúvida, existem vários problemas nesse modelo. Eudóxio não tentou explicar se suas esferas eram reais ou não, ou, se reais, de que eram feitas. A questão de como as esferas transmitiam movimento aos objetos celestes também não foi abordada. Finalmente, o modelo não explicava por que tanto a Lua como os planetas mais brilhantes exibem uma variação aparente no seu diâmetro. Como no modelo de Eudóxio as distâncias entre os objetos celestes e a Terra eram fixas, seus diâmetros não podiam variar. Apesar dessas limitações, o fato é que o modelo de Eudóxio conseguiu "salvar os fenômenos", tornando-se uma fonte de inspiração para desenvolvimentos futuros no estudo dos movimentos celestes.

Antes de o modelo de Eudóxio ser abandonado em favor de novos modelos usando epiciclos (a serem discutidos em breve), ele foi modificado pelo menos duas vezes. A primeira por um pupilo de Eudóxio, Calipo, e a segunda por Aristóteles. A modificação de Calipo foi a adição de sete esferas, com a intenção de melhorar a descrição do movimento retrógrado. Seu modelo seguia o mesmo espírito do de seu mestre, já que ele também não tentou explicar se as esferas eram reais ou não, ou como seu movimento era transmitido aos planetas.

Aristóteles adotou um ponto de vista completamente diferente. Insatisfeito com as abstrações de Eudóxio, construiu um modelo mecânico do cosmo a partir de esferas reais, e não imaginárias. O movimento dos objetos celestes era causado pelo contato direto com as esferas. Para que seu modelo descrevesse os vários movimentos celestes, Aristóteles teve de usar nada menos que 56 esferas! Mesmo assim, o modelo não tentou explicar a variação aparente do brilho dos planetas e não foi considerado muito seriamente, apesar da enorme fama de Aristóteles.

Por mais de 2 mil anos, do século IV a.C. até o século XVII, o pensamento de Aristóteles exerceu profunda influência no mundo ocidental. De fato, podemos até dizer que a história da ciência durante esse período se resume, grosseiramente, em duas partes. Na primeira, encontramos uma série de tentativas semidesesperadas de fazer com que a Natureza e a teologia cristã se adaptassem ao legado aristotélico. Na segunda, que ocupou os últimos cem anos desse longo período, presenciamos o nascimento da ciência moderna, que por fim levou ao total abandono das ideias aristotélicas.

Quais as razões para a enorme persistência das ideias aristotélicas por tanto tempo? Posso pensar em pelo menos três. Primeiro, a obra de Aristóteles tinha uma abrangência incomparável, cobrindo tópicos desde teoria política e ética até física, biologia e teoria poética. Junto com seus pupilos, Aristóteles não só compilou, classificou e organizou praticamente todo o corpo de conhecimento desenvolvido até o século IV a.C., como também criou novas áreas de conhecimento, incluindo a biologia. Uma segunda razão é a aparente lógica e simplicidade de suas ideias físicas, que apelam diretamente para o senso comum. Em contraste com o universo abstrato e matemático de Platão, o universo de Aristóteles era físico e concreto. Infelizmente, Aristóteles nunca se preocupou em testar suas ideias por meio de observações, de modo que a maioria delas está errada.

A terceira, e mais importante, razão para o domínio exercido pelo pensamento aristotélico sobre o mundo ocidental foi a apropriação de suas ideias pela Igreja cristã. Até o século XII, a teologia cristã era influenciada principalmente pelo neoplatonismo de santo Agostinho, desenvolvido no início do século V em suas *Confissões* e em *A cidade de Deus*. Paralelamente à influência neoplatônica, alguns elementos do pensamento aristotélico foram apropriados pela Igreja durante esse mesmo período. O retorno total de Aristóteles se dá no século XIII, devido à influência de santo Tomás de Aquino. Conforme veremos a seguir, a cosmologia de Aristóteles servia como uma luva a uma teologia baseada na separação entre a vida na Terra, decadente e efêmera, e a perfeita e eterna existência no Paraíso.

Nascido em 384 a.C. em Estagira, uma cidade macedônia situada ao norte da península grega, aos dezessete anos Aristóteles viajou para o sul para estudar na Academia de Platão, onde passou os vinte anos seguintes de sua vida. Inspirado pelas ideias teleológicas de Platão, Aristóteles se dedicou à busca das causas finais capazes de explicar não só os movimentos dos corpos celestes, mas também qualquer outro tipo de movimento, desde os de animais e plantas aos de projéteis e pessoas.

Toda matéria é composta pelas quatro substâncias básicas: terra, ar, fogo e água, às quais Aristóteles atribuiu quatro qualidades: quente, frio, úmido e seco. Portanto, a água é fria e úmida, enquanto o ar é quente e seco, e assim por diante. Segundo Aristóteles, existem dois tipos possíveis de movimento, o movimento "natural" e o movimento "forçado". Uma pedra largada de certa altura cai espontaneamente para baixo em um trajeto vertical porque ela procura seu lugar natural, ao passo que, se eu quiser que ela se mova de outra forma, tenho de impor esse movimento à força. Mais ainda: o movimento natural é sempre linear, como a pedra que cai verticalmente para baixo, ou o fogo que sobe verticalmente para cima.

Essa linearidade do movimento "natural" cria uma séria dificuldade para o sistema aristotélico, a explicação do movimento dos objetos celestes, que certamente está longe de ser linear. Mas esse tipo de objeção jamais intimidaria um homem como Aristóteles; como saída, ele simplesmente postulou que os objetos celestes são feitos de um quinto tipo de matéria, o *éter*. E, para o éter, o movimento mais "natural" é, obviamente, o circular. O éter tem propriedades completamente diferentes das da matéria encontrada na Terra. Ele jamais pode mudar, ser criado ou destruído, ou ter as qualidades comuns da matéria terrestre, como umidade ou temperatura. "Um momento", você exclama indignado, "se o éter não pode ser aquecido, por que os objetos celestes brilham?" "Por causa do atrito gerado pelo seu movimento através dos céus", responderia rápido Aristóteles, com uma ponta de irritação em sua voz.

Ao postular a existência do éter, Aristóteles efetivamente dividiu o Universo em dois domínios, o sublunar, onde o movimento "natural" era linear e os fenômenos naturais, que envolviam mudanças e transformações materiais, eram possíveis, ou seja, o domínio do devir, e o celeste, onde o movimento "natural" era circular e nada podia mudar, o domínio imutável do ser. Sem dúvida, se você quiser descrever "movimento sem mudança", nada melhor do que o movimento circular, já que este sempre retorna ao seu ponto de partida. Envolvendo a esfera das estrelas fixas, Aristóteles postulou a existência de uma outra esfera, geradora primária de todo movimento do cosmo, a esfera do "Movedor Imóvel", o Ser que de certa forma sustenta todo o Universo.

O universo de Aristóteles é crucialmente diferente de outros que discutimos até aqui, como, por exemplo, o modelo pitagórico com seu fogo central, ou o universo infinito e randômico dos atomistas. Entretanto, tal como os atomistas, Aristóteles obteve um compromisso entre mutação e permanência; abaixo da esfera sublunar o mundo é iônico, com ênfase na mutação e na transformação, o domínio do devir. E de lá para cima o mundo é eleático, imutável, o domínio do ser.

O universo de Aristóteles não tem um criador, sendo eterno e espacialmente infinito. Mais ainda, seu universo é contínuo, sem nenhum espaço vazio, ou vácuos. Essa noção de um Universo "pleno" é consistente com a explicação dada por Aristóteles aos efeitos da fricção no movimento de objetos em meios materiais. Segundo ele, a velocidade de um corpo em movimento em um meio material é inversamente proporcional à densidade desse meio. Por exemplo, se a água é duas vezes mais densa do que o ar, uma bola movendo-se no ar terá uma velocidade duas vezes maior do que na água. Como a densidade do espaço vazio é zero, a velocidade de um objeto movendo-se no espaço vazio seria infinita, um resultado absurdo. Portanto, concluiu Aristóteles, o espaço vazio não pode existir.

O "deus" de Aristóteles governa o Universo do exterior, ou seja, do ponto mais distante da Terra, que permanece imóvel no centro. Essa divisão do Universo em dois domínios será extremamente atraente para a teologia medieval cristã. Infelizmente, a igreja também irá adotar (e corromper) uma das piores características do pensamento platônico, sua aversão à ciência observacional. Como resultado, o desenvolvimento de uma ciência baseada na observação da Natureza permanecerá em estado de hibernação até a Renascença.

O UNIVERSO HELIOCÊNTRICO DE ARISTARCO

Uma nova era em astronomia foi iniciada com o modelo das esferas concêntricas desenvolvido por Eudóxio. Inspirados pelo desafio de Platão, vários modelos foram propostos para "salvar os fenômenos", usando o movimento circular para explicar os movimentos dos corpos celestes. Inicialmente, esses modelos seguiam o espírito das concepções de Eudóxio e Aristóteles, concentrando-se mais nos aspectos qualitativos do que nos aspectos quantitativos dos movimentos celestes, ou seja, sem uma maior preocupação em explicar seus conflitos óbvios com as observações astronômicas. De certa forma, esses modelos eram apenas estudos de viabilidade, testes para confirmar que a intuição de Platão estava de fato correta. Mas essa situação irá mudar rapidamente após Aristóteles. Os novos modelos do cosmo irão *realmente* tentar salvar os fenômenos, ou seja, eles tentarão ser compatíveis com as observações. Não importava o quão complicada fosse a estrutura básica dos modelos, com suas esferas concêntricas ou epiciclos, pois eles eram considerados apenas como construções matemáticas desenvolvidas para explicar os dados, sem nenhuma realidade física. Da maturação desses esforços resultará a obra máxima da astronomia grega, o modelo proposto por Ptolomeu no século II d.C. Fora algumas modificações propostas por astrônomos árabes, o modelo ptolomaico irá dominar o pensamento astronômico ocidental praticamente sem modificações até o final do século XVI.

As primeiras inovações importantes depois de Eudóxio são atribuídas a Heraclides do Ponto (*c*. 388-310 a.C.), um contemporâneo de Aristóteles e, possivelmente, também pupilo de Platão. A primeira das duas maiores inovações propostas por Heraclides foi a rotação da Terra em torno de seu eixo para explicar a rotação diária dos céus. (Ou, pelo menos, se ele não foi o primeiro a propor a rotação da Terra, foi o primeiro a usá-la de modo claro.)²³ Em outras palavras, Heraclides fez a Terra mover-se novamente! Eu friso o "novamente" porque nós já encontramos um outro modelo com uma Terra móvel, o modelo do fogo central proposto pelo pitagórico Filolau. Ambas as ideias foram descartadas pelos aristotélicos, que argumentaram em resposta que, se a Terra girasse, iríamos notar mudanças no movimento de objetos ou mesmo no movimento das nuvens. Afinal, se a Terra gira, por que então uma pedra, quando atirada verticalmente para cima, irá cair exatamente sobre minha cabeça? É claro que, diriam os aristotélicos, enquanto a pedra sobe e desce em sua trajetória, a rotação da Terra irá me carregar um pouco adiante e a pedra não atingirá mais minha cabeça.²⁴ E, com isso, a ideia da rotação da Terra será abandonada por séculos.

A segunda ideia importante atribuída a Heraclides vem de seu modelo do cosmo. Segundo ele, e contrariando todos os modelos até então, Mercúrio e Vênus orbitam em torno do Sol e não da Terra. De modo irônico, essa proposta irá abrir o caminho para dois desenvolvimentos completamente opostos em astronomia: o modelo heliocêntrico (com o Sol no centro do cosmo) de Aristarco e o modelo geocêntrico (com a Terra no centro do cosmo) de Ptolomeu, baseado em epiciclos. É possível que Heraclides tenha proposto essa modificação inspirado no fato de que esses planetas estão sempre "perto" do Sol. É como se o Sol carregasse com ele os dois planetas em sua viagem anual através do zodíaco. Sugestões nesse sentido já haviam aparecido nos escritos de Platão, embora seu estilo carregado de simbologia e metáforas complicasse um pouco a sua interpretação. Mesmo que a ideia de Heraclides tivesse sido um passo na direção certa, ela também foi repudiada pelos aristotélicos. É claro que deslocar o centro das órbitas de Mercúrio e Vênus da Terra para o Sol causaria uma séria ruptura da ordem aristotélica do cosmo, com sua divisão entre os domínios do ser e do devir. A Terra, e apenas a Terra, podia estar no centro, ocupando o degrau inferior da escada que terminava na esfera do Movedor Imóvel.

Mencionei acima que a ideia de Heraclides de colocar o Sol como centro da órbita dos planetas interiores pode ter inspirado Aristarco a colocar o Sol como centro de *todas* as órbitas, incluindo a da Terra. Esse é um dos episódios mais curiosos da história da astronomia grega antiga, que um modelo heliocêntrico do cosmo proposto no século III a.C. tivesse sido esquecido por quase 2 mil anos.

Aristarco nasceu em Samos, o berço de Pitágoras, por volta de 310 a.C., o ano em que Heraclides morreu. Além de ser um excelente matemático e um observador bastante meticuloso, a obra de Aristarco demonstra que ele também era dotado de uma grande coragem intelectual, propondo sem medo ideias que contradiziam a ordem do dia. Apenas um de seus trabalhos chegou até nós, *Sobre os tamanhos e distâncias do Sol e da Lua*, onde ele usa argumentos geométricos brilhantes unidos a observações astronômicas para obter os tamanhos e distâncias relativas do Sol e da Lua. Nesse trabalho Aristarco mostra que *a*) a distância entre o Sol e a Terra é aproximadamente dezenove vezes maior do que a distância entre a Terra e a Lua; *b*) o diâmetro do Sol é aproximadamente 6,8 vezes maior do que o diâmetro da Terra; *c*) o diâmetro da Lua é aproximadamente 0,36 vezes o diâmetro da Terra. Os números corretos são, para *a*, 388, para *b*, 109, e para *c*, 0,27. Os erros feios de Aristarco em *a* e *b* não se devem a erros matemáticos, mas a erros em seus dados astronômicos, erros esses perfeitamente razoáveis se nos lembrarmos de que todas as medidas astronômicas até então (e durante praticamente os 2 mil anos seguintes) eram feitas a olho nu. De qualquer forma, o fato de ele ter descoberto que o Sol era bem maior do que a Terra deve ter inspirado sua conclusão de que o Sol era o centro do cosmo.

A evidência que é usada como prova de que Aristarco propôs um modelo heliocêntrico do cosmo é encontrada nos escritos de Arquimedes, o maior matemático e inventor da Antiguidade, famoso pelo episódio em que correu nu pelas ruas de Siracusa gritando "Heureca! Heureca!", após descobrir por que certos objetos flutuavam em líquidos.[25] Em uma monografia dedicada ao rei Gelão II, intitulada *O contador de areia*, Arquimedes demonstra que ele pode calcular quantos grãos de areia são necessários para encher todo o volume do Universo. Para expressar sua resposta, um número gigantesco, Arquimedes teve de inventar uma notação especial, principal resultado de seu texto. Como ele precisava de uma medida para o tamanho do Universo, usou os dados de Aristarco, que correspondiam ao maior universo disponível em seus dias. Sua resposta indicava que seriam necessários 10^{63} (ou seja, o número 1 seguido de 63 zeros!) grãos de areia. No *Contador de areia*, Arquimedes escreve que

> Aristarco de Samos escreveu um livro com certas hipóteses que levam à conclusão de que o Universo é muito maior do que se pensava até então. Ele supôs que o Sol e as estrelas fixas permanecem imóveis, com o Sol no centro e a Terra girando ao seu redor em um movimento circular [...][26]

Hoje em dia sabemos que Copérnico, o homem que trouxe o Sol de volta ao centro do Universo no século XVI, estava a par do trabalho de Aristarco. Por que então seu modelo heliocêntrico foi esquecido por tanto tempo? Uma explicação possível, de natureza mais técnica, é que, se o Sol fosse o centro do Universo, um efeito astronômico conhecido pelo nome de *paralaxe estelar* poderia confirmá-lo. Mas os gregos não conheciam a paralaxe. Podemos facilmente entender o que é paralaxe estelar se estudarmos o diagrama da figura 2.6. Considere uma astrônoma na Terra medindo a posição de uma estrela relativamente próxima com respeito a uma constelação bem mais distante. Ela notará que a estrela parece variar sua posição em relação à constelação distante, ocupando posições diferentes em épocas diferentes do ano. Ela concluirá que esse efeito se deve ao fato de estarmos em órbita ao redor do Sol. O problema é que as estrelas estão tão distantes da Terra que a variação angular na posição da estrela próxima é muito pequena, certamente impossível de ser observada a olho nu. De fato, a paralaxe estelar, a prova definitiva de que orbitamos em torno do Sol, só foi detectada em 1838, por Friedrich Bessel. Fosse ela detectada pelos gregos, a história da astronomia teria sido muito diferente.

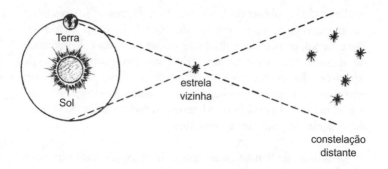

Figura 2.6: Diagrama esquemático da paralaxe estelar.

Mas a explicação mais provável para o fracasso do modelo de Aristarco vem da poderosa influência que o pensamento aristotélico exerceu durante séculos sobre as mentes da maioria dos astrônomos e filósofos. Para um aristotélico, pôr o Sol no centro do cosmo era obviamente absurdo; como o Sol era feito de éter, jamais poderia estar no centro do cosmo. Caso contrário, como poderíamos entender por que as coisas sempre caem em direção ao centro? E como a Terra, sendo composta pelos outros quatro elementos em suas diversas combinações, podia ter o mesmo status dos planetas, todos feitos de éter? Era claro que algo estava errado com o sistema heliocêntrico, já que contrariava frontalmente as hipóteses da física aristotélica. E assim, com argumentos dessa natureza, as portas se fecharam para o universo de Aristarco por mais 2 mil anos.

RODAS E MAIS RODAS: O UNIVERSO DE PTOLOMEU

Depois de Aristarco, o maior avanço da astronomia grega veio com a invenção dos epiciclos. Acredita-se que a ideia dos epiciclos tenha sido desenvolvida por Apolônio de Perga (c. 265-190 a.C.), um matemático de calibre comparável ao de Arquimedes. O melhor modo para visualizarmos um epiciclo é por

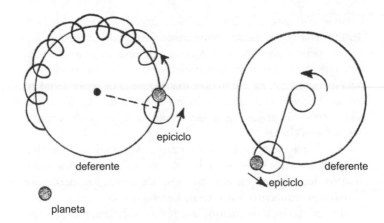

Figura 2.7: Comparação entre o movimento excêntrico e o movimento gerado através de epiciclos. Ambos produzem resultados semelhantes.

intermédio de uma analogia com uma roda-gigante que tenha sido desenhada por um perverso engenheiro; ao invés de balançarem suavemente, as cadeiras podem girar completamente, de modo que a cabeça do passageiro descreva um círculo completo. Esse círculo é o que chamamos de epiciclo, enquanto a roda principal é chamada de *deferente*. Agora imagine que o sádico engenheiro (um físico jamais seria capaz de tanta malvadeza) aprisione o pobre passageiro na roda-gigante e ligue o motor. Com a roda principal e a cadeira girando, a cabeça do passageiro descreverá uma curva espiral, conforme indicado no diagrama acima da figura 2.7.

Agora substitua o centro da roda-gigante pela Terra, e a cabeça do passageiro por um planeta. Do ponto de vista de um observador na Terra, o planeta irá claramente exibir um movimento retrógrado. Sua distância até a Terra também irá variar, "explicando" a mudança na luminosidade aparente do planeta. Portanto, ao combinar o movimento dos dois círculos, é possível descrever as peculiaridades dos movimentos dos corpos celestes, ou seja, é possível salvar os fenômenos! Apolônio foi ainda mais além, não se limitando a uma simples introdução da ideia de epiciclos; ele também provou que o mesmo movimento final pode ser gerado se a cadeira permanecer fixa e se o centro da roda-gigante girar em torno de um pequeno círculo, conforme mostra o diagrama à direita da figura 2.7. Esse movimento é chamado de movimento *excêntrico*. É interessante que, sendo um teórico puro, Apolônio aparentemente não aplicou suas ideias geométricas aos movimentos dos corpos celestes.

Foi Hiparco, o maior astrônomo da Antiguidade, que aplicou pela primeira vez a ideia de epiciclos à descrição dos movimentos dos corpos celestes em torno da Terra. Em particular, Hiparco se concentrou nos movimentos do Sol e da Lua, deixando de lado os movimentos dos planetas. Hiparco nasceu em Nicomédia (hoje Izmit, na Turquia), produzindo sua obra entre 150 e 125 a.C., portanto, dentro do período alexandrino da história grega. A essa altura, os romanos já haviam conquistado toda a Grécia, e o centro da atividade intelectual tinha mudado de Atenas para Alexandria, no Egito, fundada por Alexandre, o Grande, cerca de dois séculos antes.

Vamos voltar um pouco no tempo para retraçar a expansão da Grécia para o leste. Devido ao gênio militar de seu pai, Filipe da Macedônia, inventor da cavalaria como uma forma de ataque e da formação de infantaria conhecida como "falange macedônia", as fronteiras do império de Alexandre se estenderam até a Índia. Com a expansão do império, ocorreu também a disseminação da cultura grega por grande parte do Oriente Médio e Ásia. Após a morte de Alexandre, aos 33 anos, em 323 a.C., a unidade do império entrou em rápido declínio, com seus generais dividindo entre si o controle das várias províncias. Felizmente, Alexandria ficou sob o controle do general Ptolomeu (não confundir com o astrônomo), um amigo íntimo de Alexandre e admirador de seu mestre, Aristóteles. Ptolomeu declarou-se faraó, embora sua corte fosse inteiramente grega. Ele fundou o primeiro centro dedicado às ciências, o Museu de Alexandria. Aristarco, Apolônio, Arquimedes e Hiparco visitavam frequentemente o museu, assim como os grandes geômetras Euclides e

Eratóstenes, o primeiro a medir o diâmetro da Terra, com um erro de apenas oitenta quilômetros, e Héron, o inventor da primeira máquina a vapor. A prevalência de Alexandria como centro intelectual irá sobreviver ao domínio romano por mais alguns séculos, até seu desaparecimento por volta de 200 d.C.

Hiparco foi muito mais para a astronomia do que o pioneiro no uso de epiciclos na descrição dos movimentos celestes. Entre seus vários feitos, ele inventou aquele tópico favorito dos estudantes do segundo grau: a trigonometria. Obteve os melhores dados astronômicos de seu tempo combinando suas observações com dados obtidos pelos babilônios; inventou o astrolábio, um instrumento usado para medir a posição de objetos no céu, e descobriu o fenômeno conhecido como precessão dos equinócios, o fato de o eixo de rotação da Terra girar lentamente, de modo semelhante a um pião desequilibrado. É interessante que Hiparco não tenha tentado usar epiciclos para descrever o movimento dos planetas, embora tenha criticado vários modelos anteriores baseados em esferas concêntricas devido à sua incompatibilidade com dados observacionais. O uso de epiciclos para descrever *todos* os movimentos celestes terá de esperar até Cláudio Ptolomeu, que viveu três séculos após Hiparco.

Não se conhece muito sobre a vida de Ptolomeu, embora saibamos que ele produziu seus trabalhos entre 127 e 141 d.C. e que viveu em Alexandria, na época uma província romana. Sua obra-prima, chamada pelos astrônomos árabes de *Almagest*, "O Grandioso" (lembre-se da palavra *majestade*), se tornou o texto "standard" da astronomia até o final do século XVI. Ptolomeu baseou-se nas ideias de Aristóteles e na astronomia de Hiparco para criar uma descrição completa dos movimentos de *todos* os corpos celestes que estivesse de acordo com as observações. Sua obra astronômica é a coroação do apelo de Platão para salvar os fenômenos, a descrição do Universo em termos de uma complicadíssima maquinaria de rodas e mais rodas, eternamente girando sob o controle do Movedor Imóvel.

O que pode ter motivado Ptolomeu a responder ao desafio de Platão tantos anos após seus predecessores? Para ele, assim

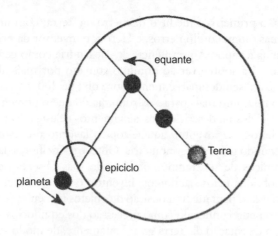

Figura 2.8: Diagrama mostrando o equante de Ptolomeu.

como para Platão e para Aristóteles, os corpos celestes eram divinos. Mais ainda, a ordem que percebemos no Universo é uma manifestação direta da inteligência divina. O estudo dos céus servia como um veículo de ascensão espiritual para o astrônomo. Por intermédio de seu trabalho, o astrônomo liberava-se das limitações e trivialidades da vida diária, em busca de uma existência moral e ética superior; para Ptolomeu, a astronomia estava profundamente ligada à filosofia moral. Ao investigar os mecanismos celestes, o astrônomo estava em contato com o divino.

Em busca de um método simples e capaz de prever quantitativamente as posições dos vários corpos celestes, Ptolomeu modificou os epiciclos de Hiparco, criando um novo ponto, chamado *equante*. O centro geométrico da roda-gigante estava entre a Terra e o equante, conforme indicado no diagrama da figura 2.8. Para Ptolomeu, o centro do epiciclo viaja com velocidade angular constante em torno do equante, e não em torno do centro geométrico da roda-gigante ou da Terra, como no esquema de Hiparco. Ajustando a distância entre o centro da roda e o equante para os vários planetas, Ptolomeu conseguiu reproduzir, com extraordinário sucesso, uma série de irregularidades presentes no movimento dos corpos celestes. Mas seu sucesso teve um alto custo. Seu modelo violava um dos dogmas platônicos, o que especificava que os movimentos celestes deveriam todos ocorrer com velocidade angular constante em torno da Terra. Claramente essa limitação não perturbava Ptolomeu, que estava mais preocupado em salvar os fenômenos que em aderir a todos os dogmas platônicos. Para ele, a tarefa mais importante do astrônomo era obter um modelo matemático do cosmo que descrevesse os movimentos dos corpos celestes usando apenas círculos. Ptolomeu estava mais preocupado com sua astronomia que com sua física.

Seu sucesso foi enorme. O modelo de Ptolomeu podia não só descrever os movimentos do Sol, da Lua e dos planetas, como também prever com razoável sucesso suas posições futuras, para deleite tanto dos astrônomos como dos astrólogos. Apesar de parcialmente esquecido no mundo ocidental durante quase oitocentos anos, graças aos árabes o universo de Ptolomeu será redescoberto na Europa por volta de 900 d.C., dominando a astronomia (e a astrologia) até o século XVI, quando Copérnico propôs seu modelo heliocêntrico.

Antes de deixarmos Ptolomeu e os gregos, gostaria de dedicar algumas linhas à astrologia e ao seu papel crucial no desenvolvimento da astronomia. Já em 2000 a.C., os babilônios acreditavam que o Sol, a Lua e os planetas (em especial Vênus) podiam magicamente influenciar os afazeres públicos e a vida de seus líderes. Essa influência foi levada ao nível do indivíduo pelos gregos, que desenvolveram uma astrologia pessoal, por meio de sua combinação com a mitologia, associando deuses a corpos celestes. O astrólogo era um intérprete dos movimentos divinos, uma ponte entre os deuses e os humanos. Como tal, ele ocupava uma posição de prestígio e poder na hierarquia social grega. Para que suas previsões fossem acuradas, o astrólogo necessitava de bons dados astronômicos, incluindo não só as posições atuais como também as posições futuras dos corpos celestes em relação às constelações do zodíaco. Portanto, na ex-

Platão (c. 380)	realidade no mundo das Ideias; Demiurgo; "salvando os fenômenos"
Eudóxio (c. 370)	modelo das esferas concêntricas
Aristóteles (c. 340)	explicações físicas com "bom-senso"; divisão do cosmo em dois domínios
Heraclides (c. 350)	rotação da Terra; Mercúrio e Vênus em órbita em torno do Sol
Aristarco (c. 280)	Sol no centro do Universo; distâncias ao Sol e à Lua
Arquimedes (c. 250)	grande matemático e inventor
Apolônio (c. 230)	inventor dos epiciclos
Hiparco (c. 140)	aplicação dos epiciclos ao Sol e à Lua; maior astrônomo da Antiguidade
Ptolomeu (c. 130 d.C.)	modelo completo do cosmo com epiciclos

Figura 2.9: Filósofos gregos, de Platão a Ptolomeu, discutidos no texto. As datas são aproximadas.

plicação do grande sucesso do modelo de Ptolomeu, devemos unir ao ideal platônico de salvar os fenômenos o uso astrológico de uma astronomia capaz de prever acuradamente as posições dos corpos celestes.

Ptolomeu escreveu um tratado completo sobre astrologia, intitulado *Tetrabiblos*, no qual representou os caminhos do astrólogo e do astrônomo como caminhos gêmeos na busca de um estado de tranquilidade espiritual e intelectual superiores. Enquanto, para Ptolomeu, a astronomia tem valores morais, a astrologia, com seus poderes de previsão, "acalma a alma através do conhecimento de acontecimentos futuros, como se eles estivessem ocorrendo no presente, e nos prepara para receber com calma e equilíbrio o inesperado".[27]

A astrologia continuou a exercer um papel social importante na sociedade romana, antes de sua repressão pela Igreja cristã a partir do século IV, especialmente devido à influência do pensamento de santo Agostinho, expresso em seu livro *A cidade de Deus*. Um ponto de importância central nesse debate era a questão do livre-arbítrio; já que na astrologia antiga o Universo era essencialmente mecanicista, o indivíduo jamais teria a liberdade de escolher seu destino, o futuro estando controlado pelos movimentos celestes. Essa noção violava a onipotência do Deus cristão, fazendo com que a astrologia se tornasse inaceitável. Tentativas para aliviar a tensão entre a Igreja e a astrologia argumentavam que "as estrelas não impõem, apenas sugerem", deixando ao indivíduo a escolha final de seu destino, guiado em princípio por Deus.

Embora os teólogos muçulmanos também oferecessem resistência à disseminação da astrologia no Leste, seus esforços não foram muito bem-sucedidos. Com a conquista pelos muçulmanos da Sicília e da Espanha, a astrologia reentra na Europa, passando por um verdadeiro renascimento durante os séculos XII e XIII. De fato, a astrologia não só fazia parte do currículo das primeiras universidades medievais em Bolonha, Paris e Oxford, como também serviu de inspiração (e ganha-pão) para vários astrônomos, incluindo Johannes Kepler, que no início do século XVII obteve as primeiras leis matemáticas descrevendo os movimentos planetários. Com a formulação da mecânica newtoniana, astrologia e astronomia irão se divorciar permanentemente, pelo menos nas mentes dos cientistas. Entretanto, como é fácil constatar, dada a sua enorme popularidade (decerto muito maior do que a da astronomia), a astrologia continua a ser tão fascinante hoje quanto na Grécia antiga. Para aqueles que procuram na astrologia um veículo de autodescoberta e conforto, as palavras de Ptolomeu são igualmente válidas dezoito séculos mais tarde.

Neste capítulo, discutimos algumas das ideias mais importantes sobre o Universo originadas na Grécia antiga. Seria impossível cobrir mesmo uma pequena parte do vasto legado cultural deixado pelos gregos, que facilmente ocuparia vários volumes. Todavia, espero que ao terminar este capítulo você tenha uma ideia, mesmo que incompleta, da fantástica criatividade e diversidade do pensamento grego. Talvez mais relevante que os vários detalhes de seu legado cultural, os gregos nos ensinaram como é importante nos perguntar sobre o mundo à nossa volta e sobre nós mesmos. Seu amor pela razão e sua fé no uso do raciocínio como instrumento principal na busca do conhecimento formam o arcabouço fundamental do estudo científico da Natureza. Não devemos nunca fugir dessa busca, intimidados pela nossa ignorância. O medo deve ser combatido com a razão e não com mais medo. Essa, para os gregos, é a chave da sabedoria.

Ao entrarmos na Idade Média, veremos que essa curiosidade sobre o mundo natural irá praticamente desaparecer. A ascensão da Igreja e o declínio de Roma redirecionaram as preocupações das pessoas "educadas" para questões teológicas extremamente abstratas; as sementes plantadas pelos gregos irão hibernar por um longo tempo. Isso não significa que nenhuma ciência tenha sido produzida nesse período. Os árabes, em particular, produziram melhorias no modelo de Ptolomeu e levaram a matemática a novos níveis de sofisticação. Entretanto, seu Universo continuou sendo essencialmente aristotélico, finito, com a Terra no centro e dividido entre os domínios do ser e do devir.

O único tipo de estudo aceitável era de natureza teológica. Questões pertinentes ao estudo da Natureza eram consideradas não só supérfluas como também perigosas para a salvação da alma. A situação se tornou tão terrível que, por aproximadamente setecentos anos, de 300 d.C. (santo Lactâncio) até o ano 1000 (papa Silvestre II), se acreditava novamente que a Terra era plana! Quando os muçulmanos trouxeram os textos de Aristóteles, Euclides, Arquimedes, Ptolomeu e muitos outros de volta para a Europa, uma nova brisa de despertar começou a soprar, lentamente liberando o intelecto do sono hipnótico da Idade Média. No início, do século XIII até o começo da Renascença (século XV), a brisa começou sua tarefa timidamente. Mas, a partir do século XVII, nas mãos de Giordano Bruno, Galileu, Kepler, Gilbert e outros, a brisa transformou-se em um poderoso furacão, causando um verdadeiro renascimento intelectual da civilização ocidental. Antigas ideias foram redescobertas, reformuladas ou serviram de inspiração para a geração de novas ideias; para os que participaram dessa incrível aventura intelectual, as famosas palavras de Aristóteles devem ter adquirido o caráter de profecia: "[...] é impossível não concluirmos que as mesmas ideias tornam aos homens não só uma ou duas vezes, mas continuamente, por toda a eternidade".[28]

Parte 2
O DESPERTAR

3. O SOL, A IGREJA E A NOVA ASTRONOMIA

> *Como? Será que não posso mais contemplar o Sol e as estrelas?*
> *Será que não posso, sob os céus, meditar sobre as verdades mais preciosas?*
>
> Dante Alighieri

Foi um lento despertar, a preguiçosa primavera lutando contra o frio abraço do inverno. Imersa durante séculos em um profundo dogmatismo teológico, a mente medieval divagava, perdida em densa neblina. A sabedoria do passado foi esquecida, condenada pela Igreja como paganismo, a raiz de todo o mal. O esplendor das civilizações grega e romana era uma memória distante. Forjada por santo Agostinho durante o século V d.C., a tênue conexão com o passado se dava através de um platonismo transvestido, que desprezava qualquer interesse nos fenômenos naturais, ao mesmo tempo encorajando o debate de questões teológicas. As respostas a todas as perguntas sobre astronomia ou cosmologia eram encontradas na Bíblia. O firmamento não é esférico mas sim uma tenda retangular (um tabernáculo), porque lemos em Isaías que "Deus estendeu os céus como uma cortina em forma de tenda".[1] De modo semelhante, a Terra era retangular ou circular como um disco, dependendo da parte da Bíblia consultada pelos teólogos.

Por que isso aconteceu? Qual a relação entre a ascensão da Igreja e a quase completa ruptura com a Antiguidade? Para respondermos a essa pergunta, temos de considerar a situação política na Europa durante a época de santo Agostinho. No século IV d.C., o Império Romano estava em pleno colapso, tanto interna como externamente. Dividido entre o Império do Oeste, onde a língua falada era o latim, e o Império do Leste (conhecido como Império Bizantino), onde a língua falada era o grego, na região onde, hoje, o rio Danúbio encontra a Sérvia e a Romênia, o Império Romano sofria contínuos ataques tanto de tribos germânicas, no Norte — como os vândalos e os godos —, como dos persas, no Leste. Internamente, a corrupção e a decadência moral provocavam o contínuo enfraquecimento do famoso "orgulho romano". Mudanças radicais eram desesperadamente necessárias, algo que pudesse restaurar o senso de direção de uma sociedade profundamente dividida e confusa.

Em 324, Constantino, o Grande, imperador do Leste, converteu-se ao cristianismo. Ele mudou o nome de sua capital de Bizâncio para Constantinopla (hoje Istambul, Turquia), que rapidamente se transformou no mais importante centro cristão. À medida que o Império Bizantino crescia em força, Constantino tentava retomar o Oeste do domínio das tribos germânicas, disseminando o cristianismo como a nova fé dos romanos e oferecendo apoio às várias comunidades cristãs espalhadas pela Europa. Mesmo que o Império tenha falhado no seu empreendimento e Roma tenha sido conquistada pelas tribos germânicas no século V, a Igreja cristã sobreviveu, guiada por líderes como santo Agostinho e o papa Gregório I (590-604).

De fato, a Igreja transformou-se em um símbolo de civilização e ordem social, oferecendo a devoção à religião como antídoto contra os "rituais pagãos dos bárbaros". A vidas repletas de violência, pestilência e tormentos intermináveis, a Igreja oferecia salvação eterna no Paraíso. Seu poder era tal que, quando no século V Átila, o Huno, queria invadir Roma, o patriarca cristão convenceu-o a mudar de ideia, algo que nenhum exército no mundo teria conseguido. Num certo sentido, "a Igreja conquistou seus conquistadores".[2]

Agora podemos entender por que a Igreja condenou a busca do conhecimento "pagão", ou seja, conhecimento sobre assuntos fora da esfera da religião. O barbarismo que corrompia o corpo era o mesmo que corrompia a mente; qualquer apropriação de informação através dos sentidos decerto só poderia levar à corrupção da alma. As tentações carnais, dependentes que são dos cinco sentidos, sem dúvida levavam à danação eterna. Como o estudo da Natureza necessariamente dependia do uso dos sentidos, ele também foi considerado conhecimento "pagão", capaz de corromper a virtude cristã. Nas palavras de santo Agostinho,

> Agora menciono uma outra forma de tentação ainda mais variada e perigosa. Pois acima da tentação carnal, que se baseia nas delícias e prazeres sensuais — e cujos escravos, ao distanciarem-se de Vós, provocam sua própria destruição —, existe também a tentação da mente, que, utilizando-se dos cinco sentidos, motivada por vaidade e curiosidade, realiza experimentos com o auxílio do corpo, em busca de conhecimento e sabedoria [...] Assim, os homens investigam os fenômenos da Natureza — aquela parte da Natureza externa aos nossos corpos — mesmo que esse conhecimento não tenha nenhum valor para eles: eles estão interessados apenas na busca do conhecimento, puro e simples [...] Certamente os teatros não me atraem mais, nem tenho interesse em estudar os movimentos celestes.[3]

O LENTO LEVANTAR DOS VÉUS

Essa situação duraria sete longos séculos, durante os quais a maior parte da Europa foi consumida por guerras entre os vários lordes feudais. Com exceção do curto reinado de Carlos Magno, durante o século IX, que representou o primeiro compromisso político em larga escala entre a Igreja católica e um lorde feudal, o poder político era completamente descentralizado. Carlos Magno foi coroado imperador do "Sagrado Império Romano" pelo papa Leão III. Mesmo que havia muito desaparecida, a grandiosidade de Roma ainda sobrevivia como símbolo de poder.

Enquanto a Europa estava perdida em completa desordem política, um novo império floresceu durante o século VIII: o Império Muçulmano, cujas fronteiras se estendiam do Norte da África e Espanha no oeste, até a China no leste, passando pelo Egito, Pérsia e pela Ásia Central. Mais uma vez os trabalhos de

Aristóteles e Ptolomeu foram lidos, e o desenvolvimento das artes e da arquitetura foi encorajado pelos califas. Os árabes levaram aos seus domínios um amor pelo conhecimento que havia muito estava esquecido. Juntamente com sábios judeus, eles forjaram na península Ibérica uma nova classe cultural que, durante os cinco séculos seguintes, iria redefinir por completo o mapa intelectual da Europa. Seu entusiasmo pelo legado cultural dos gregos lentamente difundiu-se pelo continente (era densa a neblina medieval!), criando o clima intelectual que mais tarde floresceu na Renascença.

Durante os séculos XII e XIII, enquanto os cruzados tentavam recapturar a Terra Prometida aos muçulmanos, e magníficas catedrais góticas eram construídas na França, Aristóteles e Ptolomeu conquistavam um número cada vez maior de adeptos. No final do século XIII várias universidades estavam em atividade, aumentando a demanda por bons textos em matemática, filosofia e astronomia. O livro *Sobre a esfera*, de João de Sacrobosco, tornou-se o texto mais popular em astronomia, assim como as traduções em latim de textos árabes resumindo o grande livro de Ptolomeu, o *Almagest*. A ascensão de Aristóteles despertou um novo interesse no estudo da Natureza.

Principalmente devido a santo Tomás de Aquino (1225--1274), a teologia cristã abraçou ideias aristotélicas, criando uma nova "cosmologia cristã". A Terra voltou a ser esférica, ocupando seu trono no centro do Universo. E era circundada por oito esferas, que a ligavam a Deus no exterior. A oitava esfera, a das estrelas fixas, era circundada por outra esfera, conhecida como *Primum Mobile*, a primeira esfera móvel. A décima e última esfera era imóvel, conhecida como a *Esfera Empírea*, "a morada de Deus e do intelecto".[4] Lúcifer sentava em seu trono no Inferno, muito mais próximo da Terra do que Deus. Efetivamente, o Universo medieval era "diabocêntrico". Talvez a melhor descrição do Universo da Alta Idade Média é encontrada no poema *A divina comédia*, de Dante Alighieri, terminado em 1321. Aí, Dante reconta sua viagem pelos três destinos possíveis após a morte, o Inferno, o Purgatório e o Céu. Partindo do Inferno em direção ao Céu, Dante atravessa todas as esferas celestes, na ordem definida por Aristóteles.[5]

Infelizmente, embora a redescoberta de Aristóteles tenha dado um novo ímpeto à preguiçosa mente medieval, suas ideias foram tomadas dogmaticamente, de modo que qualquer tentativa crítica era descartada de imediato. Os teólogos medievais estavam mais preocupados em criar argumentos capazes de reconciliar as ideias aristotélicas com o dogma cristão, um problema por si só bem complicado. Afinal, o cosmo aristotélico era eterno e não teve um criador, enquanto para os cristãos Deus criou o Universo, e a vida na Terra terminará no dia do Juízo Final. A estratégia mais comum era reinterpretar Aristóteles de modo a servir aos propósitos da Igreja; tendo criado o clima intelectual que poderia vir a propiciar o desenvolvimento de novas ideias, os teólogos medievais rapidamente se certificaram de que nenhuma mudança poderia ser contemplada. Foi um parto em vão.

Essa inércia e dogmatismo levaram ao desespero alguns pensadores que se recusaram a aceitar cegamente as ideias de Aristóteles. O frade franciscano de Oxford, Roger Bacon (*c.* 1219-1292), escreveu: "Se pudesse ditar a ordem das coisas, queimaria todos os livros de Aristóteles, pois seu estudo é uma grande perda de tempo, e só pode causar erro e aumentar nossa ignorância". E, em outro manuscrito: "Parem de ser dominados por dogmas e autoridade; *olhem para o mundo*!".[6] Em seus livros, Bacon especulou que no futuro máquinas motorizadas seriam usadas para o transporte não só por terra ou mar, mas também pelo ar. Fiel a seus pronunciamentos contra o dogmatismo, ele enfatizou a importância da matemática e da experimentação como instrumentos no estudo da Natureza e, portanto, como veículos para nos aproximarmos de Deus e de sua Criação, tornando-se uma importante influência no desenvolvimento inicial da ciência. Quando penso em Roger Bacon, imediatamente a imagem de um "profeta da ciência" me vem à mente, um visionário solitário anunciando o inevitável declínio do Universo medieval.

Outro pensador com ideias avançadas para seu tempo foi Nicolau de Cusa (*c.* 1401-1464), bispo de Bressanone, na Itália, em

1450 e também núncio apostólico na Alemanha. Em seu famoso livro *De docta ignorantia*, "Sobre a sábia ignorância", ele concluiu que a verdadeira sabedoria está na compreensão da impossibilidade de a mente humana entender a natureza infinita de Deus, na qual todos os opostos se combinam.[7] De modo a transcender essa limitação, Cusa usou extensivamente seu "princípio da coincidência dos opostos", argumentando que todas as aparentes contradições são unificadas no infinito, ou seja, em Deus. Essas ideias tiveram consequências interessantes para o pensamento cosmológico de Cusa; seu Universo não podia ter um centro, porque é impossível achar seu centro perfeito. Isso recorda-nos muito a ideia de Platão que encontramos anteriormente, de que um círculo só pode existir concretamente no mundo das ideias. Consequentemente, Cusa removeu a Terra, ou qualquer outro corpo celeste, do centro do Universo; como o centro era o ponto da perfeição absoluta, apenas Deus poderia ocupá-lo. E, como todos os opostos se combinam no infinito, Deus ocupava também a fronteira externa do Universo. O Universo de Cusa era delineado por argumentos teológicos. Em suas próprias palavras,

> Como o centro é equidistante da circunferência, e como é impossível termos um círculo tão perfeito que outro mais perfeito não possa ser encontrado, concluímos que um centro mais exato do que qualquer outro centro pode sempre ser encontrado. Somente em Deus podemos encontrar um centro que é perfeitamente equidistante de todos os pontos, porque apenas Ele possui a perfeição do infinito.[8]

Embora uma fonte de inspiração para vários de seus seguidores, as ideias de Cusa estavam arraigadas firmemente no passado; o Demiurgo de Platão foi substituído pelo Deus cristão.

Tanto Bacon como Cusa tiveram problemas com seus superiores por terem tido a audácia de criticar as ideias cosmológicas da época; finalmente, a fundação do grande Universo medieval começava a rachar. Por ordem do ministro-geral dos franciscanos, Bacon foi preso de 1277 até 1279, condenado por promover "novidades perigosas". Já Cusa foi acusado por seus rivais de panteísmo, e forçado a escrever sua *Apologia doctae ignorantiae*, "Apologia da sábia ignorância", em 1449, onde ele cita autoridades da Igreja e neoplatônicos em defesa de suas ideias.

Usar autoridades eclesiásticas em defesa de ideias teológicas sem dúvida era uma solução bem diplomática, que, no entanto, não durou muito tempo. Uma característica muito importante da chamada "Revolução Copernicana", iniciada (involuntariamente) por Copérnico e levada a cabo por Kepler e Galileu, foi uma profunda mudança de atitude em relação à autoridade baseada em dogmas. Nada deveria ser cegamente tomado como verdade, o que, nas mãos de Galileu, se transformou em dedução a partir de experimentos. Um novo método para o estudo da Natureza estava por nascer, o qual iria causar talvez a transformação mais profunda do espírito humano desde o século VI a.C. Essa ponte entre o velho e o novo, forjada com muita coragem, brilho e paixão pela verdade, será o assunto do resto deste capítulo.

O RELUTANTE HERÓI

Algumas pessoas tornam-se heróis contra sua própria vontade. Mesmo que elas tenham ideias realmente (ou potencialmente) revolucionárias, muitas vezes não as reconhecem como tais, ou não acreditam no seu próprio potencial. Divididas entre enfrentar sua insegurança expondo suas ideias à opinião dos outros, ou manter-se na defensiva, elas preferem a segunda opção. O mundo está cheio de poemas e teorias escondidos no porão.

Copérnico é, talvez, o mais famoso desses relutantes heróis da história da ciência. Ele foi o homem que colocou o Sol de volta no centro do Universo, ao mesmo tempo fazendo de tudo para que suas ideias não fossem difundidas, possivelmente com medo de críticas ou perseguição religiosa. Foi quem colocou o Sol de volta no centro do Universo, motivado por razões erradas. Insatisfeito com a falha do modelo de Ptolomeu, que aplicava o dogma platônico do movimento circular uniforme aos corpos celestes, Copérnico propôs que o equante fosse abandonado e que o Sol passasse a ocupar o centro do cosmo. Ao tentar fazer com que o Universo se adaptasse às ideias platônicas ele retornou aos pitagóricos, ressuscitando a doutrina do fogo central, que, como vimos, levou ao modelo heliocêntrico de Aristarco dezoito séculos antes de Copérnico.

Seu pensamento reflete o desejo de reformular as ideias cosmológicas de seu tempo apenas para voltar ainda mais no passado; Copérnico era, sem dúvida, um revolucionário conservador. Ele jamais poderia ter imaginado que, ao olhar para o passado, estaria criando uma nova visão cósmica, que abriria novas portas para o futuro. Tivesse vivido o suficiente para ver os frutos de suas ideias, Copérnico decerto teria odiado a revolução que involuntariamente causou.

Nicolau Copérnico nasceu no dia 19 de fevereiro de 1473 em Torun, Polônia. Filho de um rico comerciante, seu pai morreu quando ele tinha dez anos, sendo o jovem Copérnico adotado por seu tio, o poderoso Lucas Waczenrode, futuro bispo de Ermland (também conhecida como Warmia). Em 1491, um ano antes de Colombo chegar à América (ou ao Caribe, segundo estudos recentes), ele entrou para a Universidade de Cracóvia, uma das primeiras universidades no Norte da Europa a ser influenciada pelos ventos humanistas soprados da Itália. Por volta de 1500, existiam aproximadamente oitenta universidades na Europa, uma realidade intelectual muito diversa da dos tempos de Roger Bacon.[9] Cracóvia gozava de boa reputação em astronomia, de modo que seus estudantes tinham mais opções além do estudo dos textos básicos adotados na época, que ainda incluíam o livro de Sacrobosco, escrito havia mais de duzentos anos. Em particular, Alberto de Brudzewo fundou lá uma escola de astronomia e matemática, e sua influência teve um papel importante na formação do jovem Copérnico. Em 1496, Copérnico entrou para a Universidade de Bolonha, na Itália, para estudar lei eclesiástica, ainda que seus interesses estivessem voltados mais para a astronomia. Tornou-se assistente do astrônomo Domenico Maria de Novara, famoso por apoiar a ideia da precessão dos equinócios (ver capítulo 2). Possivelmente, a noção de que a Terra oscila em torno de seu eixo de rotação como um pião desequilibrado deve ter influenciado a decisão de Copérnico de fazer com que a Terra se movesse como um todo em torno do Sol. Sabemos que ele leu vários clássicos da filosofia grega e que conhecia o modelo heliocêntrico de Aristarco, citado por Arquimedes, Plutarco e outros. Devido às melhorias nas máquinas de impressão com tipos móveis, no final do século XV os livros não só eram muito mais baratos como também mais fáceis de ser encontrados.

A Europa finalmente despertou de seu longo sono medieval: enquanto navegadores espanhóis e portugueses redesenhavam as fronteiras do mundo, Leonardo e Michelangelo estavam por produzir algumas das maiores obras-primas da Renascença. O filósofo britânico Alfred Whitehead escreveu em 1925 que, "por volta de 1500, a Europa sabia menos do que na época de Arquimedes, que morreu em 212 a.C.".[10] Embora hoje em dia esse comentário seja considerado um pouco exagerado, podemos com certeza dizer que, mesmo atrasados, os europeus estavam se recuperando rapidamente.

Em 1497 Copérnico fez sua primeira observação astronômica, a ocultação da estrela Aldebarã pela Lua. Em 1500, enquanto Cabral descobria o Brasil, Copérnico dava um seminário em Roma sobre um eclipse parcial da Lua. A essa altura, graças ao seu tio Lucas, Copérnico havia sido nomeado cônego da catedral de Frauenberg, uma espécie de administrador da igreja com um bom salário e pouca coisa para fazer. Em 1501, Copérnico retorna à Itália, dessa vez como estudante de medicina em Pádua, embora volte para a Polônia dois anos mais tarde com um diploma em lei eclesiástica da Universidade de Ferrara. Sem dúvida, a carreira acadêmica de Copérnico foi bem peculiar. Após passar alguns anos como secretário diplomático e médico particular de seu tio, Copérnico finalmente fixou residência na catedral de Frauenberg, começando seu trabalho como cônego. Permaneceu lá pelo resto de sua vida, praticamente isolado da sociedade, observando o ir-e-vir de navios no mar Báltico do alto de sua lúgubre torre. Apesar de não ter tido muito interesse em desenvolver amizades ou em pessoas em geral, Copérnico viveu durante muito tempo com uma mulher bem mais jovem e divorciada, Anna Schillings, até que já no final de sua vida o bispo local pôs um fim nessa relação: era inaceitável que um cônego vivesse em pecado em sua própria diocese! Copérnico teve apenas um amigo mais próximo, o cônego Tiedemann Giese, que mais tarde iria ter um papel crucial na batalha para convencer Copérnico a publicar sua obra astronômica. Se não fosse pela influência de Giese, gentil mas persistente, a obra de Copérnico teria permanecido escondida em algum porão. Como escreveu Arthur Koestler, "Giese foi um desses heróis silenciosos da História, que abrem caminhos sem deixar suas próprias pegadas".[11]

O trabalho de Copérnico como cônego deixava muito tempo livre para que ele pensasse em astronomia. Entre 1510 e 1514, compôs um pequeno trabalho resumindo suas ideias, intitulado *Commentariolus*, ou "Pequeno comentário". Embora na época fosse relativamente fácil publicar um manuscrito, Copérnico decidiu não publicar seu texto, enviando apenas algumas cópias para uma audiência seleta. Ele acreditava piamente no ideal pitagórico de discrição; apenas aqueles que eram iniciados nas complicações da matemática aplicada à astronomia tinham permissão de compartilhar sua sabedoria. Certamente essa posição elitista era muito peculiar, vinda de alguém que fora educado durante anos dentro da tradição humanista italiana. Será que Copérnico estava tentando sentir o clima intelectual da época, para ter uma ideia do quão "perigosas" eram suas ideias? Será que ele não acreditava muito nas suas próprias ideias e, portanto, queria evitar qualquer tipo de crítica? Ou será que ele estava tão imerso nos ideais pitagóricos que realmente não tinha o menor interesse em tornar populares suas ideias? As razões que possam justificar a atitude de Copérnico são, até hoje, um ponto de discussão entre os especialistas.

No *Commentariolus*, Copérnico postula que o Sol é o centro da órbita de todos os planetas e, portanto, do Universo; que a Lua, e apenas a Lua, gira em torno da Terra; que a Terra gira em torno de seu eixo; e que a Terra e os outros planetas giram em torno do Sol em órbitas circulares. Com esse arranjo, Copérnico literalmente destruiu o universo aristotélico, baseado na divisão do cosmo nos domínios sublunar e celeste. Se a Terra não ocupa mais o centro do Universo, a divisão do cosmo nos domínios do ser (a Lua e tudo acima) e do devir (abaixo da Lua) deixa de fazer sentido, assim como a hierarquia moral adotada pela teologia medieval cristã, que parte do Inferno, no centro da Terra, ponto de maior decadência e corrupção, e vai até a esfera empírea, ponto da mais elevada virtude. O centro do cosmo não é mais o diabo, mas sim a fonte de toda luz e energia, o responsável pela geração da vida na Terra, "o deus visível".

O que levou Copérnico a abandonar tão radicalmente a sabedoria tradicional de sua época? Uma possível resposta pode ser encontrada no começo de seu trabalho, onde ele argumenta que o sistema ptolomaico de equantes não era satisfatório porque violava a regra platônica de velocidade circular uniforme para todos os corpos celestes.[12] Ele escreveu que o sistema de Ptolomeu "não só não tem bom desempenho como também não está de acordo com a razão",[13] e

> uma vez que percebi esses defeitos, comecei a ponderar se talvez não seria possível encontrar outro arranjo de círculos [...] no qual todos os corpos celestes girariam em torno de um centro comum com velocidades uniformes, conforme é determinado pela regra do movimento absoluto.[14]

Portanto, ao modificar a teoria de Ptolomeu, Copérnico estava tentando mais uma vez "salvar os fenômenos", fiel à regra de Platão. Ele estava olhando para trás e não para a frente.

Existe, contudo, uma outra explicação para a proposta de Copérnico, de natureza puramente estética, baseada nos períodos de revolução dos vários planetas. Tendo colocado Mercúrio próximo do Sol, seguido por Vênus, Terra, Marte, Júpiter e Saturno, todos cercados pela esfera das estrelas fixas, Copérnico assim justifica sua escolha:

[esse arranjo] segue a mesma ordem que as velocidades de revolução orbital das esferas celestes [...] de modo que Saturno completa uma revolução em trinta anos, Júpiter em doze, Marte em dois, e a Terra em um. Vênus completa sua revolução em nove meses e Mercúrio em três.[15]

O sistema de Copérnico explicava naturalmente as diferenças entre os períodos orbitais dos planetas: quanto mais longe do Sol, mais tempo é necessário para que o planeta complete sua revolução. Ele concluiu que, afinal, é possível encontrarmos uma explicação simples para o arranjo do cosmo. Conforme Copérnico iria comentar em sua obra-prima muitos anos depois, ele descobriu "uma harmonia no movimento e dimensão das órbitas dos corpos celestes que não poderia ter sido encontrada de nenhuma outra forma".[16] Uma harmonia no movimento e dimensão das órbitas! Copérnico era um pitagórico, buscando avidamente a ordem geométrica do cosmo "correta", ou seja, a mais harmoniosa. Não é à toa que ele estava tão insatisfeito com o modelo ptolomaico de equantes, o qual não oferecia nenhuma ordem natural para o arranjo dos planetas.

Infelizmente, para que seu modelo estivesse de acordo com os dados astronômicos da época, Copérnico teve de continuar a usar epiciclos e até "epicicletos", pequenos epiciclos presos a epiciclos maiores, uma invenção sua. O próprio Sol não estava exatamente no centro de todas as órbitas, mas um pouco deslocado do centro; o sistema copernicano não era heliocêntrico, mas heliostático.[17]

Ao contrário do que se pode imaginar, Copérnico não ficou nem um pouco decepcionado com a complexidade final de seu sistema. No último parágrafo de seu trabalho, ele anuncia orgulhosamente que, "portanto, 34 círculos são suficientes para explicar a estrutura completa do Universo e o balé dos planetas".[18] Em seu julgamento ele atingiu seu objetivo, que era demonstrar que a regra de Platão era compatível com o arranjo harmonioso do cosmo. Esse não é o trabalho de alguém que possamos chamar de revolucionário. Em sua obra, Copérnico ressuscitou o sonho pitagórico de 2 mil anos antes. O Sol e os planetas eram parceiros em sua dança através do Universo. Os vários epiciclos eram os meros tijolos dessa grandiosa construção geométrica.

No *Commentariolus*, Copérnico anuncia que todos os detalhes e provas geométricas que usou para construir seu sistema serão fornecidos em uma futura publicação. Foram necessários mais trinta anos para que o mundo viesse a conhecer esse trabalho, e mesmo assim apenas após a insistência de Giese e de Georg Joachim Rheticus (1514-1574), o único pupilo de Copérnico. Por que tanto tempo? Copérnico não sofreu nenhuma perseguição religiosa ou mesmo críticas de colegas por causa das ideias avançadas no *Commentariolus*. A evidência acumulada mostra que seu texto não provocou nenhuma reprimenda de superiores eclesiásticos nem nenhuma reação maior nos meios acadêmicos. Mais do que qualquer outra coisa, Copérnico gozou de certa fama após a circulação de seu manuscrito.

Em 1514, ele foi convidado a participar, juntamente com outros astrônomos, de uma reforma do calendário. Copérnico recusou o convite, alegando que nenhuma reforma funcionaria antes que maiores detalhes dos movimentos do Sol e da Lua fossem conhecidos. Em 1532, o secretário pessoal do papa Leão X apresentou um seminário sobre o trabalho de Copérnico para uma pequena audiência nos jardins do Vaticano. Suas ideias devem ter sido bem recebidas, porque três anos mais tarde o futuro cardeal Schoenberg, amigo íntimo do papa, implorou a Copérnico que ele "comunicasse suas descobertas ao mundo acadêmico".[19]

Essa não é a atitude de uma Igreja disposta a reprimir novas ideias sobre o cosmo. De fato, a Igreja só será forçada a adotar uma posição oficial com relação ao arranjo do cosmo em 1615, devido à guerra declarada por Galileu contra o universo geocêntrico dos aristotélicos. Mas isso se deu muitos anos após a morte de Copérnico. Sem dúvida, várias pessoas estavam sendo acusadas de feitiçaria e condenadas à morte, o pai de Rheticus sendo uma das vítimas. Entretanto, propor um novo sistema astronômico não era visto como prova de feitiçaria ou como um desafio aberto contra a interpretação oferecida pela Bíblia. Um dos poucos ataques dirigidos a Copérnico não veio da Igreja católica, mas de Martinho Lutero, que, durante uma discussão informal com amigos, comentou que "parece que um novo astrólogo quer provar que a Terra se move através dos céus [...] O tolo quer virar toda a arte da astronomia pelo avesso".[20] Chamar alguém de tolo não me parece indicar um perigo real de perseguição. Mesmo assim, Copérnico não queria publicar seus manuscritos. Pelo menos até a chegada de Rheticus.

Em maio de 1539, o jovem professor de matemática da nova Universidade Luterana de Wittenberg, animado pelas ideias renascentistas, veio apresentar seus respeitos ao envelhecido Copérnico. É interessante que esse representante do meio acadêmico luterano tenha obtido permissão para visitar um cônego de uma igreja católica, mesmo depois de o bispo local ter exilado todos os protestantes da região. Isso prova que, pelo menos em matérias pertinentes ao saber, ainda existia bastante latitude em ambas as partes.

Rheticus tinha uma profunda admiração pelas ideias de Copérnico e queria torná-las públicas. Sob o ataque contínuo de Giese e Rheticus, Copérnico lentamente começou a ceder. Em 1540, Rheticus publicou um resumo de seu futuro trabalho intitulado *Narratio prima*, "Primeira versão". Nele, Rheticus defendia a opinião de que as ideias de Copérnico eram corretas, e mesmo proféticas: "Um reino infinito no domínio da astronomia foi dado por Deus ao meu sábio Mestre. Que ele governe, proteja e aumente seu conteúdo, para que a verdade astronômica seja restaurada".[22] Finalmente, em maio de 1542, Rheticus entregou o longo manuscrito do *De revolutionibus orbium coelestium*, "Sobre as revoluções das órbitas celestes", nas mãos de Petreius, um famoso editor em Nuremberg.[22] Mas o drama estava longe de ter chegado ao fim.

Infelizmente, Rheticus não pôde ficar em Nuremberg supervisionando a impressão do manuscrito até o final. Rumores sobre sua homossexualidade forçaram-no a deixar sua posição em Wittenberg para assumir outra em Leipzig, o que ele precisou fazer o mais rápido possível. Deixou a supervisão do manuscrito sob os cuidados de Andreas Osiander, um importante teólogo luterano. Osiander e Copérnico haviam trocado correspondência no passado, na qual discutiam suas ideias quanto à veracidade dos sistemas astronômicos do cosmo: esses sistemas representavam verdadeiras descrições do cosmo, ou apenas modelos matemáticos, meras ferramentas de cálculo, como nos dias de Ptolomeu? Essa era certamente a opinião de Osiander. Em uma carta a Copérnico datada de 20 de abril de 1541, Osiander escreveu que "essas hipóteses não são artigos de fé, mas bases computacionais, de modo que elas serem falsas não é um problema, contanto que elas representem exatamente os fenômenos [...]".[23]

Copérnico não abraçava as ideias de Osiander. Dedicando seu trabalho ao papa Paulo III, ele expressou sua opinião de que a Bíblia não deveria ser usada para explicar o arranjo dos céus; Copérnico acreditava piamente na veracidade de sua hipótese heliocêntrica. Ele finalmente se livrava de seus demônios pessoais. Mas o livro estava nas mãos de Osiander. E, sem pedir o consentimento de Copérnico, Osiander acrescentou um prefácio anônimo ao livro, no qual sustentava que todos os modelos propostos no texto eram meras hipóteses, "que não precisam ser verdadeiras ou mesmo passíveis de demonstração". Mais ainda,

> no que diz respeito a hipóteses, que fique claro que ninguém deve esperar algo de definido vindo da astronomia, que jamais poderá provê-lo, a menos que ele aceite como verdade ideias que foram concebidas com outro objetivo [ou seja, como instrumentos de cálculo], terminando seus estudos mais estúpido do que quando começou.

Paralisado por um derrame em dezembro de 1542, Copérnico não tinha consciência dessa traição, ou, se tinha, era incapaz de fazer qualquer coisa a respeito. De acordo com Giese, ele só veria a versão final do livro, a expressão de uma vida inteira de trabalho, no dia de sua morte, 24 de maio de 1543. Imagine seu desespero ao ter de permanecer calado, incapaz de se defender de uma tal corrupção de suas ideias, aprisionado por um corpo imóvel e por uma mente debilitada.

Mesmo movendo uma ação judicial perante o conselho de Nuremberg, Giese não conseguiu mudar o prefácio de Osiander. Como resultado, três gerações de astrônomos acreditaram que o prefácio fora escrito por Copérnico. Essa farsa acadêmica sobreviveu até 1609, quando Johannes Kepler finalmente expôs o verdadeiro autor do prefácio em seu trabalho sobre a órbita de Marte intitulado *Astronomia nova*. E, com a obra de Kepler, começa um novo capítulo na história da astronomia.

A SEDUÇÃO DA SIMETRIA

Na pacífica vila alemã de Weil, perto da Floresta Negra, vivia, em uma casa não muito grande, a numerosa família do prefeito Sebaldus Kepler. Sebaldus era um homem orgulhoso e poderoso, e até "eloquente, pelo menos para um homem ignorante".[24] Esse último comentário foi feito por um dos muitos netos de Sebaldus, Johannes, nascido no dia 27 de dezembro de 1571. Quando tinha 26 anos de idade, Johannes calculou os perfis astrológicos de vários membros de sua família, provavelmente numa tentativa desesperada de se libertar de sua influência patológica e de justificar seus temperamentos doentios, que seriam consequência da intervenção maléfica das estrelas.

A avó de Johannes era "inquieta, esperta e mentirosa, de natureza tempestuosa, sempre criando problemas, violenta [...] E todas as suas crianças herdaram um pouco disso". Os Kepler tiveram doze filhos. Os três primeiros morreram na infância. O seguinte, Heinrich, pai de Johannes, era um mercenário cruel, que constantemente batia em sua mulher e filhos, um homem "malvado, inflexível, agressivo [...] um vagabundo [...][Em] 1577 [...] ele quase foi enforcado [por um crime desconhecido]. [Em] 1578 [...] um barril de pólvora explodiu, dilacerando o rosto de meu pai [...]. [Em] 1589 [...] ele abusou terrivelmente de minha mãe, finalmente saiu de casa e morreu". Dos seus outros oito tios e tias, Kepler escreveu que seu tio Sebaldus era "um astrólogo e jesuíta [...] [que] viveu uma vida pecaminosa [...] Contraiu o mal-francês [sífilis]. Era malvado e odiado pelos outros habitantes de sua cidade [...] vagueou pela França e Itália em completa pobreza". Sua tia Kunigunda "foi mãe de muitas crianças, morreu envenenada, acham, em 1581". Tia Katherine "era inteligente e prendada, mas casou muito mal [...] hoje em dia é uma mendiga". Kepler não escreveu muito mais sobre os demais tios ou tias.

Sobre sua mãe, Katherine, Kepler escreveu que era "pequena, magra, sombria, fofoqueira e agressiva, e estava sempre de mau humor". Criada por uma tia que, por sua fama de bruxa, foi queimada viva, Katherine quase teve o mesmo fim.[25] Tinha a reputação de lançar maldições contra seus inimigos e de ser uma especialista em poções feitas de ervas. Entre ficção e fato, o jovem Johannes deve com certeza ter se sentido amaldiçoado pelas estrelas. Dos seus seis irmãos, três morreram na infância e dois milagrosamente se tornaram pessoas razoavelmente normais. Entretanto, seu irmão, Heinrich, que tinha quase a sua idade, era um epilético cuja vida foi repleta de sofrimentos e tragédias.

E o jovem Johannes? Sua infância foi uma sucessão de doenças, surras e acidentes. Prematuro e fraco, aos quatro anos Kepler quase morreu de varíola, o que deixou suas mãos deformadas. Aos catorze anos, segundo suas notas, "eu sofri continuamente de doenças de pele, que criavam feridas pútridas que nunca cicatrizavam, voltando sempre a infeccionar. No dedo médio de minha mão direita eu tinha um *verme* [grifo meu], na mão esquerda uma horrenda ferida [...]". A lista continua, mas acho que você irá concordar comigo que já temos exemplos suficientes. Essa é a história de uma criança deprimida e doente, oprimida por circunstâncias terríveis, totalmente fora de seu controle. A maioria das crianças teria com certeza sucumbido a esse massacre psicológico, tornando-se um adulto altamente problemático. Mas Kepler cresceu para se tornar uma das pessoas mais produtivas e brilhantes da História. Cercado de dor e sofrimento, ele olhou mais além, em busca de beleza e verdade, purificando-se por meio de seu poder criativo. Em seu trabalho, Kepler buscava a paz interior que a vida tão amargamente lhe negara.

Dois eventos memoráveis marcaram a infância de Kepler. Em 1577, quando ele tinha seis anos, sua mãe levou-o para ver a "nova luz nos céus", um cometa com uma longa cauda que chegava a ofuscar Vênus com seu brilho. Aos nove anos, ele se lembra de "ser chamado pelos meus pais para assistir a um eclipse lunar. A Lua apareceu bem vermelha". Esses eventos devem ter causado uma profunda impressão no jovem Kepler, embora seu interesse por astronomia só viesse a aparecer muito mais tarde.

Como vários outros jovens da época, Kepler se beneficiou dos fundos dados pela Igreja protestante para que os novos pastores pudessem avançar em seus estudos. Aos treze anos, Kepler começou a frequentar um seminário teológico, onde conheceu os clássicos gregos, a matemática e a música. Seria natural esperarmos que, ao deixar a amaldiçoada casa em Weil, Kepler se sentisse um pouco melhor. Infelizmente, carregava um imenso fardo emocional dentro de si, e não fora. Seu relacionamento com os outros meninos do seminário foi terrível. Brigou com todo mundo, levou várias surras e estava sempre criando confusão. Aos dezessete anos (1588), ele se transferiu para a prestigiosa Universidade Luterana de Tübingen. Lá as coisas só pioraram. Eis aqui uma seleção das memórias de Kepler de seus tempos de estudante:

> Fevereiro de 1586: eu sofri terrivelmente e quase morri. A causa foi minha desonra por ter denunciado meus colegas de escola [...] 1587: no dia 4 de abril caí enfermo por um bom tempo. Após minha recuperação, ainda estava sendo odiado pelos meus colegas, devido a uma briga no mês anterior. Koellin era meu amigo; levei uma surra do Rebstock quando estávamos bêbados; várias brigas com Koellin [...] 1590: finalmente me tornei bacharel. [...] Tinha muitos inimigos em meio aos meus colegas.

Mas ele sabia que a culpa era muitas vezes sua. Num de seus vários ensaios autocríticos, Kepler escreveu sobre sua "raiva, intolerância e grande paixão por chatear e provocar outras pessoas [...]". Escrevendo na terceira pessoa, ele chegou até a se comparar com um cachorro:

> Aquele homem [Kepler] tem realmente a natureza de um cachorro. Ele até se parece com um cão fraldeiro [...] adora roer ossos e cascas secas de pão [...] Seus hábitos também são similares: sempre tenta bajular as pessoas a sua volta, dependendo delas para tudo, satisfazendo todos os seus desejos, nunca se enraivecendo quando elas o criticam e fazendo de tudo para ser amado novamente [...]

Aos vinte anos Kepler terminou seus estudos em Tübingen. Continuando sua trajetória para se tornar sacerdote, matriculou-se na Faculdade Teológica. Se Kepler não era muito popular entre seus colegas de classe, ele certamente era popular entre alguns de seus professores. Dentre eles, Michael Mästlin viria a se tornar uma influência importante. Mästlin foi um dos astrônomos que atacou a divisão aristotélica do cosmo em dois domínios, ao mostrar que o grande cometa de 1577 estava com certeza além da esfera lunar.[26] Possivelmente devido aos ensinos de Mästlin, Kepler se tornou um defensor das ideias de Copérnico enquanto ainda em Tübingen.

Mesmo assim, ele continuava seguindo sua carreira de sacerdote. Uma brusca mudança em seu futuro pegou o próprio Kepler de surpresa. Em 1594, ele foi recomendado por seus professores para substituir o professor de matemática e astronomia da escola luterana de Graz, capital da província austríaca da Estíria. Sua posição implicava não só o ensino, mas também o título de "matemático oficial" da Estíria. Como tal, Kepler tinha que preparar um calendário astrológico anual. Seu primeiro calendário foi um sucesso, prevendo tanto uma frente fria como uma invasão turca. Kepler sem dúvida era muito mais popular como astrólogo do que como professor.

A atitude de Kepler com relação à astrologia era típica de um homem vivendo em uma era de transição. Ele constantemente preparava horóscopos para suplementar seu salário, algumas vezes desprezando essa atividade, enquanto em outras confessando sua irresistível atração. Ele escreveu, alternadamente, que a astrologia é uma "terrível superstição" e uma "brincadeira sacrílega", mas também que "nada existe ou acontece no céu que não seja percebido de algum modo secreto pelas faculdades da Terra e da Natureza". Ou, em outra ocasião, "que o céu influencia os homens é para mim óbvio; mas o que, exatamente, ele faz permanece um mistério". Em outras palavras, Kepler acreditava em alguma causa *física* por trás do suposto sucesso da astrologia. Mesmo que essas ideias possam parecer-nos um pouco inocentes, elas representam um modo completamente novo de interpretar os fenômenos celestes. Por trás dos fenômenos naturais, sejam eles ligados à astrologia ou à astronomia, existe uma causa que pode ser estudada racionalmente. Em sua busca dessa causa, Kepler irá introduzir a física no estudo do cosmo, inaugurando uma nova era em astronomia.

A grande ideia que iria transformar a vida de Kepler surgiu, inesperadamente, durante uma de suas aulas. Antes de sua mudança para Graz, o interesse de Kepler no sistema copernicano era motivado por sua atração mística pela ideia do Sol como centro do Universo. Qualquer outro arranjo lhe parecia absurdo. Mesmo que o sistema heliocêntrico lhe fosse atraente, vários outros mistérios cósmicos continuavam em aberto, como, por exemplo, o número de planetas no sistema solar. Por que cinco e não cinquenta ou dez? Essa questão intrigava-o profundamente. Será que existia alguma *simetria secreta* no Universo capaz de explicar esse número?[27] E as distâncias relativas entre os planetas? Que mecanismo poderia explicá-las? Embora os esforços iniciais de Kepler não tenham rendido muitos frutos, essas questões devem ter permanecido bem vivas no seu inconsciente, porque, durante uma aula sobre as conjunções astrológicas de Júpiter e Saturno para uma meia dúzia de estudantes sonolentos, a solução subitamente explodiu na mente de Kepler. Mais tarde ele escreveu sobre esse momento: "Eu jamais poderei descrever com palavras a felicidade que me invadiu quando me deparei com minha descoberta".

A resposta era a geometria. Kepler sabia que existiam apenas cinco "sólidos platônicos", os únicos sólidos regulares que podem ser construídos em três dimensões. Eles são descritos como sólidos "perfeitos" porque todas as suas faces são idênticas, conforme ilustra a figura a seguir. O *tetraedro* é construído a partir de quatro triângulos equiláteros; o *cubo*, a partir de seis quadrados; o *octaedro*, a partir de oito triângulos equiláteros; o *dodecaedro*, a partir de doze pentágonos; e o *icosaedro*, a partir de vinte triângulos equiláteros. Nenhum outro sólido fechado em três dimensões pode ser construído com todas as faces iguais. Por exemplo, a bola de futebol usada na copa do mundo é construída a partir de pentágonos e hexágonos. Mesmo sendo um sólido fechado, ela não é um sólido perfeito.

Kepler descobriu que usando os sólidos platônicos ele poderia explicar não só as distâncias relativas entre os planetas mas também o número de planetas no sistema solar. Sua ideia genial era arranjá-los concentricamente, uns dentro dos outros, como *matrioshkas*, aquelas bonecas russas tradicionais. Por causa da alta simetria dos sólidos perfeitos é possível inscrever uma esfera no interior de cada sólido, de tal forma que a superfície da esfera toque a parte interna das faces do sólido. (Pense numa bola dentro de um cubo.) Do mesmo modo, é possível circunscrever uma esfera em torno de cada sólido, de tal forma que a superfície interior da esfera toque a parte externa do sólido. (Pense num cubo dentro de uma esfera.) A seguir, ilustro essa ideia com um exemplo em duas dimensões envolvendo triângulos e quadrados.

Alternando sólido-esfera-sólido etc., Kepler construiu um modelo geométrico do Universo no qual cada esfera representava uma órbita planetária, enquanto entre cada duas esferas residia um sólido platônico. As distâncias entre os planetas eram automaticamente fixadas pelo modo como os sólidos se encaixavam dentro das esferas. E, como só existem cinco sólidos perfeitos, o esquema de Kepler só podia acomodar seis esferas, explicando o número de planetas no sistema solar. No centro do arranjo, o Sol reinava supremo. Caso Kepler soubesse da existência dos outros três planetas, seu esquema seria inútil. Mas sua

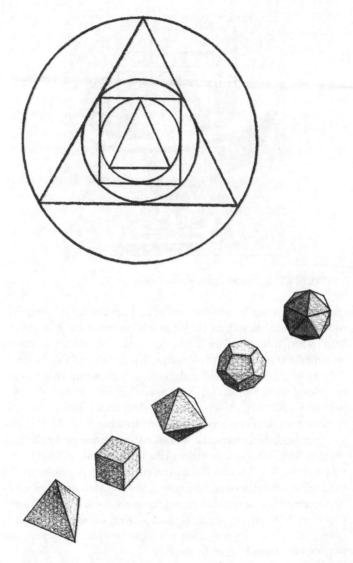

Figura 3.1: Triângulos e quadrados circunscritos e os cinco sólidos platônicos.

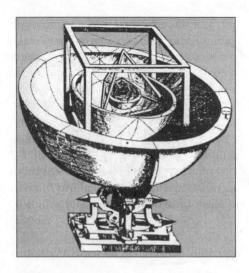

Figura 3.2: O Universo geométrico de Kepler.

ignorância foi sua bênção: ao tentar realizar seu sonho pitagórico, mais tarde ele iria descobrir as leis matemáticas que governam os movimentos planetários, que, aliás, funcionam de modo igualmente bom para os planetas que Kepler não sabia existirem.

O mais fantástico, quase milagroso, é que seu esquema funcionou. Bem, quase funcionou. O arranjo de Kepler "descrevia" o modelo de Copérnico, ou seja, previa as distâncias relativas entre os planetas com uma acurácia de aproximadamente 5%.[28] Mas a beleza e simplicidade do esquema, aliadas ao seu grande poder de "responder" a algumas das questões mais fundamentais sobre a estrutura do cosmo, seduziram Kepler completamente. A geometria era a chave para resolver os mistérios do Universo. Mais uma vez, a tradição pitagórica desvendou os segredos da mente do Arquiteto Cósmico. E Kepler, o pequeno cão fraldeiro, foi a ponte. Seu esquema era óbvio, simples, a única solução possível. E, é claro, seu esquema era completamente absurdo.

Embora errada, e fisicamente insustentável, essa visão geométrica do cosmo iria dominar o pensamento de Kepler pelo resto de sua vida, tornando-se sua musa fundamental, a expressão máxima do seu misticismo racional. No entanto, seu gênio foi muito além da simples aplicação de ideias pitagóricas. À inspiração vinda dos gregos ele adicionou dois dos mais importantes aspectos da ciência moderna: primeiro, que as teorias devem acomodar os dados experimentais, e não o oposto; segundo, que as teorias descrevendo fenômenos naturais devem ser físicas, ou seja, elas devem revelar as causas por trás do comportamento observado. É aqui que Kepler rompe radicalmente com o passado. Inspirado por sua visão catártica de harmonia celeste, ele irá obter as primeiras leis matemáticas descrevendo o movimento dos planetas. Sua busca da harmonia não era apenas estética. Ela era também quantitativa, alimentada por observações.

Após trabalhar freneticamente por alguns meses, em 1596 Kepler publicou sua primeira grande obra, o *Mysterium cosmographicum*, "Mistério cosmográfico". Essa foi a primeira defesa aberta do sistema copernicano, 53 anos após a publicação de *Sobre as revoluções*, de Copérnico. A revolução copernicana certamente começou bem devagar. Nesse tratado, Kepler explica como os cinco sólidos platônicos descrevem a estrutura do cosmo, adicionando aqui e ali elementos de misticismo cristão e explicações bem simplistas das possíveis causas físicas dos movimentos planetários. Sem dúvida, o resultado final foi um tratado como nenhum outro jamais escrito, uma mistura de filosofia, numerologia, teologia cristã e física rudimentar.

Kepler acreditava que o cosmo era uma manifestação da Santíssima Trindade. Deus era representado pelo Sol no centro, o Filho, pela esfera das estrelas fixas, e o Espírito Santo, pelo poder que emana do Sol, responsável pelos movimentos celestes, permeando todo o Universo. Ele era a "alma motriz", o poder divino capaz de gerar movimento. Nas palavras de Kepler, "ou a atividade das almas responsáveis pelo movimento dos planetas diminui com a distância do Sol, ou existe apenas uma alma responsável por todos os movimentos residindo no Sol, cujo poder aumenta com a proximidade dos planetas".

Os planetas externos (Marte, Júpiter e Saturno) movem-se

mais devagar porque esse poder "diminui em proporção inversa à distância, do mesmo modo que a força da luz". Mais tarde, Kepler irá substituir a ideia de alma pela ideia de força. Essa é a primeira vez que a física e a astronomia se encontram. Embora as ideias de Kepler sejam incorretas, o fato de ele tentar achar uma causa por trás dos fenômenos celestes é, por si só, notável.[29] Com sua brilhante intuição, Kepler quase descobriu o conceito de força gravitacional. E ele chegará ainda mais perto em seu livro seguinte, intitulado apropriadamente de *Astronomia nova*. Mas para isso serão necessários ainda mais doze anos.

No dia 28 de setembro de 1598, as autoridades católicas, representando a Contrarreforma, ordenaram que todos os professores luteranos deixassem Graz. Devido à sua fama, Kepler gozava de alguns privilégios que lhe garantiam certa imunidade, embora soubesse que seus dias em Graz estavam contados e que precisaria achar outra posição. Em fevereiro de 1600, Kepler chega a Praga para trabalhar como assistente de Tycho Brahe, o maior astrônomo da época. A parceria dos dois foi desastrosa. As únicas duas coisas que Kepler e Tycho tinham em comum eram a arrogância e uma grande paixão pelas estrelas. No entanto, eles precisavam desesperadamente um do outro. Para entendermos por que, devemos voltar um pouco no tempo para conhecer a história de Tycho.

O PRÍNCIPE ASTRÔNOMO

Joergen Brahe, vice-almirante de Frederico II, rei da Dinamarca, não tinha filhos. Ele queria tanto uma criança que fez com que seu irmão, o governador de Helsingor, prometesse que ele poderia adotar seu próximo filho. Em 1546, três anos após a morte de Copérnico, a esposa do governador deu à luz meninos gêmeos. Tragicamente, um deles nasceu morto. O governador se recusou a deixar que o menino sobrevivente, Tycho, fosse adotado pelo tio. Joergen, furioso, acabou raptando o próprio sobrinho. Depois de muitas brigas e ameaças, o governador finalmente desistiu de recuperar seu filho, sabendo que, pelo menos, Tycho seria criado com toda a pompa e circunstância digna de um Brahe. E isso com certeza ele foi.

Como a maioria de seus familiares, esperava-se que Tycho seguisse a carreira diplomática. Aos treze anos, ele foi mandado para a Universidade Luterana de Copenhague para estudar filosofia e retórica. Logo após sua chegada a Copenhague, Tycho teria a experiência que iria mudar sua vida. Em 1560, ele observou um eclipse parcial do Sol. O que o maravilhou não foi só a beleza do evento, mas principalmente o fato de que os astrônomos podiam *prever* quando o eclipse iria ocorrer, ou seja, que era possível conhecer o curso dos céus com tal precisão. Após essa revelação, seu interesse em astronomia só iria aumentar, para o desespero de seus familiares. Aos dezesseis anos, seu tio Joergen o mandou para a Universidade de Leipzig com um tutor, Anders Vedel, cuja função era fazer que o jovem Tycho abandonasse essa inútil paixão pelas estrelas. Mas já era tarde demais. Depois de um ano descobrindo instrumentos astronômicos em vários esconderijos e flagrando Tycho na cama lendo livros de astronomia, Vedel desistiu de sua missão. Antes de seu retorno à Dinamarca em 1570, Tycho ainda passou por várias outras universidades. A essa altura, ele já tinha adquirido sua marca facial mais distinta, uma amálgama de ouro e prata que substituía parte de seu nariz, amputada em um duelo.[30] Com seus pequenos olhos negros, famosos pelo seu brilho sádico, seu longo e fino bigode e seu nariz dilacerado, não é exagero dizer que Tycho não era o tipo de pessoa de quem você gostaria de discordar. E seu temperamento mais do que fazia jus ao seu semblante sombrio.

Em contraste com Copérnico e Kepler, que foram levados à astronomia por razões mais filosóficas ou místicas, Tycho era um verdadeiro astrônomo observacional. Após sua emoção inicial com o eclipse solar, ele rapidamente percebeu que os dados astronômicos disponíveis na época estavam longe de ser acurados. Sua paixão por medidas de alta precisão era infinita. Ele estava sempre desenvolvendo novos instrumentos que pudessem gerar dados cada vez mais precisos. É óbvio que o fato de ele ter dinheiro suficiente para pagar por esses instrumentos lhe trazia grande vantagem. Kepler, ou até Copérnico, jamais poderia arcar com os custos envolvidos na construção de um quadrante de carvalho e bronze com um diâmetro de quase treze metros.

Tycho usou seu dinheiro sabiamente, obtendo dados astronômicos de precisão inigualável. Mais ainda, ele descobriu que, para serem úteis, as medidas das posições de objetos celestes não tinham de ser só precisas, mas deveriam também ser tomadas continuamente. Se quisermos reconstruir a trajetória seguida por um determinado planeta, temos de observá-lo com a maior frequência possível. Como uma caricatura, imagine que você tenha em suas mãos um pedaço de papel com alguns pontos espalhados, e que esses pontos representem a posição de Júpiter nos últimos três meses. Sua tarefa é reconstruir, a partir desses dados, a curva que descreve a órbita de Júpiter. Sem dúvida, se o papel tivesse sido marcado com noventa pontos (medidas diárias) em vez de doze (medidas semanais), seu trabalho seria muito mais fácil.

A fama de Tycho como astrônomo cresceu rapidamente. Ele teve a sorte de ter vivido numa época em que os céus estavam bastante irrequietos. No dia 11 de novembro de 1572, quando voltava de seu laboratório alquímico, Tycho notou a presença de uma "estrela nova" na constelação de Cassiopeia.[31] Uma estrela nova? Certamente isso era impossível, ao menos de acordo com as ideias aristotélicas. Como mudanças podiam ocorrer acima da esfera lunar? E essa não era uma estrela qualquer, já que ela era tão brilhante que podia até ser vista durante o dia. Usando seus instrumentos, Tycho mediu a posição do novo objeto em relação às estrelas em sua vizinhança até que ele desapareceu de seu campo de vista, em março. Sua conclusão era clara: a estrela estava mais distante do que a Lua. Mais ainda, ela também não era um cometa, já que Tycho não detectou nenhuma cauda ou movimento. Ele escreveu um livro intitulado *De nova stella*, "Sobre a estrela nova", no qual dava detalhes de suas observações e da construção de seus instrumentos. O livro também continha horóscopos, poemas, diários meteorológicos e correspondência relativa ao assunto. Muitos outros astrônomos escreveram sobre a "estrela nova", incluindo Mästlin, o mentor de Kepler. Mas as medidas de Tycho eram de longe superiores a todas as outras. As rachaduras no universo aristotélico estavam se tornando cada vez mais profundas.

Cinco anos mais tarde, um cometa apareceu nos céus, o grande cometa de 1577, o mesmo visto pelo jovem Kepler. Em um outro golpe contra os aristotélicos, Tycho mostrou que o cometa estava pelo menos seis vezes mais distante da Terra do que a Lua. A partir de suas observações da estrela nova e do cometa, Tycho concluiu que as esferas celestes, tão importantes na estrutura do cosmo aristotélico, não podiam ser reais. Elas simplesmente não podiam existir, carregando planetas e estrelas em suas trajetórias celestes. Essa conclusão também contrariava o modelo copernicano, já que para Copérnico as esferas celestes eram reais. Tycho não gostava do modelo heliocêntrico de Copérnico. Como ele não conseguiu detectar a paralaxe estelar,[33] acreditava que a Terra tinha que estar imóvel no centro do cosmo. E mais: ele também não gostava do sistema copernicano por motivos religiosos, já que este contrariava a Bíblia.

De forma a conciliar suas observações com seus preconceitos, Tycho propôs seu próprio modelo do cosmo, um híbrido entre um modelo puramente aristotélico e o modelo copernicano. Ele colocou a Terra no centro, com o Sol em movimento circular à sua volta, como no modelo de Aristóteles; mas, como inovação, ele colocou todos os planetas orbitando em torno do Sol, criando um modelo assimétrico do cosmo (ver a figura 3.3). Uma consequência óbvia desse modelo é que a órbita de Marte intercepta a órbita do Sol. Se existia alguém capaz de estilhaçar as esferas celestes, esse alguém era Tycho Brahe, com sua enorme confiança em suas observações. Embora as ideias de Tycho tenham gozado de certa popularidade, apoiadas principalmente por aqueles desesperados por salvar o universo geocêntrico a qualquer preço, elas estavam destinadas a ser o último suspiro do moribundo universo aristotélico.

Tycho era considerado um dos maiores, se não o maior, astrônomo da época. Após suas observações da supernova e do cometa, ele viajou pela Europa em grande estilo, visitando várias cortes e mostrando seus instrumentos para possíveis patronos. Frederico II, em uma tentativa meio desesperada de manter Tycho na Dinamarca, ofereceu-lhe toda a ilha de Hveen (hoje parte da Suécia), "com todos os inquilinos e servos da coroa que lá habitem, incluindo também o aluguel e taxas pagas por eles [...] pelo resto de sua vida, contanto que ele continue a se dedicar aos seus *studia mathematices* [...]".[34] Combinando seu caráter extravagante com seu amor pela precisão, Tycho construiu um castelo magnífico em Hveen, Uraniborg, ou "Castelo dos Céus".

O castelo de Tycho era realmente um local fantástico, não só pela sua poderosa arquitetura em estilo de fortaleza, mas também pelo que podia ser encontrado em seu interior. A enorme construção era flanqueada por torres cilíndricas com tetos removíveis, onde Tycho guardava seus instrumentos. Na biblioteca, Tycho colocou um globo de bronze com quase dois metros de diâmetro, onde ele e seus assistentes gravavam as estrelas após medirem suas posições. Várias galerias continham inúmeros objetos mecânicos, incluindo estátuas móveis e sistemas secretos de comunicação ligando diferentes partes do castelo. As paredes eram adornadas com desenhos e epigramas preparados pelo próprio Tycho. Na sua sala de trabalho, ele pendurou os retratos dos oito maiores astrônomos de todos os tempos, que incluíam não só o próprio Tycho, como também "Tychonides", seu descendente ainda por nascer, que sem dúvida iria trazer grandes contribuições à astronomia.

No porão, Tycho tinha sua própria fábrica de papel e máquina de impressão, um laboratório de alquimia e um calabouço, que ele usava para aterrorizar seus inquilinos. Tycho governava Hveen como um tirano, intolerante e arrogante com seus criados e exuberante com seus convidados. Tinha até um "bobo da corte", um anão chamado Jepp, que podia ser encontrado sob a cadeira de Tycho durante banquetes, tagarelando sem parar e esperando que seu mestre lhe atirasse alguns restos de comida. Várias pessoas ilustres visitaram Tycho em Uraniborg, incluin-

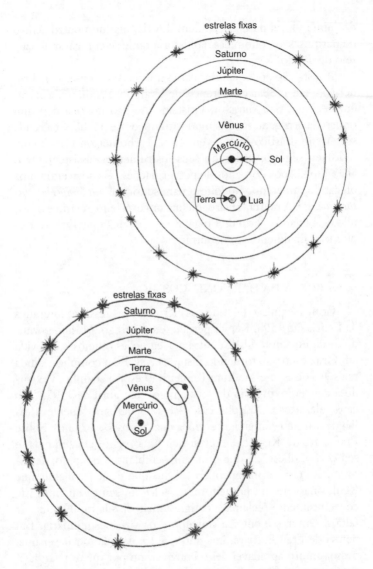

Figura 3.3: O cosmo de acordo com Tycho (acima) e Copérnico (abaixo).

do Jaime VI, rei da Escócia. Sem dúvida, nenhum outro centro de pesquisas astronômicas da história pode se comparar ao castelo de Tycho.

A festa não poderia durar para sempre. Após a morte de Frederico II em 1588, a exuberância de Uraniborg começou a entrar em declínio. Seu sucessor, Cristiano IV, não gostava nem um pouco da arrogância e dos modos tirânicos de Tycho. Sua renda sofreu um drástico corte, e em 1597 Tycho deixou Hveen com todo seu séquito, incluindo seus instrumentos, assistentes e o anão Jepp. Após dois anos de peregrinações, Tycho aceitou uma oferta do imperador Rodolfo II para se tornar seu *"imperial mathematicus"*. A oferta, é claro, incluía um excelente salário e o castelo de Benatek, perto de Praga. É em Benatek que Tycho e Kepler irão finalmente se encontrar.

A BUSCA DA HARMONIA CÓSMICA

Com a expulsão de todos os clérigos e professores luteranos da Estíria em 1598, Kepler perdeu seu emprego. Mesmo gozando de alguma imunidade contra perseguições religiosas, sua vida em Graz estava se tornando insuportável. Para complicar ainda mais as coisas, a essa altura Kepler não estava sozinho. Cedendo à constante pressão de seus amigos, em abril de 1597, "sob céus calamitosos", Kepler casou-se com Barbara Muehleck, filha de um rico comerciante, viúva duas vezes aos 22 anos. Sobre Frau Barbara Kepler, escreveu que "sua mente era limitada, e seu corpo, obeso", e que tinha um semblante "estúpido, deprimido, solitário e melancólico". Acho que é fácil concluir que Kepler não era um homem muito feliz em seu casamento. Ele constantemente reclamava da ignorância de sua mulher, da sua falta de interesse em seu trabalho e da sua mesquinharia. Em defesa de Frau Barbara, imagino que Kepler não devia ser uma pessoa muito agradável de se conviver, ou por quem fosse fácil sentir atração física. Fora suas horrendas feridas e vermes nos dedos, parece que ele tomou apenas um banho em toda sua vida.

E, mesmo assim, ele reclamou que o banho o deixou doente por dias. O casamento durou catorze anos, até a morte de Barbara, aos 37 anos. Das suas cinco crianças, apenas duas sobreviveram. As duas primeiras morreram quando eram bebês, enquanto o filho predileto de Kepler, Friedrich, morreu ainda menino. A tragédia seguia Kepler tão obstinadamente quanto a sua própria sombra.

Tycho foi um dos poucos astrônomos da época que reconheceu o gênio de Kepler por trás da nebulosa mistura de ciência e misticismo do *Mysterium*. Ele precisava de assistentes para ajudá-lo em suas observações, pois, após anos de muitos banquetes, festas e vinho, sua saúde estava começando a deteriorar. Ele tinha os melhores dados astronômicos jamais coletados na história e os tijolos necessários para a construção de um novo modelo do cosmo, mas não possuía o talento do arquiteto para desenhar sua nova estrutura. Secretamente, Tycho depositava em Kepler sua esperança de ver justificado o trabalho de toda uma vida. De início, Tycho convidou-o informalmente para uma visita; mas, em dezembro de 1599, Tycho fez a Kepler um convite formal para juntar-se ao seu grupo em Benatek:

> Espero que você aceite meu convite, não forçado por adversidades causadas por circunstâncias externas, mas pelo desejo de trabalharmos juntos. Qualquer que seja sua razão, você encontrará em mim um amigo que não lhe negará conselho e ajuda em tempos de dificuldade. Se você vier o mais rápido possível, nós encontraremos os meios para que você e sua família gozem de maior conforto no futuro.

Com certeza, Tycho estava a par dos acontecimentos na vida de Kepler. Quando a carta-convite finalmente chegou a Graz, Kepler já havia partido em direção a Benatek. Lá, o cão fraldeiro e o príncipe astrônomo iriam passar dezoito meses em constante estado de guerra, com Kepler reclamando das péssimas condições de trabalho e de seu baixo salário, enquanto o distante Tycho não agia da maneira amistosa e carinhosa que sua carta parecia indicar. Ambiguamente, Tycho não queria compartilhar seus dados com Kepler. Como ele, o astrônomo de reis, podia dar os frutos de toda uma vida de trabalho para esse desconhecido plebeu a seu lado? Kepler gritava e esperneava, no seu estilo inigualável. Após terríveis discussões e explosões de raiva, Kepler ameaçava deixar Benatek, só para voltar momentos depois com o rabo entre as pernas, desculpando-se profusamente.

Tycho, contudo, sabia que não tinha escolha. Finalmente, ele pediu que Kepler estudasse a órbita de Marte, um problema notoriamente difícil. Tycho sabia muito bem que a órbita de Marte, com sua grande excentricidade, é muito traiçoeira. Mas Kepler, com sua falta de modéstia usual, disse que em apenas oito dias o problema estaria resolvido. No final, foram quase oito anos de trabalho duríssimo antes que ele pudesse desvendar o mistério da órbita de Marte. Mas, depois disso, a astronomia jamais seria a mesma. Ao conquistar o planeta guerreiro, o cão fraldeiro fundou uma nova astronomia.

Tycho não viveu o suficiente para ver sua obra imortalizada. No dia 13 de outubro de 1601, ele participou de um banquete no castelo do ilustre barão Rosenberg, e, como era seu costume, bebeu abundantemente durante toda a noite. Ao invés de aliviar-se de vez em quando, Tycho não queria deixar a mesa de jantar. Para ele, a etiqueta era mais importante do que suas funções fisiológicas, que podiam esperar. E, enquanto o barão permanecia sentado, ninguém podia deixar a mesa. Apesar de sua bexiga estar bem dilatada, Tycho não parou de beber. Ao chegar em casa, ele não conseguia mais urinar. Após onze dias sofrendo de febres altíssimas e de uma terrível dificuldade para urinar, Tycho morreu, envenenado pelos seus próprios excessos. No seu leito de morte, tomado por um delírio febril, ele pedia a Kepler: "Faça com que minha vida não tenha sido em vão. Faça com que minha vida não tenha sido em vão...".

Dois dias após a morte de Tycho, Kepler foi nomeado novo matemático imperial. Embora seu salário fosse irrisório em comparação com o de Tycho, Kepler não estava preocupado com esse detalhe. Ele mergulhou em seu trabalho, dividindo seu tempo entre o desafio de Marte e a óptica instrumental, outro campo onde foi um dos pioneiros. Mas Marte se recusava a colaborar. Inicialmente, Kepler ressuscitou a ideia do equante em um modelo heliocêntrico, misturando Ptolomeu (equante) e Copérnico (heliocentrismo).

Com essa ideia, ele obteve uma concordância entre seu modelo e as observações de Tycho, com uma precisão de oito minutos de um grau.[35] Esse acordo era muito melhor do que qualquer outro modelo desenvolvido antes de Kepler. A maioria das pessoas ficaria radiante com esse resultado e tiraria férias bem merecidas. Mas a confiança de Kepler nos dados de Tycho era tamanha que ele sabia que poderia obter resultados ainda melhores. Aquela não era a hora de desistir.

Kepler não estava apenas tentando descobrir a forma da órbita de Marte; ele também estava buscando as causas físicas dos movimentos planetários. No *Mysterium*, Kepler propôs uma espécie de poder anímico emanado do Sol como o responsável pelas órbitas planetárias. Armado com novas ideias vindas da Inglaterra, Kepler irá substituir a alma pelo magnetismo. William Gilbert, médico da corte de Elisabete I, escreveu um livro em 1600, no qual explorava vários aspectos dos fenômenos magnéticos. Em particular, Gilbert demonstrou que a Terra funciona como um gigantesco magneto. Essa ideia fascinou Kepler. Se a Terra é um gigantesco magneto, por que não o Sol e os outros planetas? Em 1605 ele escreveu:

> Eu tenho estado muito ocupado com a investigação das causas físicas. Meu objetivo aqui é mostrar que a máquina celestial não deve ser comparada com um organismo vivo, mas sim com os mecanismos de um relógio [...], de tal modo que os vários movimentos celestiais são causados por uma simples força magnética, como no caso dos movimentos de um relógio, que são causados por um peso. Mais ainda, eu mostro como essa ideia pode ser implementada através de cálculos e da geometria.

Essas são palavras verdadeiramente proféticas. De fato, quando a física newtoniana atingiu seu apogeu, no século XVIII, o Universo foi transformado num mecanismo de relógio. É essa maneira completamente nova de pensar que faz com que Kepler seja considerado um verdadeiro revolucionário. Seu feito é ainda maior quando entendemos que ele estava completamente sozinho e não tinha predecessores. Seus métodos talvez fossem primitivos, já que ele não dispunha de uma metodologia experimental, que estava sendo desenvolvida por Galileu por volta da mesma época. Sua conclusão — de que a força diminuía de intensidade de modo inversamente proporcional à distância — estava errada, mas sua intuição era brilhante. Quando juntou os dados precisos de Tycho com sua ideia de uma força central emanando do Sol, Kepler descobriu o que hoje em dia chamamos de "segunda lei de Kepler do movimento planetário" (ver figura 3.4): "A linha imaginária ligando o Sol aos planetas cobre áreas iguais em tempos iguais".

Essa lei expressa o fato de que, numa órbita assimétrica, o planeta se moverá mais rapidamente quanto mais próximo estiver do Sol; se a órbita fosse um círculo, a velocidade do planeta seria sempre a mesma.

O problema agora era achar a forma correta da órbita. Ele brincou com várias alternativas, incluindo epiciclos, órbitas em forma de ovo e outros tipos de curvas ovais. A certa altura, ele havia produzido 51 capítulos, com centenas de páginas cobertas de cálculos de cima a baixo, e ainda assim não conseguia desvendar o mistério de Marte. Kepler tinha um prazer masoquista de dar ao leitor detalhes de todos os caminhos errados que tomara enquanto lutava com seus problemas. Se seus escritos não são muito leves ou breves, ao menos servem de excelente material no estudo dos mecanismos elusivos da criatividade científica. Por fim, Kepler decidiu que as órbitas planetárias têm a forma de uma elipse. E isso após haver descartado essa ideia, pois ela não satisfazia sua hipótese magnética. Mas, para Kepler, o mais importante era que elipses descreviam os dados de Tycho com uma precisão excelente. Finalmente o mistério era desvendado!

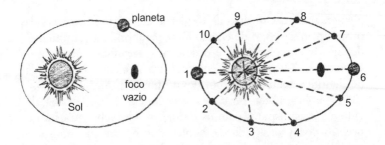

Figura 3.4: As duas primeiras leis de Kepler do movimento planetário. Se os números representam a posição do planeta em intervalos de tempos iguais, as áreas dos segmentos triangulares são iguais.

E assim nasceu a "primeira lei de Kepler do movimento planetário": "Os planetas giram em torno do Sol em órbitas elípticas, com o Sol ocupando um de seus focos".

As duas leis de Kepler, imersas em um mar de cálculos, apareceram em seu livro *Astronomia nova*, em 1609. O título completo do livro é *Uma nova astronomia "baseada nas causas" ou uma "física dos céus" derivada das investigações dos movimentos da estrela Marte, fundada nas observações do nobre Tycho Brahe*. O livro inclui também os esforços de Kepler para entender as causas das marés e, é claro, a força da gravidade. *Astronomia nova* é, sem dúvida, uma obra magnífica, representando o esforço de uma mente pioneira para compreender os movimentos celestes nos termos de apenas uma lei universal, um objetivo finalmente atingido por Newton no final do século XVII. No entanto, os primeiros passos foram dados por Kepler. Conforme escreveu o historiador da ciência Gerald Holton, "sua premonição da gravitação universal decerto não foi um exemplo isolado de adivinhação ou sorte".[36]

Em *Astronomia nova*, Kepler finalmente põe o Sol no verdadeiro centro do cosmo; o Sol é a fonte de todos os movimentos planetários. Mas, para Kepler, o Sol era muito mais do que isso: ele era o trono de Deus, Seu poder permeando o sistema solar. O sistema de Kepler não era apenas heliocêntrico; ele era também teocêntrico. Como notou Holton, o Sol tinha três papéis complementares no Universo de Kepler: o de centro *matemático* das órbitas planetárias, o de centro *físico*, garantindo a continuidade dos movimentos orbitais, e o de centro *metafísico*, o templo da Divindade.[37] O cosmo de Kepler mostra o quanto sua criatividade científica era motivada por um profundo instinto religioso.

A publicação da *Astronomia nova* foi em si uma batalha, devido a várias disputas com os herdeiros de Tycho. Após a impressão do livro, a vida de Kepler caiu novamente num caos completo. O poder e a saúde mental do imperador Rodolfo II estavam em franco declínio, e, por fim, em 23 de maio de 1611, ele abdica de seu trono em favor de seu irmão, Matias II. Friedrich, o filho querido de Kepler, morre no mesmo ano, e Frau Barbara morre no início de 1612. A situação política e religiosa transformou Praga numa cidade perigosa e instável para se viver ou trabalhar. Em seis anos, Praga seria o berço da sangrenta Guerra dos Trinta Anos, a primeira guerra que envolveu praticamente toda a Europa, provocada pelas disputas de poder entre a nobreza católica e a nobreza protestante. Mais uma vez, Kepler estava no meio de um cabo de guerra religioso que iria transformar a Europa num vasto campo de batalha. Ele se muda de Praga para Linz, capital da parte norte da Áustria, onde irá passar os próximos catorze anos de sua vida. Lá, ele finalmente encontra a paz necessária para se concentrar na sua obsessão pitagórica, a busca da harmonia universal.

Seu livro *Harmonice mundi*, "Harmonias do mundo", foi concluído em 1618. Kepler volta à sua ideia de sólidos platônicos concêntricos, introduzida no *Mysterium* 21 anos antes. Ele dividiu o livro em cinco partes. As duas primeiras lidam com o conceito de harmonia em matemática, e as outras três, em música, astrologia e astronomia. Kepler ressuscitou a ideia pitagórica de harmonia, vestindo-a de uma linguagem geométrica mais sofisticada. A harmonia se manifesta quando à nossa percepção de ordem na Natureza se contrapõem simples arquétipos geométricos, numa ressonância entre as experiências sensoriais e racionais. Para Kepler, esse é o princípio unificador que descreve não só os movimentos celestes, mas também o comportamento humano, as mudanças climáticas, a beleza da música. Essa harmonia completamente abrangente que percebemos no mundo é uma manifestação direta da mente divina. Em outras palavras, essa harmonia é a ponte entre o ser e o devir.

Entretanto, a situação havia mudado consideravelmente desde que Kepler completara o *Mysterium*. As órbitas planetárias não eram circulares, mas elípticas, e os dados de Tycho forneciam um retrato acurado dos céus. Kepler tinha que incluir toda essa nova informação em seu antigo esquema. Após muitas tentativas frustradas, Kepler encontrou afinal uma solução que o satisfez profundamente. Ele sabia que, com órbitas elípticas, a velocidade de um planeta é maior quanto mais próximo ele estiver do Sol. A chave para a harmonia celeste estava em estabelecer a razão entre os valores máximos e mínimos das velocidades orbitais. Kepler comparou esses números com os obtidos nas escalas musicais, chegando a um acordo bastante satisfatório. Portanto, concluiu Kepler, Saturno correspondia a uma terça maior, Júpiter, a uma terça menor, Marte, a uma quinta etc. Ele finalmente desvelou a estrutura da música celestial ouvida por Pitágoras mais de 2 mil anos antes![38] A composição final ficou ainda mais complexa quando Kepler combinou entre si as velocidades de diferentes planetas. Os planetas cantavam, juntos, um moteto celebrando a ordem divina. Kepler via na invenção da música polifônica uma tentativa dos homens de se aproximarem de Deus:

> A humanidade quis, durante uma breve hora, reproduzir a continuidade do tempo cósmico, através de uma combinação artística de várias vozes, para ter uma ideia do prazer do Criador Divino em Seus trabalhos e também para compartilhar de Seu júbilo criando música como Ele.

O poder sedutor da música celeste, com sua beleza ao mesmo tempo divina e intangível, inspirou vários poetas do século XVII. Tanto em Shakespeare como em Milton podemos sentir a frustração causada por não podermos ouvir a música divina. Em *O mercador de Veneza*:

Como dorme docemente o luar nesse canteiro.
Vamos assentar-nos aqui e deixemos os acordes da música
Deslizarem em nossos ouvidos. A calma, o silêncio e a noite
Convidam aos acentos de suaves harmonias.
Assenta-te, Jessica. Olha como a abóbada celeste
Está perfeitamente incrustada com luminosos discos de ouro.
Até o menor daqueles globos que contemplas,
Quando se movimenta, produz uma melodia angelical,
Em perpétuo acorde com os querubins de olhos
eternamente jovens!
Uma harmonia semelhante existe nas almas imortais;
Mas, enquanto esta argila perecível
Cobri-la com sua veste grosseira, não poderemos escutá-la.[39]*

No poema de Milton "O hino":

Ressoem esferas de cristal,
Abençoem ao menos uma vez nossos ouvidos humanos
(Se vocês puderem assim tocar nossos sentidos)
Permitam que seu badalar prateado
Flua em melodias temporais;
E, ao soar o órgão celestial,
Façam suas harmonias em nove níveis
Acompanhar a sinfonia dos anjos.[40]

Para Kepler, todavia, achar a chave da harmonia celeste não era o bastante. Ainda faltavam algumas peças do quebra-cabeça. As relações harmônicas dependiam das variações nas velocidades orbitais dos planetas, mas não diziam nada sobre suas distâncias ao Sol. Se o Sol era o trono central da ordem cósmica, então deveria existir uma relação entre o período orbital do planeta (o tempo que o planeta leva para completar uma órbita em

---

* Tradução brasileira de F. Carlos de Almeida Cunha Medeiros e Oscar Mendes (São Paulo: Abril Cultural, 1978).

torno do Sol) e sua distância ao Sol. De alguma forma, tempo e espaço deveriam estar ligados pelo poder emanado do Sol. Após muitas tentativas, Kepler obteve sua "terceira lei do movimento planetário": "O quadrado do período orbital de um planeta é proporcional ao cubo de sua distância mediana ao Sol".[41]

A relação encontrada por Kepler estava em total acordo com os dados de Tycho. Será nessa lei que Newton irá mais tarde encontrar a chave para desvendar o mistério da gravitação universal. Newton conseguiu destilar as três leis do movimento planetário a partir da confusa mistura entre fantasia e ciência tão típica dos escritos de Kepler. Sob um ponto de vista moderno, as três leis constituem a parte mais importante do legado científico de Kepler. Mas, para Kepler, elas não passavam de alguns dos tijolos usados na construção de seu vasto edifício intelectual. Sua inspiração não veio da busca de leis específicas, mas de sua crença obsessiva na geometria como o dialeto comum entre a mente humana e a divina. Esse é um tema que ainda hoje tem um papel muito importante na criatividade científica, embora "Deus" seja em geral substituído por "Natureza".

A descoberta da terceira lei marcou o clímax da carreira criativa de Kepler. No entanto, ele não parou aí. Durante os últimos doze anos de sua vida, sempre lutando contra guerras, doenças e tragédias pessoais, Kepler conseguiu ainda produzir várias obras, duas delas de grande importância. Em 1621, ele completou sua obra mais longa, a *Epítome da astronomia copernicana*, a exposição astronômica mais detalhada desde o *Almagest* de Ptolomeu. Embora tenha sido posto quase que imediatamente no índice dos livros proibidos pela Igreja católica, o livro tornou-se o texto mais popular em astronomia nos cem anos seguintes. Em 1627, após anos peregrinando de cidade em cidade e procurando um editor de confiança, Kepler imprimiu suas *Tabelas rudolfinas*, que incluíam o catálogo de Tycho com as posições de 777 estrelas (aumentado para 1005 por Kepler), e várias tabelas e regras para a determinação das posições planetárias.

A essa altura Linz também já estava sendo destruída por sangrentas revoltas incitadas pela Contrarreforma, e acabou tornando-se inabitável para protestantes. Kepler recusou ofertas de ir para a Itália e para a Inglaterra: "Será que devo aceitar o convite de Wotton [enviado de lorde Bacon, da Inglaterra] e me mudar? Eu, um alemão? Eu, que adoro o continente e que tremo diante da ideia de viver numa ilha de fronteiras estreitas, onde posso pressentir os vários perigos que me esperam?". Após anos de perseguição religiosa, guerras e doenças, a paranoia de Kepler é mais do que justificada.

Ele terminou indo para Sagan, na Silésia (hoje em dia ocupando a parte Sudoeste da Polônia), sob os auspícios de Albrecht von Wallenstein, duque de Friedland e Sagan, o general mais poderoso do sagrado imperador romano Ferdinando II. Kepler era um matemático luterano numa corte católica. Seu salário, que ele não recebia havia anos, deveria ser pago pelo duque. É claro que Kepler nunca viu a cor desse dinheiro. Embora sua fama tenha sido grande, sua carteira estava sempre vazia. Ele passou dois anos em Sagan, a maior parte desse tempo procurando novamente um editor. Sua saúde, que nunca foi seu ponto forte, começou a piorar. Mas Kepler jamais sossegava, parecendo-se, como comentou Koestler, mais e mais com o legendário Judeu Errante.[42]

Wallenstein foi despedido pelo imperador, e Kepler teve de se mudar novamente, pela última vez em sua vida. Ele viajou até Leipzig num cavalo magro e velho, e de lá até Regensburg, para exigir seu dinheiro da falida Dieta imperial. Após três dias caiu doente, sofrendo de uma febre altíssima. De acordo com uma testemunha local, em seu delírio tudo que ele fazia era "apontar seu dedo indicador ora para sua testa, ora para o céu".[43] Kepler morreu no dia 15 de novembro de 1630 e foi enterrado num cemitério local. Como última ironia do destino, seu túmulo foi destruído durante a Guerra dos Trinta Anos, e seus restos mortais, condenados a errar para sempre. Contudo, seu epitáfio, de sua própria pena, sobreviveu:

Eu medi os céus, agora, as sombras eu meço.
Para o firmamento viaja a mente, na terra descansa o corpo.

4. O HERÉTICO RELIGIOSO

A humanidade teceu uma rede, e lançou-a
Sobre os Céus, que agora lhe pertencem.

John Donne

DOS MUITOS CONFLITOS entre ciência e religião que ocorreram ao longo da História, nenhum recebeu mais atenção do que a batalha entre Galileu e a Igreja católica, que se deu durante a primeira metade do século XVII. Os eventos que culminaram no famoso julgamento de Galileu pela Inquisição romana em 1633 inspiraram e ainda inspiram inúmeros debates entre historiadores e teólogos. A importância desse episódio é tamanha que, em 1982, o papa João Paulo II discursou sobre a necessidade de um estudo mais profundo dos eventos, "para remover as barreiras, ainda incitadas em muitas mentes pelo episódio Galileu, que possam obstruir uma relação frutífera entre ciência e fé".[1] Enfim, em 1992, o papa revogou oficialmente a condenação de Galileu pela Igreja, datada de 360 anos antes.

A atitude do papa João Paulo II certamente representa uma Igreja bem mais aberta do que a Igreja de três séculos atrás. Como vimos no último capítulo, durante o século XVII, as disputas entre católicos e protestantes transformaram a Europa num vasto campo de batalha. A supremacia medieval da Igreja católica estava em rápido declínio, junto com sua visão aristotélica do mundo. Esses eram tempos cruciais para a sobrevivência da Igreja católica, que forçosamente se tornou cada vez mais intolerante. A Inquisição estava operando com toda a força, aterrorizando aqueles que ousavam desafiar as posições oficiais da Igreja. Como arma adicional contra a difusão de ideias heréticas, em 1540 a Igreja organizou sua própria milícia, a Companhia de Jesus, ou Ordem Jesuíta, cuja função principal era a disseminação do catolicismo através do mundo. Em questões envolvendo teologia cristã, o concílio de Trento (1545-1563) deixou bem claro que a Igreja não toleraria nenhuma interpretação da Bíblia que diferisse da interpretação oficial.

A execução na fogueira do filósofo Giordano Bruno, em 1600, é um triste testemunho da seriedade com que a Igreja encarava sua guerra contra a suposta heresia. Os problemas de Bruno foram causados mais por sua coragem de duvidar da autoridade da Igreja em questões de interpretação teológica do que pela sua crença num Universo infinito, povoado por um número infinito de mundos como o nosso. Mesmo que suas especulações cosmológicas e seu apoio às ideias de Copérnico tenham sido sem dúvida pioneiros, para a Igreja o maior perigo estava em suas ideias sobre a transubstanciação, a Santíssima Trindade e a substancialidade da alma humana, que precisavam ser silenciadas. Bruno morreu um apóstata impenitente, símbolo eterno da coragem do espírito humano contra a repressão cega.

É contra esse pano de fundo que Galileu irá lançar sua cruzada pessoal, contra o modelo geocêntrico do cosmo. Um dos fatores mais curiosos desse episódio é que, antes dos ataques frontais de Galileu, a Igreja não tinha uma posição oficial com respeito ao arranjo dos céus. O livro de Copérnico não foi posto no Índice até 1616, e mesmo assim ele não foi proibido, mas apenas "corrigido"; algumas frases que defendiam a realidade do modelo heliocêntrico (ao contrário de ser mera hipótese) foram removidas, assim como referências à Terra como sendo uma "estrela". Embora seja comum representar Galileu como um dos grandes mártires na luta pela liberdade de expressão e a Igreja como o vilão intolerante, a verdade (ao menos o que podemos concluir, dada a evidência existente e as interpretações em conflito) é bem mais sutil. De fato, como veremos, entre os vários admiradores de Galileu que ocupavam altos cargos na hierarquia eclesiástica estava o cardeal Maffeo Barberini, mais tarde papa Urbano VIII. Os problemas iniciais de Galileu vieram principalmente do meio acadêmico, incitados por professores de filosofia de várias universidades italianas, cegamente obedientes à doutrina aristotélica. Se adicionarmos diferenças de opinião ao estilo extremamente arrogante e agressivo de Galileu, certamente o resultado final não poderia ser uma reconciliação muito amistosa.

Os conflitos que acabaram por levar ao julgamento de Galileu pela Inquisição começaram apenas após o desafio aberto lançado por ele contra a hegemonia da Igreja. Convencido por suas notáveis descobertas astronômicas, Galileu declarou que o modelo ptolomaico do Universo era insustentável. Motivado por sua enorme ambição pessoal e por uma sincera dedicação à Igreja, Galileu nomeou-se a nova estrela guia da Igreja, o único homem capaz de explicar para as autoridades eclesiásticas qual era o verdadeiro arranjo dos céus, *mesmo que este contrariasse a interpretação oficial das escrituras sagradas*. Galileu queria não só expor publicamente a estupidez dos professores de filosofia (ele com frequência usava a palavra *estúpido* ao referir-se aos aristotélicos), como também explicar aos teólogos cristãos como interpretar as escrituras sagradas. Essa afronta, a Igreja católica não podia tolerar. Os tempos certamente não eram propícios para desafiar a autoridade da Igreja em questões envolvendo interpretação teológica, ainda mais sendo o desafiante um mero filósofo.

O conflito entre Galileu e a Igreja serve como uma excelente, embora trágica, metáfora da eterna batalha entre o novo e o velho. A cega arrogância que vem com a juventude é paralisada pela falta de flexibilidade do velho; a impaciência e a ambição do jovem chocam-se com o medo que o velho tem de ideias novas e de suas possíveis consequências contra a sua hegemonia. A curto prazo o velho em geral vence, o jovem recuando para repensar seu plano de ataque. Se a força dos argumentos do jovem, contudo, for realmente grande, ele conquistará o velho no final, forçando uma completa transformação de valores ou, pelo menos, o início de uma transição. Embora a Igreja tenha silenciado Galileu em questões relacionadas ao arranjo dos céus, sua vitória durou pouco. Algumas décadas após a morte de Galileu, Isaac Newton desenvolveu uma nova física, mostrando que as leis que descrevem o movimento dos corpos celestes são as mesmas que descrevem os movimentos de objetos na Terra, levando a hipótese copernicana à sua conclusão lógica. A transição entre o velho e o novo estava concluída, o Universo medieval finalmente ruindo sob o peso gigantesco da nova ciência, testemunho da coragem e gênio de Galileu.

A MENSAGEM DAS ESTRELAS

Galileu Galilei nasceu em 1564, no mesmo ano que Shakespeare e sete anos antes de Kepler. É lamentável que os dois homens que contribuíram tão fundamentalmente para a emergência de uma nova visão de mundo tenham tido tão pouco contato. Eles trocaram algumas cartas, mas não chegaram a travar um debate maior sobre suas ideias. Enquanto Kepler escrevia a Galileu celebrando suas ideias e descobertas, Galileu escrevia a Kepler basicamente para reclamar de seus adversários e de suas várias disputas acadêmicas. Embora Galileu reconhecesse o gênio de Kepler, ele não gostava de seu estilo, que misturava ciência com especulações metafísicas e místicas. Mais ainda, é também claro que Galileu não gostava muito de elogiar qualquer outro além de si próprio. Os céus eram sua propriedade exclusiva, e ele não estava nem um pouco disposto a dividi-los com o cão fraldeiro alemão. Galileu jamais aceitou as órbitas elípticas de Kepler, preferindo adotar uma versão simplificada do modelo de Copérnico.

Sob a influência de seu pai, em 1581 Galileu entra para a escola de medicina da Universidade de Pisa. Não terminando seus estudos, volta para casa em 1585 para se dedicar à sua paixão cada vez maior pela "filosofia natural". Durante esse período, ele estava interessado principalmente em estudar objetos em movimento. Segundo conta uma lenda, durante uma missa em Pisa, em 1582, Galileu notou um grande candelabro oscilando levemente, após o coroinha tê-lo puxado de lado para acender suas velas. Usando seu pulso para marcar o tempo, Galileu percebeu que, embora o candelabro oscilasse cada vez menos, o tempo entre duas oscilações consecutivas (o "período de oscilação") era praticamente sempre o mesmo.

Ao chegar em casa, Galileu repetiu o experimento, usando uma pedra amarrada a uma corda, em vez do grande candelabro. Para sua surpresa, ele observou que, embora o período de oscilação dependesse do comprimento da corda, sendo mais longo para uma corda mais longa, o período era *independente* do peso da pedra! Uma pedra pesada oscila com o mesmo período que uma pedra leve.[2] Esse resultado contradizia a ideia aristotélica de que, quanto mais pesado o objeto, mais rapidamente ele chegaria ao seu estado de repouso, seguindo sua tendência natural de cair em direção à Terra. O movimento pendular pode ser visto como um movimento de queda periódico cuja posição final é o equilíbrio vertical, o ponto mais próximo da Terra. Galileu deve ter descoberto então, se não ainda antes, que a física aristotélica tinha sérios problemas.

Aqui podemos adicionar outra história bem mais famosa, aquela envolvendo Galileu e a torre de Pisa. Segundo Viviani, pupilo e primeiro biógrafo de Galileu, o evento realmente aconteceu, em frente a uma incrédula audiência de professores aristotélicos e seus alunos. Mas, como não existem registros oficiais, os historiadores ainda não chegaram a uma conclusão final sobre sua veracidade. Verdadeira ou não, a lenda nos conta que Galileu jogou objetos de pesos diferentes do alto da torre, mostrando que eles atingiam o chão praticamente ao mesmo tempo. As diferenças no tempo de chegada deviam-se principalmente ao atrito do ar, que varia de acordo com a forma do objeto; uma folha plana de papel cai muito mais devagar do que quando ela é amassada em forma de bola. Mas, em um cilindro do qual todo o ar tenha sido evacuado, a folha e a bola de papel, ou uma pena e uma moeda, cairão exatamente ao mesmo tempo, se largados da mesma altura. Essa é uma demonstração clássica em salas de aula, que sempre causa grande sensação.

Devido a esses e outros episódios, a reputação de Galileu cresceu rapidamente. Em 1589, ele começou a ensinar matemática na Universidade de Pisa, mudando-se para Pádua em 1592 como professor titular, uma posição bem prestigiosa para um jovem de 28 anos. O estilo de Galileu era algo completamente novo. Ao invés de acreditar cegamente nos ensinamentos de Aristóteles, Galileu propunha experimentos;[3] "não acredite em autoridade, acredite na sua razão. Confronte sempre suas ideias com a realidade antes de determinar sua validade", posso imaginar Galileu dizendo aos seus alunos. Mais tarde, Galileu iria desenvolver não só experimentos mas também relações *matemáticas* capazes de descrever a queda de objetos e o movimento de projéteis. Ele acreditava não só que a matemática é a linguagem da natureza, mas também que o mundo é construído de tal forma que as relações matemáticas descrevendo um fenômeno são sempre as mais simples possíveis.

Galileu foi o primeiro cientista verdadeiramente moderno. Sua ênfase na experimentação, combinada aos seus esforços para obter relações matemáticas explicando os resultados, se tornou a marca registrada da nova ciência. Seu estudo pioneiro da física do movimento foi crucial para a formulação, por Newton, das leis do movimento e da gravitação no final do século XVII. Entretanto, após esses resultados iniciais a respeito da física do movimento, Galileu não tocará mais nesse assunto até quase o final de sua vida. A razão desse silêncio prolongado foi a chegada de uma invenção extraordinária, o telescópio.

Embora ainda exista algum debate sobre quem precisamente inventou o telescópio, pelo menos está claro que esse alguém não foi Galileu. A primeira licença para construir telescópios foi obtida por um oculista holandês chamado Johannes Lippershey no dia 2 de outubro de 1608, mas já em setembro "tubos ópticos de magnificação" foram vistos numa feira em Frankfurt. Os instrumentos atraíram tanta atenção que, em abril de 1609, era possível comprá-los em Paris. Assim que Galileu ouviu as novidades, ele rapidamente construiu seu próprio telescópio, de melhor qualidade do que os que existiam na época. Sendo uma pessoa astuta e de grande ambição social, no dia 8 de agosto de 1609 ele convidou o Senado de Veneza a examinar o instrumento do alto da torre de São Marco, frisando o quanto o objeto era importante como arma de defesa contra uma invasão marítima. Seu sucesso foi enorme. O Senado ficou tão impressionado com Galileu e seu telescópio que tornou sua posição em Pádua permanente, dobrando seu salário. Além de melhorar sua situação profissional e financeira, o telescópio iria se tornar a maior arma de Galileu em sua cruzada contra a visão de mundo aristotélica; os céus jamais seriam os mesmos após Galileu apontar seu telescópio para as estrelas.

Galileu descobriu que havia um número muito maior de estrelas além daquelas visíveis a olho nu. Apontando seu telescópio para a constelação de Órion, ele contou pelo menos oitenta delas em torno das três famosas estrelas que são associadas ao cinto do guerreiro. A Via Láctea, ele escreveu, era um denso aglomerado de estrelas. A Lua estava longe de ser uma esfera perfeita, sendo pontuada por montanhas e vales, parecendo-se dessa forma bastante com a Terra. Ele até calculou a altura das montanhas lunares, que podia chegar até a 4 mil metros.[4] Também mostrou que a Terra era uma fonte de luz secundária para as regiões ensombreadas da Lua, da mesma forma que a Lua ilumina nossas noites com sua luz prateada. Em resumo, Galileu mostrou que a Lua era essencialmente como a Terra, para horror dos aristotélicos.

E muito mais estava ainda por vir. Apontando seu telescópio para Júpiter, Galileu descobriu que o planeta gigante não estava sozinho. Dançando ao seu redor, ele notou quatro novos "planetas, jamais vistos por alguém desde o início dos tempos".[5] Galileu descobriu quatro das luas de Júpiter, que ele apressou-se em chamar de "estrelas medicianas", num claro gesto para impressionar Cosimo II de Medici, o grão-duque de Toscana. Essa descoberta foi de extrema importância: se Júpiter gira em torno do Sol cercado por seus satélites (um termo inventado por Kepler, que se maravilhou com as descobertas de Galileu), por que não a Terra, com o seu satélite, a Lua? E, nesse caso, de que modo a Terra diferia tão fundamentalmente dos outros planetas? Mais uma vez, o status tão especial atribuído pela física aristotélica à Terra estava sendo seriamente questionado pelas observações de Galileu.

Em 1610 Galileu publicou suas observações astronômicas num curto livro intitulado *Sidereus nuncius*. Curiosamente, esse título recebeu várias traduções, incluindo "O mensageiro estrelado", "Mensagem das estrelas" ou "Mensageiro das estrelas". Note que essas traduções do título em latim têm um significado muito diferente. De fato, a existência dessas várias traduções gerou e gera uma boa dose de polêmica nos meios acadêmicos. A razão da polêmica é que a interpretação do título pode ajudar a elucidar a atitude de Galileu perante a Igreja. Galileu acreditava que apenas ele tinha acesso exclusivo às verdades escritas nos céus. No seu livro *Il saggiatore*, "O ensaiador", publicado em 1623, Galileu escreveu que "você não pode negar, senhor Sarsi, que *apenas a mim foi permitida* a descoberta de novos fenômenos celestes, e nada a qualquer outro. Essa verdade nenhuma malícia ou inveja pode alterar" [grifo meu].[6]

Galileu usou boa parte do livro para atacar o padre jesuíta Orazio Grassi (cujo pseudônimo era Lotario Sarsi), que tivera a audácia de confrontá-lo numa série de disputas envolvendo cometas e o aquecimento de objetos em movimento devido ao atrito do ar. A atitude extremamente agressiva adotada por Galileu prejudicou muito sua relação com os jesuítas, que de início haviam apoiado muitas de suas ideias. No entanto, o ponto importante para nós no momento é que Galileu de fato acreditava que apenas ele tinha *permissão* para estudar os fenômenos celestes. Embora o significado real de sua declaração se mescle com sua arrogância e com seu desprezo por seus opositores, resta ainda a questão de *quem* exatamente lhe concedera o privilégio único de estudar os céus. Será possível que Galileu se considerava o "Mensageiro das Estrelas"? Que ele acreditava haver sido escolhido por Deus para "reprogramar" a atitude da Igreja em relação ao arranjo dos céus?.[7] Embora essa possibilidade seja ainda considerada como especulativa, visto sob esse prisma o conflito entre Galileu e a Igreja ganha uma nova dimensão.

O *Mensageiro das estrelas* foi um grande sucesso, trazendo fama e prestígio a Galileu. Em setembro, após receber uma entusiástica carta de Kepler, Cosimo nomeou Galileu seu "matemático e filósofo principal", adicionando à sua oferta uma posição de professor em Pisa como bônus. Graças à sua astuta manipulação do patronato da aristocracia, Galileu rapidamente ascendeu ao coração da corte toscana. Na primavera seguinte, ele foi a Roma para participar de uma série de cerimônias em sua homenagem. Foi nomeado membro da prestigiosa Accademia dei Lincei, que lhe ofereceu um banquete. O papa Paulo V recebeu-o numa audiência amigável, embora ele não tivesse nenhuma simpatia por assuntos de natureza científica. O Colégio Romano, instituição jesuítica que era o centro das atividades intelectuais da Igreja, prestou-lhe homenagens durante um dia inteiro. Galileu tinha o apoio do astrônomo-chefe do colégio, padre Clavius, que confirmou suas descobertas para o reitor do colégio, lorde cardeal Bellarmino, o teólogo mais importante da época. As coisas não podiam estar indo melhor para Galileu. Ou será que podiam?

A CARTA A CRISTINA

As observações astronômicas de Galileu, juntamente com sua alta posição na corte toscana, trouxeram-lhe uma enorme reputação. Mas nem todo mundo estava celebrando suas descobertas. Um colega uma vez me disse que, no meio acadêmico, assim que você salta na frente do bando, alguém estará pronto para atacá-lo pelas costas. A esse comentário, adiciono que essa atitude serve para demonstrar que o meio acadêmico é como qualquer outro meio profissional, e que os cientistas exibem todos os aspectos — bons e ruins — dos seres humanos. Se você realmente se tornar famoso, imagino que seja prudente manter uma certa modéstia. Galileu não acreditava em nada disso. Voltando de seu triunfo em Roma, ele imediatamente se envolveu numa série de disputas com vários professores de filosofia e, numa péssima jogada política, com alguns padres jesuítas.

Na primavera de 1613 Galileu publicou seu livro *História e demonstração sobre as manchas solares*, no qual ele corretamente argumentou que as manchas solares estavam sobre o Sol, ou pelo menos muito próximas dele, contradizendo a opinião do padre Scheiner, um jesuíta que declarou que as manchas eram formadas por vários pequenos planetas orbitando em torno do Sol. Por trás do debate identificamos a ideia aristotélica de que o Sol, sendo feito de éter, não só não poderia ter manchas, como muito menos manchas que se transformam tão rapidamente a ponto de serem percebidas por olhos humanos. Galileu fez também questão de ressaltar que ele havia sido o primeiro a observar as manchas solares, mesmo que isso jamais tenha ficado muito claro.

Talvez mais importante do que essa polêmica sobre a precedência, foi em *História e demonstração sobre as manchas solares* que Galileu apresentou pela primeira vez seu apoio às ideias copernicanas. A essa altura, ele tinha adicionado uma série de novas descobertas àquelas publicadas no *Sidereus nuncius*, que ofereciam evidência ainda mais forte (mas não conclusiva) para a aceitação do sistema heliocêntrico. A mais importante dessas novas observações foi sua descoberta de que Vênus, como a Lua, também tem fases. A única explicação para esse fato é que Vênus orbita em torno do Sol, o que refuta diretamente o modelo ptolomaico.[8] A escolha agora era entre o sistema copernicano e o sistema híbrido de Tycho Brahe, que, como vimos no capítulo anterior, tinha todos os planetas girando em torno do Sol, mas o Sol ainda girando em torno da Terra, situada no centro. A maioria dos jesuítas optou pelo sistema de Tycho, já que este evitava a necessidade de uma embaraçosa reinterpretação das escrituras sagradas. A Igreja, entretanto, ainda não tinha adotado uma posição oficial. Mesmo que o apoio de Galileu ao sistema copernicano a essa altura fosse público, ele recebeu várias cartas de autoridades eclesiásticas expressando admiração por suas descobertas, incluindo uma do cardeal Maffeo Barberini, futuro papa Urbano VIII.

Os problemas começaram quando um dos discípulos de Galileu, padre Benedetto Castelli, foi convidado para um jantar junto à corte toscana. Por intermédio da influência de Galileu, Castelli tinha recentemente sido apontado como professor de matemática em Pisa. Ao assumir o cargo, Castelli recebeu ordens de seu superior, Arturo d'Elci, proibindo-o de dar aulas sobre o sistema copernicano. D'Elci era um dos aristotélicos com quem Galileu tivera problemas no passado. Na cabeceira da mesa sentava a grã-duquesa Cristina de Lorena, mãe de Cosimo II. Entre os convidados estava um certo doutor Boscaglia, professor de filosofia.

Durante o jantar, a grã-duquesa demonstrou grande interesse pelas recentes observações astronômicas, em particular essas novas "estrelas" em torno de Júpiter que carregavam o nome de sua família. "Elas eram reais ou apenas uma ilusão?", a grã-duquesa perguntou. Tanto Boscaglia como Castelli garantiram que elas eram bem reais. Após sussurrar alguma coisa no ouvido da grã-duquesa, Boscaglia confirmou que todas as observações de Galileu eram verdadeiras, mas que ele estava um pouco preocupado com o fato de elas contrariarem as escrituras sagradas. Não é muito claro o que exatamente aconteceu depois disso; porém, quando Castelli estava deixando o palácio, ele foi convidado a voltar. A grã-duquesa expressou a mesma apreensão do doutor Boscaglia quanto aos problemas que as descobertas de Galileu traziam para a interpretação das escrituras sagradas, forçando Castelli a argumentar que essas contradições só existiam se as escrituras fossem interpretadas inadequadamente. Nas palavras de Castelli, "somente madame Cristina ficou contra mim, mas, pelos seus argumentos, eu imagino que ela tenha assumido essa posição apenas para ouvir minhas respostas às suas críticas. O professor Boscaglia não disse uma palavra".[9]

Castelli relatou o incidente a Galileu numa carta datada de 14 de dezembro de 1613. Galileu não perdeu tempo. No dia 21, completou uma elaborada resposta conhecida como "Carta a Castelli", em que tentava argumentar que o movimento da Terra só contraria as escrituras sagradas *se elas forem interpretadas incorretamente*. Um ano mais tarde, Galileu desenvolveu os mesmos argumentos numa nova carta, que ficou conhecida como "Carta à grã-duquesa Cristina". Suas intenções eram bem claras: ele queria que sua carta se tornasse conhecida publicamente para silenciar de uma vez por todas aqueles que insistiam em usar a Bíblia como um texto de astronomia:

É indiscutível que a teologia lida com assuntos de natureza divina e que, portanto, ocupa uma posição régia entre as ciências. Mas, ao adquirir dessa maneira a mais alta autoridade, se ela não descer de vez em quando ao nível mais mundano das outras ciências, e se não mostrar nenhum interesse nesses assuntos por eles não serem sacros o suficiente, então seus professores não devem arrogantemente assumir a autoridade de decidir controvérsias pertinentes a profissões que eles não estudaram nem praticaram.[10]

Em seguida Galileu declara que proposições que foram demonstradas como corretas devem ser distinguidas daquelas que são consideradas apenas plausíveis. Se uma proposição que foi provada (cientificamente) correta contradiz as escrituras sagradas, então a interpretação das escrituras tem de ser revisada; a Bíblia não erra, mas seus intérpretes podem errar.

Galileu subestimou a força de seus adversários. Não só seu poder mas, também, suas habilidades intelectuais. Ele sabia não ter uma prova realmente definitiva da validade do sistema copernicano, apenas evidências acumuladas em seu favor; mas, para Galileu, as evidências eram tão convincentes que agora era a vez de a Igreja provar que ele estava errado.

Enquanto isso, a oposição às ideias de Galileu estava crescendo. Em dezembro de 1614, Tommazo Caccini, um jovem monge dominicano com reputação de ser um criador de problemas, pregou um sermão na igreja de Santa Maria Novella, em Florença, no qual atacou violentamente o sistema copernicano. O sermão chamou a atenção de outro dominicano, padre Niccoló Lorini, que já havia expressado sua antipatia por Galileu e por suas ideias em outras ocasiões. Lorini mostrou uma cópia da "Carta a Castelli" aos seus confrades na igreja de São Marcos, em Florença. O conteúdo da carta gerou tamanha reação que Lorini imediatamente enviou uma cópia para a Inquisição, em Roma, no início de 1615.

Galileu tinha amigos em Roma. Durante o ano de 1615, ele trocou cartas com os cardeais Dini e Ciampoli, que o mantiveram informado dos procedimentos secretos do Santo Ofício. Ele pediu que Dini mostrasse sua própria cópia da carta aos inquisidores, pois suspeitava — corretamente, por sinal — que a carta havia sido alterada por Lorini e seus confrades. Em fevereiro, Ciampoli escreveu a Galileu que o cardeal Barberini

> gostaria que Galileu usasse de maior cautela, sem tentar ir além dos argumentos usados por Ptolomeu e Copérnico [ou seja, apenas como hipóteses matemáticas[11]], e sem exceder as limitações da física e da matemática. Pois a explicação das escrituras sagradas pertence aos teólogos, e se novas ideias para sua interpretação forem sugeridas, mesmo que por uma mente admirável, nem todo mundo terá a frieza de adotá-las automaticamente.[12]

Portanto, mesmo Barberini, admirador e aliado de Galileu, estava sugerindo cautela.

Por trás dessas ações pairava a enorme sombra do cardeal Bellarmino, mestre de questões controversiais e reitor do Colégio Romano. Sua reputação era tal que, enquanto ele jazia enfermo em seu leito de morte, uma procissão sem fim de cardeais e outros membros da Igreja invadiu seu quarto para tocar e beijar seu corpo. Durante seu funeral, como num pesadelo medieval, as autoridades tiveram que lutar contra a massa de pessoas que queriam arrancar partes de seu corpo para preservá-las como relíquias sagradas. Bellarmino foi canonizado em 1930. Ele dedicou sua vida à luta contra a heresia protestante e jamais iria aceitar que um mero matemático, mesmo alguém brilhante como Galileu, lhe ensinasse como interpretar as escrituras sagradas. Ele tornou sua posição clara após receber uma carta de um teólogo carmelita chamado Paolo Foscarini, na qual este, de modo semelhante a Galileu em sua "Carta a Castelli", argumentava em favor de uma reconciliação entre o copernicanismo e as escrituras sagradas. Bellarmino astutamente usou a ocasião para responder não só a Foscarini, mas também a Galileu.

Bellarmino agrupou a controvérsia sob três pontos principais, numa clara demonstração de sua incrível inteligência e habilidade política. Ele começa congratulando Foscarini e Galileu por fazerem algo que nenhum deles havia feito, ou seja, manter as ideias de Copérnico como meras hipóteses. Afirmar que o Sol é o centro do cosmo e que a Terra gira à sua volta, escreveu Bellarmino, "é uma coisa muito perigosa, não apenas capaz de irritar todos os filósofos e teólogos escolásticos, mas também de causar dano à Santa Fé, tornando falsas as escrituras sagradas". Em segundo lugar, continua Bellarmino, "como vocês sabem, o concílio de Trento proíbe qualquer interpretação das escrituras sagradas que contrarie a interpretação sancionada pelas autoridades eclesiásticas". Terceiro,

> quando fosse verdadeira a demonstração de que o Sol está no centro do cosmo e a Terra está no terceiro céu, e de que o Sol não circunda a Terra, mas a Terra circunda o Sol, então seria preciso tentar com muito cuidado explicar as [passagens das] escrituras que parecem contrárias e dizer que não as entendemos ao invés de dizer que seja falso aquilo que se demonstra. Mas eu não acredito que essa prova exista, pois ela ainda não me foi mostrada.[13*]

Portanto, num único ato, Bellarmino protegeu Galileu contra as possíveis consequências de suas ações (congratulando-o por haver feito algo que ele não fizera), aconselhou-o a manter distância das escrituras sagradas e de sua reinterpretação (conforme determinado pelo concílio de Trento) e deixou a porta aberta para o caso de uma prova *real e incontestável* do sistema copernicano ser no futuro encontrada (ele sabia perfeitamente que Galileu não tinha essa prova). Mas Galileu não lhe deu ouvidos e decidiu reelaborar, em sua famosa "Carta a Cristina", os argumentos já apresentados na "Carta a Castelli", na esperança

* Tradução de Pablo R. Mariconda (Galileu. *Duas novas ciências*. São Paulo: Nova Stella/Ched Editorial, s/d, p. XVI).

de que Bellarmino viesse a lê-la. Contra o conselho do embaixador da Toscana, em dezembro de 1615 Galileu vai a Roma para tentar limpar seu nome.

Podemos apenas especular por que Galileu resolveu se arriscar tanto. Talvez, confiando demasiadamente em suas habilidades intelectuais, ele achasse que poderia provar que seus argumentos eram de fato irrefutáveis. Ele estava acostumado a derrotar e humilhar seus adversários em disputas orais. Talvez realmente acreditasse em sua missão de salvador da Igreja, o mensageiro das estrelas trazendo a nova visão de mundo para as autoridades eclesiásticas. Ou talvez arrogância e devoção à Igreja se misturassem na mente de Galileu, o "profeta cientista". Quaisquer que fossem suas razões, ele sabia que sua ida a Roma iria provocar um conflito aberto, no qual a própria autoridade da Igreja estava em jogo.

Galileu não foi a Roma de mãos vazias. Ele acreditava ter encontrado a "prova" do movimento da Terra, que Bellarmino exigira como condição necessária para a aceitação da hipótese copernicana. A prova era baseada em sua teoria das marés. A ideia era simples, mas completamente errada. O movimento da Terra pode ser decomposto em duas partes, sua órbita em torno do Sol e sua rotação em torno de seu eixo. De acordo com Galileu, esses dois movimentos eram responsáveis pelo movimento dos oceanos, que causa as marés. Esse é basicamente seu argumento: considere uma cidade situada perto do oceano, como o Rio de Janeiro. Conforme indicado na figura 4.1, à meia-noite ambos os movimentos apontam na mesma direção, fazendo com que a terra firme "avance" para a frente mais rapidamente do que as águas dos oceanos. (Pense numa banheira com água sendo empurrada para a frente.) De acordo com Galileu, essa é a maré baixa. Ao meio-dia, os dois movimentos se dão em direções opostas, fazendo com que a terra firme se mova mais devagar, enquanto as águas sobem, causando a maré alta. Galileu sabia que as marés ocorrem em horas diferentes e possivelmente mais do que duas vezes ao dia, mas ele argumentou que esses efeitos eram causados por fatores de importância

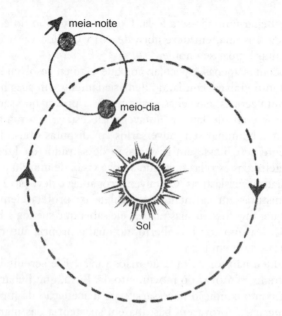

Figura 4.1: A teoria das marés de Galileu. A rotação da Terra em torno de seu eixo é representada esquematicamente, à meia-noite e ao meio-dia.

secundária, como diferenças de profundidade nos oceanos, o perfil da costa etc.

A maior dificuldade do argumento de Galileu é que ele diferencia o movimento da terra firme do movimento da água, como se ambos obedecessem a diferentes leis físicas. Para Galileu, todos os corpos celestes obedeciam a uma espécie de "inércia circular", que explicava por que eles podiam permanecer em órbitas circulares por um tempo indefinido sem estarem sujeitos à ação de uma força.[14] Por outro lado, os oceanos estavam sujeitos às leis que regem o movimento dos objetos na Terra. Ao contrário de Aristóteles, que acreditava que o estado natural de um objeto é o repouso, Galileu descobriu que o movimento com velocidade constante é tão natural quanto o repouso. Esse movimento com velocidade constante é chamado de *movimento inercial*. Para que você se convença de que isso é realmente verdade, imagine-se num carro viajando com velocidade constante numa estrada reta perfeita, sem buracos. Todas as janelas estão cobertas, de modo que você não pode olhar para fora. Nesse caso, você será incapaz de dizer se o carro está andando ou se está parado; os dois estados de movimento são perfeitamente equivalentes.

Galileu tentou persuadir seus amigos cardeais a explicar suas ideias ao papa. Como nenhum deles aceitou, ele finalmente convenceu um jovem cardeal, Alessandro Orsini, a ajudá-lo. O papa não ficou nem um pouco satisfeito. De acordo com o embaixador da Toscana, o papa convocou Bellarmino assim que Orsini deixou o Santo Ofício. Os dois rapidamente decidiram que as ideias de Galileu não só estavam erradas como eram contra os ensinamentos das autoridades eclesiásticas. No dia 19 de fevereiro de 1616, duas proposições foram examinadas pelos qualificadores do Santo Ofício: *a*) que o Sol permanece imóvel no centro do cosmo e *b*) que a Terra não é nem o centro do cosmo nem permanece imóvel, mas se move como um todo e também apresenta um movimento diurno (de rotação em torno de seu eixo). A primeira proposição foi declarada "tola e absurda, filosófica e formalmente herética, já que contradiz expressamente a doutrina das escrituras sagradas em várias passagens". A segunda proposição foi declarada "filosoficamente errada, estando, com relação ao seu valor teológico, pelo menos em contradição com a fé".[15] O tom pesado dos qualificadores poderia vir a causar sérios problemas a Galileu. No entanto, esse veredicto não foi imediatamente publicado, sendo substituído por uma versão bem mais amena, assinada pela Congregação do Índice e datada de 5 de março de 1616. É fácil discernir a sabedoria de Bellarmino por trás dessa estratégia.

A congregação condenou e proibiu o livro de Foscarini, e qualquer outro livro que apoiasse o sistema de Copérnico como descrevendo o verdadeiro arranjo dos céus. Como vimos, o livro de Copérnico não foi proibido, apenas suspenso, até que certas correções fossem feitas para garantir que apresentasse o heliocentrismo como uma mera hipótese. O nome de Galileu permaneceu misteriosamente ausente do decreto publicado pela congregação. Por ordem do papa, Galileu foi advertido oralmente por Bellarmino. O interessante é que, de acordo com os arquivos da Inquisição, isso aconteceu no dia 25 de fevereiro, dois dias após os qualificadores terminarem a análise das duas proposições, mas *antes* de a congregação publicar seu decreto; parece que um compromisso foi forjado entre Galileu e Bellarmino, conforme sugeriu o historiador Richard Westfall.[16] Os arquivos da Inquisição relatam que Bellarmino advertiu a Galileu que

> ele abandonasse essas opiniões; e que, caso ele recusasse, o comissário deveria ordenar-lhe, perante um notário e testemunhas, que jamais lecionasse ou defendesse essa opinião e mesmo a discutisse; e que, caso ele mesmo assim não obedecesse, ele deveria ser aprisionado.[17]

Galileu obedeceu. Entretanto, circulavam rumores de que ele havia sido humilhado e punido pela Inquisição. A pedido de Galileu, Bellarmino produziu um documento no qual explicava que Galileu não fora forçado a abjurar e muito menos punido de qualquer forma, que apenas havia sido notificado do conteúdo da declaração produzida pela Congregação do Índice. Galileu podia voltar para casa com a cabeça erguida, mas com a boca calada. E, com isso, a primeira batalha chegou ao fim.

O CONFRONTO FINAL

Durante sete anos, Galileu permaneceu em silêncio, não escrevendo uma linha. Seu próximo livro foi *Il saggiatore* (1623), no qual, como vimos, ele se envolveu em violenta polêmica com o padre jesuíta Orazio Grassi. A essa altura, Bellarmino havia morrido e a balança de poder estava mudando rapidamente. Em 1623, o cardeal Maffeo Barberini tornou-se o papa Urbano VIII. Sete anos antes, ele havia intercedido em favor de Galileu junto à congregação. Essa era a oportunidade que Galileu estava esperando para lançar um novo ataque ao universo geocêntrico da Igreja. Ele dedicou *Il saggiatore* a Urbano, e foi recebido em seis longas audiências durante a primavera de 1624. A admiração do papa por Galileu era realmente sincera. Em 1620, ele dedicou um poema a Galileu intitulado "Adulatio perniciosa", que foi traduzido como "Adulação perniciosa", um título sem dúvida intrigante. Durante a visita de Galileu, Urbano presenteou-o com uma medalha de ouro e prata, uma pensão para seu filho e uma carta, na qual entusiasticamente recomendava Galileu para a corte toscana (Cosimo II morrera em 1621), versando sobre as virtudes "desse grande homem, cuja fama brilha nos céus e se espalha por toda a Terra". Galileu pediu permissão a Urbano para escrever um novo livro, no qual ele confrontaria os sistemas ptolomaico e copernicano. É possível que Galileu tenha convencido Urbano de que sua teoria das marés era a prova definitiva do movimento da Terra. O papa concordou, mas insistiu em que o texto deixasse claro que Deus, através de um milagre, poderia promover o ir e vir das marés diariamente; mesmo que a hipótese copernicana fosse melhor do que a ptolomaica para explicar os fenômenos, não se poderia jamais excluir a possibilidade de que Deus seja a causa final de tudo que observamos.

Galileu terminou a versão original do *Diálogo sobre o fluxo e refluxo das marés* em janeiro de 1630. O *Diálogo* é um relato de uma discussão entre três personagens: Salviati, Sagredo e Simplício. Salviati era o porta-voz de Galileu, enquanto Sagredo era um homem instruído e interessado que, apesar de presumivelmente neutro, em geral acabava concordando com Salviati. Simplício era o aristotélico, sempre sendo astutamente corrigido e humilhado pelos argumentos de Salviati. Embora Galileu tenha afirmado que o nome Simplício foi inspirado pelo comentador de Aristóteles do século VI d.C., o sarcasmo da escolha era bastante óbvio.

A ação se dava durante quatro dias, nos quais os sistemas ptolomaico e copernicano são comparados sob diferentes ângulos. A primeira jornada é dedicada à explicação da visão aristotélica do Universo, como, por exemplo, a divisão do cosmo entre os domínios do ser e do devir. A posição de Salviati é que não deveria existir uma distinção entre os dois domínios, a física dos céus sendo idêntica à física na Terra. Salviati defendeu sua posição citando as várias observações astronômicas de Galileu que provavam, por exemplo, que a Lua e o Sol estavam longe de serem perfeitos. A segunda jornada é dedicada à discussão de vários argumentos aristotélicos contra o movimento da Terra. Por exemplo, o trio discute animadamente a afirmação de que objetos em queda livre ou mesmo nuvens seriam deixados para trás se a Terra realmente se movesse. Galileu usa todo seu conhecimento da física de objetos em movimento para mostrar que essa afirmação não faz sentido. Imagine uma pessoa sentada na praia, observando uma grande caravela passando não muito distante da costa. Usando seus binóculos, essa pessoa observa que um marinheiro deixou cair uma pedra do alto do mastro principal. A pedra não é "deixada para trás", porque ela tem a mesma velocidade horizontal da caravela. Galileu descobriu que o movimento da pedra (e de qualquer outro "projétil") pode ser dividido em duas partes, uma horizontal, com velocidade constante igual à da caravela, e outra para baixo, com aceleração constante (queda livre). Esse é um exemplo do que chamamos de "movimento de projéteis" em física, cujo estudo iria novamente ocupar Galileu durante os últimos anos de sua vida. Outro exemplo, um pouco mais dramático do que a pedra e a caravela, é a trajetória de bombas lançadas de um avião. A bomba tanto se move para a frente (com a mesma velocidade do avião) como cai verticalmente para baixo, seu movimento final sendo uma combinação desses dois componentes.

Apesar de todos seus astutos argumentos mostrando que Simplício estava errado, Galileu ainda não havia provado que a Terra realmente se move. A tensão aumentava cada vez mais, para atingir o clímax no último dia. Na terceira jornada, o trio aborda as diferenças entre os arranjos ptolomaico e copernicano dos céus. De modo a convencer Simplício da superioridade do modelo copernicano, Galileu adota uma versão extremamente simplificada, deixando de lado todas as complicações relacionadas com epiciclos e o fato de o Sol não estar exatamente no centro. Talvez devido à sua crença na "inércia circular" dos objetos celestes, Galileu nunca aceitou as órbitas elípticas de Kepler. Ele preferiu adotar um esquema mais geral na sua astronomia, de forma a não se prender aos inúmeros detalhes típicos do estudo dos movimentos planetários. Pode-se também argumentar que Galileu maliciosamente representou o sistema de Copérnico de forma superficial, para que ele servisse a seus propósitos.

Enfim, na quarta jornada, chega a hora de apresentar a prova definitiva do movimento da Terra, baseada na teoria das marés. Era também chegada a hora de satisfazer as exigências de Urbano VIII. Simplício começa o debate sugerindo que as marés podem ser explicadas pela intervenção miraculosa de Deus. Salviati responde sarcasticamente que, já que

> *devemos introduzir um milagre* para explicar o ir e vir dos oceanos, por que não fazer com que a Terra se mova milagrosamente de modo a causar o movimento dos oceanos? Essa operação seria sem dúvida, dentre os possíveis milagres, muito mais simples e natural, já que é mais fácil fazer com que um globo gire [...] do que fazer uma imensa quantidade de água mover-se para a frente e para trás [grifo meu].

O texto deixa bastante claro que Salviati está sendo forçado a introduzir um milagre, já que ele não acredita que um milagre seja necessário. Mais importante ainda, é Galileu (Salviati) que sabe como Deus deve operar e não o papa (Simplício). Se Deus deve realmente usar um milagre, que seja o mais simples possível. Dar movimento à Terra como um todo é um milagre muito mais simples do que ter que promover diariamente o ir e vir das marés. Certamente Deus é mais esperto do que isso...

Após a exposição detalhada do modelo de Salviati para a teoria das marés, Simplício invoca novamente o poder infinito de Deus:

Tendo sempre em mente a mais sólida doutrina que ouvi *de uma pessoa eminente e sábia, e perante quem devemos nos calar*, sei que se eu houvesse perguntado a vocês dois se Deus em seu poder e sabedoria infinita poderia impor à massa de água seus movimentos diários sem mover seu vaso contenedor [i. e., a Terra], vocês dois me responderiam que Ele poderia, e que Ele o faria de modos que nossas mentes jamais poderiam imaginar. Portanto, concluo que seria muita arrogância limitar e restringir o poder e sabedoria divina à imaginação particular de um indivíduo qualquer [grifo meu].

As palavras de Urbano são ditas por Simplício, o tolo aristotélico que foi continuamente humilhado por Salviati durante o debate.

Em maio de 1630, Galileu vai a Roma para se assegurar de que ele poderia prosseguir com a publicação do manuscrito. O papa recebeu-o numa longa audiência, confirmando que ele não tinha nenhuma objeção contra a apresentação dos méritos do sistema copernicano, contanto que fosse tratado como uma hipótese. Ele não gostou do título, com sua menção direta ao problema das marés, e sugeriu como alternativa *Diálogo sobre os dois grandes sistemas do mundo*. Como ele não tinha tempo de ler o manuscrito, encarregou o padre Niccolo Riccardi, mestre do palácio e principal censor e licenciador, de fazer possíveis correções ao texto. Riccardi não estava com pressa. Fora suas dificuldades em compreender as nuances do texto, ele tinha que lidar com a constante pressão de Galileu e seus aliados para acelerar as coisas o máximo possível. Riccardi foi astutamente convencido a deixar a revisão do texto nas mãos de um inquisidor de Florença escolhido pelo próprio Galileu. Mesmo assim, temeroso das consequências de sua decisão, Riccardi escreveu duas cartas a Galileu. Na primeira, datada de 24 de maio de 1631, ele lembra Galileu de que

> é intenção de Sua Santidade que o título e conteúdo não sejam sobre o fluxo e refluxo [das marés] mas apenas sobre a consideração matemática da posição de Copérnico com re-

lação ao movimento da Terra, de modo a provar que, exceto através da revelação divina e da Santa Doutrina, seria possível salvar os fenômenos com essa posição, resolvendo todas as críticas que tanto a experiência como a filosofia peripatética [aristotélica] poderiam avançar. Mas a verdade absoluta jamais pode ser associada a essa posição, que deve ser considerada apenas como hipótese, e sem a inclusão das escrituras sagradas no argumento.[18]

A primeira parte da carta refere-se ao título original proposto por Galileu, que chamava a atenção para o problema das marés. O título final do livro ficou sendo simplesmente *Diálogo*.[19] Seguindo a orientação do papa, Riccardi autoriza Galileu a refutar os argumentos dos aristotélicos em favor do copernicanismo, contanto que essa posição seja "considerada apenas como hipótese, e sem a inclusão das escrituras sagradas". A verdade absoluta é reservada para a revelação divina e para a Santa Doutrina. Numa segunda carta, datada de 19 de julho, Riccardi lembra Galileu de que ele deve "incluir os argumentos baseados na onipotência divina ditados por Sua Santidade, que devem acalmar o intelecto, mesmo que seja impossível evitar a doutrina pitagórica [copernicana]". Parece que Riccardi estava tentando salvar sua própria pele, como que pressentindo a força da tempestade iminente.

As primeiras cópias do *Diálogo* apareceram em fevereiro de 1632. Em agosto, sua venda foi proibida, e, em outubro, Galileu, com quase setenta anos de idade, foi convocado mais uma vez a comparecer diante da Inquisição, em Roma. De acordo com Francesco Niccolini, embaixador da Toscana em Roma, o papa estava furioso com Galileu. Como ele ousou submeter Deus às necessidades mundanas? O papa se sentiu enganado e traído por alguém que ele tanto admirava. A esse ultraje pessoal, podemos adicionar as sérias implicações do trabalho de Galileu para a reputação da Igreja em plena Guerra dos Trinta Anos. Esse não era o momento de questionar a autoridade do papa e de toda a Igreja católica. Galileu tinha de ser punido, e a integridade moral da Igreja tinha de ser restaurada.

Por razões de saúde, Galileu adiou sua chegada a Roma até fevereiro de 1633. No dia 12 de abril, ele foi interrogado pela primeira vez. O inquisidor leu o documento de 1616, no qual estava escrito que Galileu não podia de modo algum ensinar ou defender as ideias de Copérnico. Galileu respondeu que ele não se lembrava das palavras *ensinar* ou *de modo algum*, e apresentou cópia do certificado de Bellarmino, que de fato não usava essas palavras. Quando o inquisidor perguntou a Galileu se ele havia mostrado cópias desses documentos ao padre Riccardi durante suas negociações, Galileu respondeu que ele não achou que isso fosse necessário, "pois eu nunca mantive ou defendi nesse livro a opinião de que a Terra se move e que o Sol é estacionário, mas demonstrei *o oposto da opinião de Copérnico, provando que seus argumentos são fracos e inconclusivos*". Quase posso ver as bocas abertas dos inquisidores ao ouvirem esse depoimento. Será que Galileu estava tão cego diante da urgência de sua missão a ponto de achar que seus oponentes eram tão tolos assim? Mesmo que surpreendente, esse foi o tom de toda sua defesa; que ele não havia feito nada de errado e que jamais apoiara o sistema de Copérnico. Não é muito difícil prever que essa estratégia não funcionou.

Poucos dias após o interrogatório, algo inesperado aconteceu. Galileu foi abordado pessoalmente pelo comissário geral da Inquisição, padre Vincenzo Maculano. O resultado desse encontro foi resumido numa carta de 28 de abril, enviada por Maculano ao cardeal Francesco Barberini, irmão do papa e um dos juízes no julgamento. Abaixo cito algumas partes da carta, que demonstram claramente quais eram as intenções e maquinações da Igreja:

> Suas Eminências [os inquisidores] aprovaram o que foi feito até agora e consideraram as várias dificuldades relacionadas a esse caso, de modo a levá-lo a uma rápida conclusão. Especificamente, como Galileu insistiu em negar o que era evidente em seu livro, seria necessário maior rigor nos procedimentos e menos cuidado com outros fatores importantes nesse caso. Finalmente, sugeri um plano de ação, que a Santa Congregação me concedesse o poder de tratar

extrajudicialmente com Galileu, de modo a convencê-lo de seus erros e, caso ele os reconhecesse, de levá-lo a uma confissão [...] Para evitar qualquer perda de tempo, conversei com Galileu ontem à tarde e, após vários argumentos, pela graça de Deus, atingi meu objetivo, fazendo com que ele aceitasse a enormidade de seus erros e que concordasse que foi longe demais em seu livro [...] Sua Eminência ficará satisfeita em saber que desse modo poderemos finalmente concluir esse caso sem dificuldades. A corte manterá sua reputação e será possível lidar com o culpado de forma leniente [...] Devo apenas conversar mais uma vez com Galileu a respeito de suas intenções e para receber seu plano de defesa; uma vez feito isso, ele receberá uma pena de prisão domiciliar, conforme Sua Eminência havia sugerido anteriormente [...]

Na audiência seguinte, Galileu confessou seus erros. Chegou até a se prontificar a escrever uma nova versão do *Diálogo*, adicionando uma ou duas jornadas, nas quais ele prometeu que iria "retomar os argumentos contra a dita opinião [o movimento da Terra e a estabilidade do Sol], que é falsa e foi condenada, e de fazê-lo da forma mais eficaz que, com a bênção de Deus, me será permitida".

Galileu estava com medo. Ele afinal aceitou que não conseguiria mudar a opinião da Igreja através de seus argumentos e astúcia. Não tinha outra escolha senão submeter-se às demandas dos inquisidores. A Inquisição atingiu seu objetivo de humilhar um homem que se achava invencível. Felizmente para Galileu, os inquisidores não levaram a sério sua oferta de emendar o *Diálogo*.

Após mais algumas sessões, os inquisidores enfim decidiram qual seria a sentença. O *Diálogo* foi proibido; Galileu não só deveria abjurar a opinião de Copérnico, como também seria condenado à prisão domiciliar até o final de sua vida. Mais ainda, durante três anos ele deveria repetir diariamente sete salmos penitenciais.[20]

E assim, no dia 22 de junho de 1633, Galileu ajoelhou-se perante os inquisidores, sua voz ecoando nas indiferentes paredes da igreja Santa Maria sopra Minerva:

> [...] com o coração sincero e absoluta fé eu abjuro, amaldiçoo e deploro todos os erros e heresias mencionados anteriormente, e quaisquer outros erros e heresias contra a Santa Igreja, e juro que no futuro jamais mencionarei, oralmente ou por escrito, qualquer coisa que levante suspeitas semelhantes contra mim [...][21]

De acordo com uma lenda bem suspeita, quando Galileu finalmente se pôs de pé, ele sussurrou as palavras "eppur si muove", "e mesmo assim ela se move". Verdadeira ou não, essa lenda simboliza a força com que Galileu acreditava em suas ideias, que nem mesmo a humilhação sofrida durante o longo julgamento abalou. E ele certamente teve a palavra final. Cópias do *Diálogo* foram contrabandeadas para fora da Itália, de modo que em 1635 traduções em latim podiam ser encontradas com facilidade por toda a Europa. Quando Galileu retornou a Florença, ele começou a trabalhar no livro que talvez seja sua obra-prima, *Duas novas ciências*, publicada em Leiden em 1638.[22]

Nesse livro Galileu aplica seu princípio de que a Natureza sempre atua do modo mais simples possível para apresentar uma análise quantitativa do movimento dos objetos. Combinando experimentos com dedução geométrica, Galileu obteve relações matemáticas descrevendo o movimento de projéteis e dos corpos em queda livre. Seus resultados foram cruciais para o trabalho de Newton, que unificou as leis regendo o movimento dos corpos na Terra com as leis regendo o movimento dos corpos celestes. No terceiro dia de discussão, Sagredo proclama proficamente:

> Acredito verdadeiramente que, como algumas propriedades do círculo demonstradas por Euclides no terceiro livro de seus *Elementos* conduziram a inúmeras outras menos conhe-

cidas, da mesma forma as demonstrações estabelecidas neste breve tratado, quando forem conhecidas por outros espíritos especulativos, abrirão o caminho a inúmeros outros resultados ainda mais maravilhosos. E pode-se acreditar que assim será, se considerarmos a nobreza desse assunto, sobre todos os outros assuntos naturais.[23]*

Galileu morreu em 1642, o mesmo ano em que nasceu Isaac Newton. Seus restos mortais, com exceção de três ossos, podem ser encontrados na igreja de Santa Croce, perto dos restos de Michelangelo e de Maquiavel. Os três ossos que estão faltando, do dedo médio de sua mão direita, estão expostos sob uma redoma de vidro no Museu de História da Ciência em Florença, apontando ameaçadoramente na direção dos visitantes.

O episódio de Galileu com a Igreja serve como um poderoso símbolo para nos lembrar como a ambição em excesso pode corromper até mesmo a mais sincera devoção a uma causa. Isso é tanto verdade para Galileu como para o papa e os inquisidores. É muito fácil culpar a Igreja pelo que aconteceu, dizer que a voz da razão e da liberdade foi silenciada pela ignorância e pelo medo de mudanças. Sem dúvida, é verdade que a ação da Igreja criou uma barreira para um diálogo entre ciência e religião que não só está presente ainda hoje, como pode vir a ter sérias repercussões sociais. Como exemplo posso citar as mudanças dos currículos de escolas primárias sugeridas por criacionistas nos Estados Unidos, querendo banir o ensino da teoria da evolução por contradizer a Bíblia. É também verdade que a Igreja falhou em reconhecer que a voz de Galileu não era a de um herético, mas a voz de uma nova visão de mundo, que por fim teria de ser confrontada não só pela Igreja católica, mas também por protestantes, judeus, muçulmanos e demais religiões do planeta.

A atitude de Galileu, no entanto, não poderia ter sido mais desastrosa: na sua cruzada contra a ignorância, ele perdeu a noção

---

* Tradução de Letizio Mariconda e Pablo R. Mariconda (op. cit., p. 195).

de suas próprias limitações, subestimando o poder de seus oponentes. É frustrante pensar que, com um pouco mais de tato, talvez Galileu pudesse ter atingido seu objetivo, embora a História não se preocupe muito com esse tipo de especulação. As ações de Galileu tornaram a Igreja que ele tanto desejava servir numa inimiga, contra suas ideias e contra seus discípulos. Ele não sofreu os terrores da tortura nem foi aprisionado num calabouço úmido e sombrio, mas viu-se privado de seu direito mais fundamental, o de expressar livremente suas ideias e descobertas. Por ironia, a Igreja agiu tarde demais, tentando abafar com cobertores um incêndio de proporções épicas.

5. O TRIUNFO DA RAZÃO

A Natureza e Suas Leis escondiam-se na Escuridão:
E Deus disse: "Faça-se Newton!", e Tudo se iluminou.
Alexander Pope

SERÁ POSSÍVEL exagerarmos a importância do legado científico de Newton? Certamente não; pois é consenso geral que, das obras que são parte da história intelectual da humanidade, pouquíssimas deixaram uma marca tão profunda quanto a de Newton. Seu trabalho representa o clímax da Revolução Científica, uma solução magnífica do problema do movimento dos corpos celestes que desafiara filósofos desde os tempos pré-socráticos. Ao conceber sua solução, Newton erigiu uma estrutura conceitual que iria dominar não só a física, como também a visão coletiva de mundo até o início do século XX.

A razão principal do enorme impacto que as ideias newtonianas tiveram no desenvolvimento intelectual da cultura ocidental pode ser remontada à enorme eficiência com que Newton aplicou a matemática à física. Com uma clareza de raciocínio extraordinária, ele mostrou que todos os movimentos observados na Natureza, desde a familiar queda de uma gota de chuva até a trajetória cósmica dos cometas, podem ser compreendidos em termos de simples leis de movimento expressas matematicamente. O raciocínio quantitativo tornou-se sinônimo de ciência, e com tal sucesso que a metodologia newtoniana foi transformada na base conceitual de todas as áreas de atividade intelectual, não só científica, como também política, histórica, social e até moral. Como comentou Isaiah Berlin, "nenhuma esfera do pensamento ou da vida escapou às consequências dessa mutação cultural".[1]

O gênio de Newton não conhecia fronteiras. Seu apetite pelo saber transcendia o estudo do que hoje chamamos de ciência. Talvez ele tenha devotado mais tempo aos seus estudos em alquimia e teologia, investigando detalhadamente questões que incluíam desde a transmutação dos elementos até a cronologia de episódios bíblicos e a natureza da Santíssima Trindade.

Embora corretamente aprendamos na escola que a física newtoniana é um modelo de pura racionalidade, desonraríamos a memória de Newton se desprezássemos o papel crucial de Deus em seu Universo. Talvez seja verdade que para entender seus achados científicos não precisamos investigar seus interesses de natureza mais metafísica. Mas sua ciência é apenas metade da história. Newton via o Universo como manifestação do poder infinito de Deus. Não é exagero dizer que sua vida foi uma longa busca de Deus, uma longa busca de uma comunhão com a Inteligência Divina, que Newton acreditava dotar o Universo com sua beleza e ordem. Sua ciência foi um produto dessa crença, uma expressão de seu misticismo racional, uma ponte entre o humano e o divino.

O DESPERTAR DO GÊNIO

A história desse "rapaz pensador, sombrio e silencioso"[2] começa no dia de Natal de 1642, no solar de Woolsthorpe, em Lincolnshire. Lá encontraremos o pequeno e frágil Isaac, filho de Hannah Ayscough Newton, viúva há pouco tempo. O pai de Newton, também chamado Isaac, havia morrido três meses antes de seu nascimento, deixando Hannah encarregada de tomar conta da propriedade. Os Newton faziam parte de uma pequena minoria que conseguira prosperar, apesar da concentração cada vez maior de riqueza, que aumentava as diferenças sociais na Inglaterra rural. Embora relativamente afluentes, os Newton eram analfabetos. De fato, foi graças à influência dos Ayscough que Isaac foi o primeiro Newton capaz de assinar seu nome. Hannah podia escrever (muito mal), como mostram algumas cartas, bastante afetuosas por sinal, escritas a seu filho. Seu irmão William era um ministro anglicano na vila vizinha de Colsterworth, diplomado pela Universidade de Cambridge.

O fraco Isaac nasceu sem pai e estava prestes a perder também sua mãe. Quando Newton tinha três anos de idade, Hannah casou-se com Barnabas Smith, um ministro de 63 anos, e mudou-se para a vila vizinha de North Witham, situada a três quilômetros de Lincolnshire. Smith não queria que Isaac morasse em Witham, e fez com que ele ficasse aos cuidados de sua avó, em Woolsthorpe. A partida da mãe deixou um vazio emocional que iria perseguir Newton pelo resto de sua vida. Ele nunca se casou e, ao que parece, morreu virgem. Sua frustração emocional ficaria para sempre trancafiada em seu interior, sua energia sobre-humana dedicada a uma furiosa e obsessiva devoção ao seu trabalho criativo.

Nove anos após a morte de seu padrasto, Newton preparou uma lista dos pecados que ele havia cometido no decorrer de sua vida. Dentre vários, um representa claramente seus sentimentos em relação ao padrasto e à mãe: "Ameaçar minha mãe e meu padrasto de queimá-los vivos e de queimar a casa sobre eles".[3] Apesar de eu não ter a pretensão de compreender os segredos da mente de Newton, é certo que sua frustração e sua raiva irão influenciá-lo profundamente por toda a vida. Ele tornou-se um homem amargo e torturado, desconfiado de tudo e todos, sempre à beira de uma crise nervosa.

Quando Newton trabalhava num problema, o mundo à sua volta deixava de existir. Sua concentração era tamanha que até se esquecia de comer, beber ou dormir, apenas cedendo aos gritos de desespero de seu corpo com muita relutância. Quando eu trabalhava como pós-doutorando no Fermi National Accelerator Laboratory, um laboratório de física de altas energias situado nos arredores de Chicago, sempre ficava impressionado ao encontrar tantos colegas trabalhando num domingo à tarde ou num sábado à noite.[4] Claro, eu também estava lá, mas, mesmo assim, nós sempre descíamos até a cantina para tomar um café (horrível, por sinal) ou comer uma barra de chocolate ou um sanduíche. E, por fim, todos íamos para casa dormir. Mas Newton não era assim. Ele apenas trabalhava. Enquanto a maioria dos cientistas consegue focar sua atenção num problema por apenas alguns instantes, Newton o fazia por horas ou até dias sem interrupção. Dotado de um incrível poder de concentração, uma intuição genial, uma devoção obsessiva e uma enorme habilidade matemática, ele tinha todos os ingredientes necessários para garantir seu sucesso como cientista; porém ele tinha ainda muito mais que apenas os ingredientes necessários.

Planejando que o filho a ajudaria na administração de sua propriedade, Hannah fez questão de que ele recebesse uma boa educação, especialmente após a morte de Barnabas, em 1653. Logo se tornou claro que Newton não tinha interesse ou talento para questões agrárias. Ele também não se distinguiu particularmente como aluno, pelo menos dentro do currículo adotado pelas escolas rurais dessa época, que consistia basicamente em uma introdução ao grego, latim e hebraico. Entretanto, Newton aprendeu um pouco de geometria usando as notas de Henry Stokes, o diretor da pequena escola local de Grantham. Stokes tomou Newton como seu pupilo e, sob seu treinamento, ele foi aceito pelo Trinity College da Universidade de Cambridge na primavera de 1661.

Mesmo que Copérnico tivesse publicado seu livro havia mais de cem anos, e que as descobertas de Kepler e Galileu houvessem (em princípio) demolido a visão de mundo medieval, o currículo de Cambridge ainda era firmemente baseado no pensamento aristotélico. Em Cambridge, como na maioria das universidades europeias da época, uma educação liberal consistia no *trivium* (retórica, gramática e lógica), seguido do *quadrivium* (geometria, aritmética, música e astronomia), que incluía uma introdução à física aristotélica e à geometria euclidiana. Entretanto, durante a primavera de 1664, a vida de Newton tomou um novo rumo: ele descobriu os trabalhos dos filósofos franceses René Descartes e Pierre Gassendi, e de outros que estavam propondo uma nova visão de mundo. Newton devorou esses trabalhos, produzindo uma longa lista de questões a serem eventualmente abordadas, as quais ele anotou num livro em branco achado na biblioteca de Barnabas Smith. Na primeira página do livro ele escreveu *Amicus Plato amicus Aristoteles magis amica veritas*, "Platão é meu amigo; Aristóteles é meu amigo; mas minha melhor amiga é a verdade". Ele descobrira sua verdadeira vocação: iria se dedicar à filosofia natural.

Por intermédio dos trabalhos de Descartes e Gassendi, Newton foi introduzido à nova "filosofia mecanicista", um termo inventado pelo grande químico Robert Boyle, que mais tarde iria se corresponder com Newton a respeito da alquimia. Os trabalhos dos franceses representavam uma nova atitude em relação ao estudo da Natureza, elaborada em detalhe por Francis Bacon, que dissera que o único caminho viável para "controlarmos" a Natureza é mediante uma combinação de raciocínio dedutivo e experimentação.[5] Descartes fazia uma clara distinção entre mente e matéria, a mente sendo indivisível, o centro do ser (o sujeito oculto do famoso "Penso, logo existo"), enquanto a matéria, infinitamente divisível, é o meio inerte através do qual a mente opera. A matéria tem extensão, enquanto a mente não é mensurável. Qualquer fenômeno da Natureza pode ser explicado por interações mecânicas entre seus componentes materiais. Entretanto, ao contrário da filosofia atomista, que acreditava que átomos indivisíveis moviam-se através do espaço vazio, Descartes postulou que o espaço não pode ser vazio, sendo preenchido por algum tipo de matéria; se o espaço vazio (ou vácuo) existisse, teria extensão infinita e, portanto, poderia ser equacionado com a matéria.

De modo a explicar os movimentos do sistema solar, Descartes criou um intrincado sistema de vórtices que transportavam os planetas em suas órbitas ao redor do Sol. Numa imagem mais mundana, capaz de ajudar a visualização do efeito imaginado por Descartes, podemos imaginar o vórtice criado em torno de um ralo de uma banheira que se esvazia, cercado de rolhas flutuando ao seu redor. Já a luz seria uma espécie de pressão propagando-se através do *plenum* material. Descartes acreditava que objetos materiais só podem interagir através do contato direto, como bolas de bilhar. Ele condenou a "ação à distância", ou seja, a possibilidade de um objeto influenciar outro sem contato físico direto, como uma forma de animismo.

Em contraste com a filosofia dualista de Descartes, o pensamento de Gassendi era fortemente influenciado pela antiga tradição atomista dos pré-socráticos. Gassendi acreditava que a luz não era uma espécie de pressão propagando-se através de um meio material, mas átomos movendo-se no vazio a uma velocidade muito grande. As notas de Newton estão repletas de discussões sobre as ideias cartesianas e atomistas, embora seja bastante clara sua predileção pelas ideias atomistas desde o início de seus estudos.

Ao terminar seu bacharelado na primavera de 1665, Newton tinha não só assimilado o trabalho de seus predecessores, como também iniciado uma investigação sobre a física do movimento e da luz que iria moldar o resto de sua carreira científica. Enfatizo a palavra *científica* porque esse não era o único foco de sua atenção. Longe disso. Uma apreciação adequada do seu intelecto não pode desprezar sua devoção à alquimia e à teologia. Ele era um indivíduo multidimensional, que tentou entender o mundo ao seu redor através de vários caminhos. Dedicou-se ao estudo da alquimia e da teologia do mesmo modo que se dedicou ao estudo da física, lendo tudo o que havia sido escrito sobre determinado assunto para, então, recriá-lo a seu próprio modo. A historiadora Betty Jo Teeter Dobbs, autoridade nos escritos alquímicos de Newton, assevera que "ele explorou a vasta literatura da velha alquimia como ela jamais havia sido explorada antes ou depois dele".[6] É possível que, em sua devoção à alquimia, Newton estivesse buscando uma qualidade espiritual ausente nos rigores de seu trabalho em física e matemática. Essa busca pode também explicar sua devoção, igualmente intensa, pela teologia, à qual Newton dedicou vários milhões de palavras, a maior parte ainda não publicada.

Contudo, é possível também argumentar que a ciência, a alquimia e a teologia representavam aspectos complementares da busca de Newton do divino. O fato de a ciência ser racional não a distancia necessariamente do divino. Essa separação depende de maneira crucial da interpretação subjetiva do que cada cientista entende por "divino". Vimos que a interpretação mística dos números como a linguagem da Natureza desenvolvida pelos pitagóricos foi absorvida na construção geométrica do cosmo elaborada por Kepler. O poder da matemática em descrever eficientemente o mundo ao nosso redor é de fato impressionante.

Para Newton, a Natureza era uma manifestação da inteligência infinita de Deus. A racionalidade de sua ciência era carregada de espiritualidade.

A MAÇÃ DA SABEDORIA

Entre o verão de 1665 e o de 1667 várias epidemias de peste bubônica forçaram Newton a retornar a Woolsthorpe. Durante esses dois anos, o gênio de Newton explodiu com uma intensidade quase sobre-humana. Não que a explosão tenha ocorrido de uma vez só. As notas científicas de Newton, produzidas em 1664 e parte de 1665, mostram um domínio de matemática provavelmente superior a de qualquer outra pessoa em toda a Europa na época. Os resultados a que ele chegou durante os dois "anos da peste" se fundamentavam decerto nessa sólida base conceitual. Mas a originalidade e a enorme quantidade de ideias que brotaram de sua mente em tão curto período de tempo são realmente incríveis. O próprio Newton lembrou-se, bem mais tarde, desses dois anos com uma ponta de nostalgia. Alguns de seus biógrafos referiram-se a esses dois anos como *anni mirabilis*, ou "anos maravilhosos". Nas palavras de Newton:

> No início de 1665 encontrei um método para a aproximação de séries e a regra para expressar qualquer potência de qualquer binômio nos termos dessas séries. No mesmo ano, em maio, descobri o método de tangentes de Gregory e Slusius e, em novembro, o método direto de fluxões [o que nós hoje chamamos de cálculo diferencial], e no ano seguinte, em janeiro, a teoria das cores e, em maio, o método inverso de fluxões [o que nós chamamos de cálculo integral]. No mesmo ano comecei a pensar na força da gravidade estendendo-se até a órbita da Lua e, [...] usando a regra de Kepler para os períodos dos planetas [proporcional à distância do centro de suas órbitas elevada à potência de 3/2], deduzi que as forças que mantêm os planetas em órbita têm de

ser inversamente proporcionais ao quadrado da distância entre os planetas e o centro de suas órbitas; e daí comparei a força necessária para manter a Lua em sua órbita com a força da gravidade na superfície da Terra e descobri que elas concordam de modo bastante satisfatório. Tudo isso ocorreu durante os "anos da peste" 1665-1666. Pois nesses dias eu estava no auge da minha inventividade e me preocupava com matemática e filosofia mais do que em qualquer período desde então.[7]

Vamos examinar algumas das descobertas de Newton durante os "anos da peste", já que elas irão ter um papel crucial nos seus futuros trabalhos em óptica, mecânica e gravitação. Seu mentor em Cambridge, Isaac Barrow, o primeiro professor lucasiano de matemática, despertou seu interesse inicial por óptica. Newton realizou experimentos com prismas (cristais em forma de pirâmide), lentes e espelhos, na tentativa de desvendar as propriedades físicas da luz. Ele sabia que, quando a luz do Sol passa por um prisma, ela se decompõe nas sete cores do arco-íris: vermelho, laranja, amarelo, verde, azul, azul-marinho e violeta. Entretanto, ele foi além do estilo da maioria dos físicos de seu tempo, desenvolvendo uma série de estudos *quantitativos* da natureza dessa decomposição, medindo os ângulos pelos quais as diferentes cores se desviavam (ou *refratavam*) de sua trajetória original ao passar pelo prisma. Sua ênfase em experimentação era radicalmente diferente das descrições qualitativas apresentadas por outros filósofos naturais que estavam estudando as propriedades da luz na época.

A partir de seus delicados e acurados experimentos, Newton descobriu que a razão pela qual diferentes cores são refratadas a diferentes ângulos é o fato de cada cor ter uma velocidade diferente ao atravessar o prisma, que funcionava como uma espécie de "filtro" de cores; quanto mais devagar uma determinada cor se propagava através do prisma, maior seu ângulo de refração. Ajustando os ângulos de vários prismas posicionados uns sobre os outros, Newton podia fazer com que as diferentes cores se recombinassem, transformando-se em luz branca outra vez. Ele concluiu que a luz branca nada mais era além do produto da superposição das sete cores do arco-íris. Esse resultado contraintuitivo opunha-se radicalmente à teoria das cores aceita então, que afirmava que a luz branca era pura e que as diferentes cores apareciam devido à interação da luz branca com meios diferentes, como, por exemplo, um prisma, ou devido à reflexão da luz branca por objetos coloridos. Newton acreditava que seus resultados ofereciam forte apoio à teoria corpuscular, ou atomista, da luz, sendo cada cor feita de um tipo diferente de átomo, que permanecia inalterado ao se propagar através de meios diferentes; porém, ele só iria defender abertamente esse ponto de vista muitos anos mais tarde.

Newton também não gostava da teoria criada por Descartes para explicar o movimento dos planetas, baseada nos seus vórtices cósmicos. Mas, se as ideias de Descartes estavam erradas, como explicar a dinâmica do sistema solar? Para Newton, assim como para muitos outros filósofos naturais do século XVII, o maior desafio para a nova ciência do movimento era a explicação da estabilidade das órbitas planetárias. Essa questão não só envolvia uma compreensão da natureza das forças que mantinham os planetas em órbita, como também tornava clara a necessidade de uma nova matemática capaz de lidar com o movimento. Afinal, se queremos descrever o movimento de uma partícula no espaço, temos de calcular como sua posição muda com o passar do tempo; isto é, temos de encontrar a solução de uma equação matemática que descreva o movimento da partícula. Essa nova matemática é o que hoje chamamos de cálculo, e o que Newton chamou de *fluxão*. Uma vez em posse dessa ferramenta, Newton podia começar a desenvolver a nova ciência do movimento. Contudo, só muito tempo depois dos "anos da peste" é que ele obteria as novas leis do movimento em sua forma final.

Enquanto Newton estava em Woolsthorpe, ele se interessou pelo problema do movimento circular, que também ocupava a mente de outro grande cientista do século XVII, o holandês Christian Huygens. Huygens inventou o termo *força centrífuga*, para

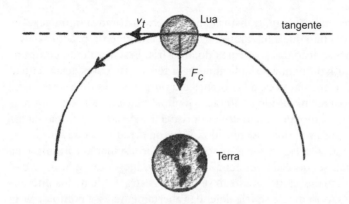

Figura 5.1: Movimento circular: a força centrípeta (F_c) aponta na direção do centro da Terra. Se a atração gravitacional da Terra for "desligada", a Lua viajará na direção tangencial com velocidade constante v_t.

explicar a força apontando "para fora" sentida por um corpo em movimento circular. (Por exemplo, a força que você sente em um carrossel.) Para estudar o movimento circular, Newton imaginou o movimento de uma pedra amarrada a uma corda. Se uma pessoa faz com que a pedra gire sobre sua cabeça, o movimento circular da pedra é o resultado de um equilíbrio entre a força centrífuga e a tensão na corda. Mais tarde ele iria perceber que essa explicação não é exatamente correta, que o movimento circular é causado por uma força *centrípeta*, que aponta na direção do centro da órbita (a mão segurando a corda). Por exemplo, se pudéssemos "desligar" subitamente a força gravitacional entre a Lua e a Terra, a Lua iria se mover em uma linha reta com velocidade constante, tangente à sua órbita (ver figura 5.1). Ela não iria se mover radialmente (do centro para fora), como se uma força centrífuga a estivesse empurrando nessa direção. (Isso, claro, também é verdade para a pedra em movimento circular, como você pode facilmente verificar.) A força centrípeta faz com que um corpo "entre em órbita", desviando-o do movimento inercial em linha reta que ele teria na sua ausência.

Um dia, cansado de pensar sobre as intrincadas propriedades

do movimento circular, Newton decidiu repousar sob uma das várias macieiras no pomar de Woolsthorpe. Conhecemos o resto dessa história: ao observar uma maçã cair no chão (ou será que foi na sua cabeça?), Newton se perguntou se a mesma força responsável por atrair a maçã ao chão não poderia ser também responsável pela órbita da Lua. Ele conhecia a descrição de Galileu da queda livre como um movimento acelerado para baixo. Talvez a Lua também estivesse caindo, mas sua queda seria de alguma forma balanceada pela força centrífuga, causando como resultado sua órbita circular em torno da Terra. Mesmo que a argumentação de Newton não estivesse exatamente correta (a força importante é a força centrípeta), ele ainda assim podia usá-la para provar que a força agindo sobre a maçã e sobre a Lua decrescia de modo proporcional ao quadrado da distância ao centro da Terra, ao menos "bem satisfatoriamente". Essa ainda não é sua teoria da gravitação universal de vinte anos depois, mas claramente as primeiras sementes haviam começado a germinar. Nas palavras de Richard Westfall, "alguma ideia flutuava na fronteira de seu inconsciente, ainda não de todo formulada, não perfeitamente em foco, mas sólida o suficiente para não desaparecer. Ele ainda era jovem e tinha tempo para pensar sobre isso com o cuidado requerido por assuntos dessa importância".[8] Grandes teorias não aparecem nas mentes de cientistas como por mágica, mas tomam tempo para florir. O famoso grito de "Heureca!" é mais um grito de alívio mental do que causado por uma súbita revelação da verdade.

O SISTEMA DO MUNDO

Newton voltou para Cambridge em abril de 1667, pronto para começar sua ascensão no mundo acadêmico. Em outubro ele se tornou membro do Trinity College, jurando solenemente que "vou abraçar a verdadeira religião de Cristo com toda a minha alma [...] e irei ou fazer da teologia meu objeto principal de estudo, tornando-me membro do clero quando o tempo prescrito por esses estatutos chegar, ou renunciar a minha posição no

College".[9] Apesar de sua nova posição, Newton continuou recluso como sempre, totalmente indiferente a qualquer aspecto da vida social de Cambridge. Nas raras vezes em que participou de alguma forma de contato social, sua inaptidão só servia para aumentar seu exílio. Em uma ocasião, Newton convidou alguns colegas a visitá-lo em seus aposentos. A certa altura, quando se dirigia ao seu escritório para pegar mais vinho, uma ideia lhe veio subitamente à cabeça. Ele imediatamente pôs-se a calcular, esquecendo-se por completo do vinho e de seus colegas, que o esperavam. Ou sua mente estava de fato muito longe, ou a companhia era mesmo muito chata. Às vezes, a memória fraca pode ser muito conveniente.

Apesar de suas excentricidades, o gênio de Newton era reconhecido por toda a comunidade acadêmica de Cambridge. Durante o verão de 1669, Isaac Barrow enviou uma cópia do trabalho de Newton sobre séries infinitas[10] ao matemático John Collins, com uma carta de apresentação que dizia que o trabalho era do "senhor Newton, um membro muito jovem de nosso College (apenas no segundo ano de seu mestrado), mas dotado de um gênio e uma proficiência extraordinários nesses assuntos".[11] A essa altura, Barrow estava pensando em renunciar a sua posição como professor lucasiano para se dedicar ao que ele acreditava ser seu verdadeiro talento: a teologia. Barrow via em Newton seu óbvio sucessor, tendo um papel fundamental na seleção do jovem gênio como segundo professor lucasiano, em outubro de 1669. Esse foi um grande salto profissional para Newton, lançando-o aos mais altos círculos da hierarquia acadêmica de Cambridge. Nada mau para um homem de 26 anos de idade.

Em sua nova cátedra, Newton tinha de lecionar. Sua primeira série de aulas foi sobre a física da luz, incluindo os resultados (expandidos) a que chegara a respeito de prismas e lentes, em Woolsthorpe, durante os "anos da peste". Suas notas de aula iriam por fim aparecer em sua última grande obra, *Opticks*, publicada em 1704. Ele também encontrou tempo para organizar seu laboratório de alquimia, ao qual se dedicaria durante grande parte dos vinte anos seguintes. Para Newton, porém, o estudo das propriedades físicas da luz e a alquimia ainda não eram suficientes. Ambas as atividades, mesmo que tão diferentes em métodos e objetivos, requeriam grande habilidade manual e mecânica, que, claro, Newton tinha de sobra. Em seus experimentos com espelhos e lentes, construídos usando ferramentas desenvolvidas por ele mesmo, Newton inventou um novo tipo de telescópio, o *refletor*, que produzia imagens de qualidade muito superior aos telescópios *refratores* usados na época.

Dessa vez, Newton resolveu disseminar seus resultados. As novas de sua grande invenção rapidamente chegaram aos ouvidos dos membros da Royal Society, em Londres, uma instituição dedicada ao desenvolvimento da "nova ciência", segundo as diretrizes definidas por Bacon e Descartes.

Tal como ocorreu com Galileu 61 anos antes, o telescópio de Newton causou uma verdadeira sensação. Pela segunda vez na história da ciência, o telescópio lançou uma carreira acadêmica no estrelato. Em janeiro de 1672, apenas um mês após Barrow ter mostrado o telescópio em Londres, Newton foi eleito membro da Royal Society. A anonimidade de Newton foi-se para sempre. Empolgado com sua nova fama, ele rapidamente deu a suas notas sobre a teoria das cores a forma de manuscrito, enviando-o para Londres em fevereiro. Em breve iria arrepender-se amargamente dessa pressa.

A Royal Society não era Cambridge, onde o intelecto de Newton reinava supremo. Vários outros cientistas muito hábeis também eram membros da Royal Society, e Newton teve de enfrentar seus comentários e críticas. O manuscrito sobre as cores foi severamente (e erroneamente) criticado por Robert Hooke, que disse ter feito os mesmos experimentos que Newton, porém obtendo resultados opostos. Hooke se considerava uma grande autoridade no assunto e não estava disposto a aceitar de braços abertos as ideias do novato Newton. Enquanto isso, Christian Huygens estava propondo uma teoria ondulatória da luz, completamente diferente da teoria corpuscular adotada por Newton.[12] Tanto Huygens como Hooke colidiram com Newton em uma série de cartas, que se tornaram cada vez mais agressivas. É numa das cartas para Hooke que encontramos a famosa frase de Newton: "Se eu pude ver mais longe [do que você, Hooke], é porque estava me apoiando nos ombros de gigantes".[13] Fora de contexto, parece que a frase de Newton é uma honesta expressão de pura modéstia; mas na verdade esse comentário vinha carregado de sarcasmo, já que Newton estava se referindo à menor estatura intelectual (e física, já que Hooke era muito baixo!) de Hooke.

Como resultado do desgaste emocional causado por essas várias disputas, Newton voltou para Cambridge decidido a isolar-se por completo. Ele escreveu a Henry Oldeburg, secretário da Royal Society, que essas "interrupções frequentes que tiveram origem nas cartas de várias pessoas (cheias de objeções e outros assuntos), [...] fizeram com que eu me considerasse imprudente, porque, ao perseguir essas sombras, havia sacrificado minha paz, que para mim é fundamental".[14] De 1678 em diante, Newton evitou a maioria das disputas relacionadas com suas pesquisas científicas, deixando que seus aliados tratassem de defendê-lo. Ele estava muito mais interessado em se dedicar a outros assuntos, em particular suas investigações alquímicas e teológicas. A física e a matemática serão relegadas a segundo plano até agosto de 1684, quando Newton recebe uma visita de Edmond Halley, também membro da Royal Society, que mais tarde ficaria famoso por traçar a órbita do cometa que leva seu nome.

Halley foi até Cambridge para pedir a Newton sua opinião sobre um problema de física. Em colaboração com Hooke e Christopher Wren, o famoso arquiteto da catedral de St. Paul, em Londres, Halley mostrou que, para explicar as leis do movimento planetário, o Sol deve exercer uma força que varia de modo proporcional ao inverso do quadrado de sua distância ao planeta. Eles chegaram a esse resultado usando o trabalho de Huygens sobre o movimento circular e a terceira lei de Kepler, exatamente como Newton havia feito vinte anos antes. No entanto, ainda não estava claro qual seria o tipo de órbita que os planetas traçariam sob a influência dessa força. Quando o trio se encontrou na Royal Society em janeiro, Hooke disse que ele tinha a resposta, mas que ele a manteria em segredo por algum tempo, para que outros percebessem o quanto esse problema era difícil. Hooke estava blefando, provavelmente tentando ganhar tempo para que pudesse obter a resposta. Para tornar as coisas um pouco mais interessantes, Wren ofereceu um prêmio para a primeira pessoa que encontrasse a resposta, um livro no valor de quarenta shillings, comentando que nenhum prêmio se igualaria à fama imortal que tal pessoa gozaria.

Newton recontou seu encontro com Halley a Abraham DeMoivre, que, muitos anos mais tarde, assim o relatou:

> Em 1684 o doutor Halley foi visitá-lo em Cambridge. Após passarem algum tempo juntos, o doutor perguntou [a Newton] qual seria a curva descrita pelos planetas, supondo que a força de atração ao Sol fosse inversamente proporcional ao quadrado da distância entre eles. Sir Isaac imediatamente respondeu que a curva seria uma elipse, e o doutor, impressionadíssimo e muito contente, perguntou como ele sabia. "Bem", disse ele, "eu encontrei esse resultado tempos atrás." O doutor Halley pediu para ver esses cálculos imediatamente, mas, após procurar em seus papéis por algum tempo, sir Isaac disse que não conseguia encontrá-los, prometendo que ele iria reproduzi-los e enviá-los em breve [...][15]

Newton sabia perfeitamente onde estavam seus cálculos, porém, após tantas disputas com seus colegas, aprendeu que é sempre prudente confirmar seus resultados antes de torná-los públicos. Em novembro, Halley recebeu um manuscrito de nove páginas intitulado *De motu corporum in gyrum*, "Sobre o movimento de objetos em órbita", conhecido abreviadamente como *De motu*. O pequeno tratado continha não só a resposta à famosa questão, como também uma demonstração matemática das três leis de Kepler, partindo de princípios físicos básicos. Isso era muito mais do que Halley tinha pedido. Ele percebeu, imediatamente, que essas nove páginas representavam nada mais, nada menos do que uma profunda revolução na mecânica celeste.

Newton sabia que a solução do problema das órbitas planetárias requeria uma nova formulação da mecânica, apenas superficialmente abordada no *De motu*. Apesar de ter as ferramentas matemáticas, ele precisava também de novos conceitos físicos. Dedicou-se, então, a essa tarefa com uma energia que até mesmo para ele era obsessiva. De agosto de 1684 até a primavera de 1686 ele basicamente suspendeu todos seus contatos sociais. As raras exceções foram as cartas trocadas no início de 1685 com John Flaamsteed, o primeiro astrônomo real, nas quais Newton pedia dados sobre o cometa de 1680-1681 e sobre os movimentos de Júpiter, Saturno e seus satélites. Mais tarde, ele pediu também dados sobre o movimento relativo dos dois planetas quando eles estão em conjunção (mais próximos entre si) e até sobre as observações das marés no estuário do rio Tâmisa. Esse interesse por dados astronômicos revela que Newton estava já bem adiantado na formulação de sua teoria da gravidade.

A obra monumental de Newton, *Philosophiae naturalis principia mathematica*, "Princípios matemáticos da filosofia natural", ou *Principia*, foi publicada em julho de 1687. Nenhuma outra obra em toda a história da ciência teve um papel tão fundamental no desenvolvimento da visão de mundo pós-renascentista. Newton não só criou uma nova mecânica, baseada na ação de forças em corpos materiais, como também demonstrou que as mesmas leis físicas são aplicáveis ao estudo do movimento de objetos na Terra ou nos céus. Usando um rigoroso método matemático, ele uniu permanentemente a física e a astronomia. Segundo a física newtoniana, qualquer movimento pode ser compreendido através de simples leis físicas, independentemente de onde o movimento ocorrer: existe apenas uma física, cujo domínio de validade estende-se até as estrelas.

A revolucionária estrutura conceitual dos *Principia* levou anos amadurecendo na mente de Newton. Para que possamos apreciar não só a grandiosidade de seu feito, como também a razão de sua importância no desenvolvimento da ciência moderna, vamos dedicar alguns parágrafos ao estudo da nova física newtoniana. O livro começa com certas definições, conceitos de que

Newton precisava para formular sua nova mecânica.[16] Primeiro, ele introduziu o conceito de massa, que, acredite ou não, ainda não havia sido propriamente definido. A massa de um corpo é o que usualmente (e erradamente) chamamos de seu peso, uma medida da quantidade de matéria bruta de um objeto. *Peso*, por outro lado, é a força com que um corpo é atraído gravitacionalmente.[17] Portanto, mesmo que sua massa seja a mesma aqui ou na Lua, seu peso será diferente nos dois lugares, já que a aceleração causada pela gravidade é diferente na Terra e na Lua. (Seu peso será aproximadamente seis vezes menor na Lua.)

Newton prossegue com a definição de *quantidade de movimento* de um objeto. Baseando-se nos trabalhos de Galileu e Descartes, Newton definiu a quantidade de movimento de um objeto como sendo o produto de sua massa por sua velocidade. Portanto, um fusca e um caminhão viajando a trinta quilômetros por hora têm quantidades de movimento muito diferentes devido à grande diferença entre suas massas. Se você tivesse que colidir com um dos dois, certamente você escolheria o fusca. Outro conceito importante é o conceito de *inércia*, que pode ser definida como a reação de um objeto a qualquer mudança em sua quantidade de movimento. Mais uma vez, você conhece bem esse conceito a partir de sua experiência cotidiana: mover uma pedra grande é muito mais difícil do que mover uma pedra pequena; ou, na nova linguagem de Newton, tanto a pedra grande como a pequena inicialmente têm quantidade de movimento nulo, já que ambas estão em repouso (velocidade nula). Entretanto, devido à grande diferença entre suas massas, a pedra grande oferece muito mais resistência a qualquer mudança em sua quantidade de movimento do que a pedra pequena.

Após definir os conceitos de massa, quantidade de movimento e inércia, Newton introduz a ideia de *força*. Força é a ação exercida sobre um objeto de modo a mudar sua quantidade de movimento. Por exemplo, você teve que empurrar a pedra para fazer com que ela se movesse; isto é, você teve que aplicar uma força sobre a pedra para mudar seu estado de movimento. Newton descobriu que existem dois modos de mudar o estado de movimento de um objeto: mudando a *magnitude* de sua quantidade de movimento ou mudando a *direção* de sua quantidade de movimento. Mais uma vez, carros são ótimos laboratórios para a aplicação da física newtoniana. Imagine que você esteja viajando por uma estrada reta a cinquenta quilômetros por hora. Acelerando o carro até uma velocidade mais alta, você muda a quantidade de movimento do sistema (o sistema aqui consiste em você e o carro). Você sente uma pressão puxando-o para trás, resultado da força sendo aplicada pelo motor do carro. Porque você está numa estrada reta, ao aumentar a velocidade do carro, tudo que você fez foi mudar a *magnitude* da quantidade de movimento.

Agora imagine você e o carro numa curva, mantendo a velocidade constante. A magnitude da quantidade de movimento é a mesma, mas sua *direção* mudou. Somente a ação de uma força pode fazer isso. Você sente a força centrífuga empurrando-o "para fora", enquanto os pneus o mantêm na estrada. Um pedestre em pé numa esquina, que nunca esteve antes num carro, mas que conhece bem a física newtoniana, concluirá que o carro desviou-se de sua trajetória em linha reta porque uma força o empurrou na direção do centro da curva. Essa força é o que Newton chamou de *força centrípeta*, para enfatizar que ela aponta na direção do centro.

Quando discutimos a física do movimento, é fundamental que tenhamos um método para medir mudanças de posição, relativamente a um ponto fixo, em um certo intervalo de tempo. Em outras palavras, já que movimento significa mudança de posição no tempo, para que Newton pudesse estudar quantitativamente o movimento dos objetos, ele precisava de definições apropriadas de tempo e espaço. Segundo Newton, o *espaço absoluto* é basicamente a arena geométrica onde os fenômenos físicos ocorrem, o "palco do teatro", que permanece indiferente aos fenômenos que tomam parte nele. O *tempo absoluto* flui de modo contínuo e sempre no mesmo ritmo, perfeitamente indiferente aos vários modos como nós, seres humanos, escolhemos marcá-lo. Com as definições de tempo e espaço absolutos, Newton formula suas três famosas leis do movimento, que determinam toda informação necessária à descrição do movimento de objetos materiais. Em suas próprias palavras:

> LEI I: Todo corpo permanece em seu estado de repouso ou de movimento uniforme em linha reta, a menos que seja obrigado a mudar seu estado por forças impressas nele.

"Os projéteis permanecem em seus movimentos enquanto não forem retardados pela resistência do ar e impelidos para baixo pela força da gravidade." De nossa discussão acima, vemos que a primeira lei é simplesmente uma expressão do princípio de inércia.

> LEI II: A mudança do movimento é proporcional à força motriz impressa; e se faz segundo a linha reta pela qual se imprime essa força.

Portanto, a mudança no estado de movimento de um objeto, ou seja, a mudança em sua quantidade de movimento, é proporcional à força impressa sobre o objeto. Mudança aqui significa a mudança tanto na magnitude como na direção da quantidade de movimento do corpo. Se a massa do corpo não muda enquanto a força é impressa sobre ele (um exemplo contrário seria um balde furado, cheio de água, sendo empurrado para a frente), então essa lei pode ser expressa pela famosa equação $F = ma$. F é a força, m é a massa do corpo sobre o qual a força está sendo impressa, e a é a aceleração que resulta da aplicação da força. A mudança na quantidade de movimento se deve à mudança na velocidade do objeto, ou seja, sua aceleração.

> LEI III: A uma ação sempre se opõe uma reação igual, ou seja, as ações de dois corpos um sobre o outro sempre são iguais e se dirigem a partes contrárias.*

---

* Tradução de Carlos Lopes de Mattos (Isaac Newton. *Princípios matemáticos*. São Paulo: Abril Cultural, 1974).

Você pode experienciar essa lei vividamente chutando uma parede de concreto.

Essas definições e as três leis formam o edifício conceitual da nova mecânica. Elas aparecem nas páginas introdutórias dos *Principia*. Após a introdução desses conceitos, Newton finalmente começa o texto, dividido em três livros. Não, não se preocupe que não vamos examinar em detalhe os três livros. Sua leitura é bastante difícil, já que eles foram escritos numa linguagem geométrica complicada, que fez uso implícito da nova ferramenta matemática de Newton, o cálculo. Para que compreendamos a magnitude do feito intelectual de Newton, é suficiente examinarmos apenas o conteúdo dos três livros.

No livro I, "O movimento dos objetos", Newton aplica sua mecânica ao problema do movimento de objetos sob ação de uma força centrípeta, demonstrando quais os tipos de órbitas que são possíveis, incluindo, é claro, órbitas circulares e elípticas. Ele continua com um estudo detalhado do movimento pendular e do movimento de objetos em superfícies curvas, como, por exemplo, uma bola rolando no interior de uma cavidade oca.

Newton conclui o livro I com uma discussão do problema de uma partícula sendo atraída gravitacionalmente por um corpo esférico grande, como, por exemplo, uma maçã sendo atraída pela Terra. Ele prova que o problema pode ser resolvido considerando-se o corpo esférico como uma partícula "pontual" de mesma massa, ou seja, que, ao tratar o problema de dois corpos atraindo-se, as dimensões de cada corpo são irrelevantes: o que importa é a distância entre seus centros e a massa de cada corpo.[18] Esse é um passo crucial na implementação da lei da gravitação universal. No livro II, Newton examina o movimento dos corpos na presença de fricção, como, por exemplo, partículas movendo-se num fluido. Seu objetivo aqui é provar que a teoria de Descartes dos vórtices cósmicos e de seu *plenum* espacial é inconsistente com a estabilidade das órbitas planetárias. Newton demonstrou que o espaço interplanetário é vazio.

Finalmente Newton chega ao livro III, que ele chamou de "Sistema do mundo". Aqui encontramos toda a física desenvolvida nos dois primeiros livros aplicada ao problema da atração gravitacional. A brilhante mente de Newton reconheceu que a teoria de Galileu a respeito do movimento de projéteis e as três leis de Kepler descreviam essencialmente o mesmo fenômeno físico. Para entendermos a grandiosidade do feito de Newton, devemos nos recordar do contexto no qual Galileu e Kepler desenvolveram seus estudos. As três leis de Kepler, em princípio, lidavam somente com as órbitas planetárias, e os resultados de Galileu sobre o movimento de projéteis lidavam apenas com movimentos na Terra. Movimentos celestes e terrestres eram fenômenos completamente diferentes, governados por leis diferentes. E, para complicar ainda mais as coisas, enquanto Galileu acreditava que os planetas permaneciam em órbita por causa de sua "inércia circular", Kepler acreditava que a misteriosa força responsável pelo movimento dos planetas era de origem magnética.

Newton unificou as ideias de Galileu e Kepler ao identificar a órbita da Lua como sendo equivalente ao movimento de um projétil. Esquematicamente, este foi seu raciocínio: imagine um canhão no topo de uma montanha muito alta, como na figura 5.2. A trajetória de um projétil disparado pelo canhão dependerá crucialmente de sua velocidade inicial. Na ausência de gravidade ou de resistência do ar, o movimento do projétil seria uma linha reta com velocidade constante, conforme determinado pelo princípio de inércia (lei I); mas a gravidade, sendo uma força centrípeta, deflete a trajetória do projétil, fazendo-o cair com uma aceleração vertical. Se a sua velocidade inicial for pequena, o projétil cairá perto da base da montanha (trajetória A). Entretanto, podemos imaginar que, se aumentarmos a potência do canhão, no final o projétil terá uma velocidade horizontal suficiente para simplesmente "continuar caindo"; embora o projétil esteja sendo atraído continuamente para baixo pela força gravitacional — à medida que ele cai, e devido à curvatura da Terra —, ele nunca vai bater no chão; ou seja, o projétil entrou em órbita, virando um satélite da Terra! É claro que na vida real não existem montanhas tão altas ou canhões poderosos o suficiente para pôr um projétil em órbita, e, por isso, temos de usar foguetes para propelir nossos saté-

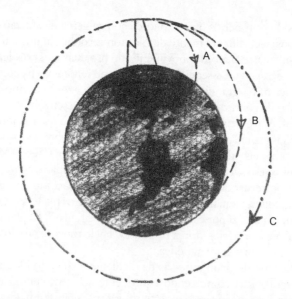

Figura 5.2: Se um canhão muito poderoso (pequeno demais para ser visto na figura), posto no alto de uma montanha, disparasse um projétil com velocidade horizontal suficiente, o projétil iria "continuar caindo", como na trajetória C, nunca encontrando o chão.

lites para, então, dotá-los de uma velocidade horizontal, de modo que entrem em órbita. Contudo, a física envolvida nessa operação é essencialmente a mesma descoberta por Newton há mais de trezentos anos.

Newton completa sua descrição mostrando que todos os corpos materiais se atraem gravitacionalmente, com uma força proporcional ao produto de suas massas e inversamente proporcional ao quadrado de sua distância. Por exemplo, duas maçãs a um metro de distância atraem-se com uma força quatro vezes maior do que se elas estivessem a dois metros. Portanto, Terra, Lua, Sol e todos os objetos no sistema solar atraem-se mutuamente numa dança coreografada pela força da gravidade.

Além de ter explicado todos os movimentos no sistema solar, incluindo as órbitas de planetas e cometas, e até a precessão dos equinócios, Newton aplicou sua teoria ao fenômeno das marés, mostrando que elas são resultado da ação combinada da atração gravitacional do Sol, da Lua e do movimento da Terra sobre os oceanos, refutando para sempre a teoria de Galileu, baseada nos movimentos do globo terrestre. A gravidade é o cimento universal, governando todos os movimentos na escala cósmica. O sistema do mundo transformou-se num livro aberto, desvelado, em sua magnífica beleza, pelo gênio do "rapaz pensador, sombrio e silencioso" de Woolsthorpe.

O DEUS DE NEWTON

"Seria perfeitamente justo afirmar que tantas valiosíssimas Verdades Filosóficas quanto as reveladas aqui [...] jamais foram produzidas pela capacidade e indústria de um único homem."[19] Essas foram as palavras escritas por Halley na conclusão de sua revisão dos *Principia*. A obra imortalizou Newton como um dos supremos intelectos da história da humanidade, definindo os padrões de como os tratados científicos devem ser escritos e de como a pesquisa científica deve ser conduzida. "Nós não devemos admitir um número maior de causas responsáveis por processos naturais do que as que são tanto corretas quanto suficientes para explicá-los", Newton escreveu nos *Principia*, frisando que, "para esse fim, os filósofos acreditam que a Natureza não faz nada em vão, e que quanto menos melhor; pois a Natureza se contenta com a simplicidade, e não é afetada pela pompa nem por causas supérfluas."[20]

Ao escrever essas linhas, Newton não só estava ecoando a ênfase de Galileu na simplicidade da Natureza, como também estava argumentando a favor de seu método, que, embora incompleto, era suficiente para explicar os fenômenos de interesse. O elemento na teoria de Newton que despertava suspeita era sua suposição de que a força da gravidade era satisfatoriamente descrita como uma *ação à distância*. A ideia de que a gravidade pode agir sobre qualquer objeto através de grandes distâncias, sem nenhum contato físico direto, era (e é!) mesmo difícil de engolir. Essa dificuldade levou Kepler a associar gravidade com magnetismo, Galileu a introduzir sua "inércia circular" e Descartes a propor sua teoria dos vórtices cósmicos. Newton mostrou que a gravitação não tinha nenhuma relação com o magnetismo, e que tanto a inércia circular como os vórtices cósmicos eram ideias equívocas e artificiais; porém, ele não podia justificar sua própria hipótese de ação à distância. De qualquer modo a hipótese funcionava, e isso era o suficiente. Como Newton escreveu no escólio geral dos *Principia* (uma espécie de comentário final da obra):

> Até aqui explicamos os fenômenos dos céus e de nosso mar pelo poder da gravidade, mas ainda não designamos a causa desse poder. É certo que ele deve provir de uma causa que penetra nos centros exatos do Sol e planetas, sem sofrer a menor diminuição de sua força [...] Mas até aqui não fui capaz de descobrir as causas dessas propriedades da gravidade a partir dos fenômenos, *e não construo nenhuma hipótese*; pois tudo que não é deduzido dos fenômenos deve ser chamado uma hipótese; *e as hipóteses, quer metafísicas ou físicas, quer de qualidades ocultas ou mecânicas, não têm lugar na filosofia experimental. Nessa filosofia as proposições particulares são inferidas dos fenômenos, e depois tornadas gerais pela indução* [grifos meus].*

Esse é, até hoje, o credo da ciência, o que a distingue das outras atividades intelectuais. Ciência só faz sentido se baseada numa rígida metodologia, construída a partir da interação entre experimentação e dedução.[21] Uma hipótese que não pode ser testada quantitativamente por meio de experimentos permanecerá uma hipótese. Como tal, ela não pertence à ciência, pelo menos segundo a definição de Newton e seus seguidores. Em princípio

---

* Tradução de Pablo R. Mariconda (Isaac Newton. *Princípios matemáticos*, "escólio geral". São Paulo: Abril Cultural, 1974).

(e enfatizo o "em princípio"), não deve haver espaço para subjetivismo na interpretação de ideias científicas. Mesmo que, na prática, a pesquisa na fronteira do conhecimento seja muitas vezes interpretada de modo diferente, ao final as várias opiniões convergem e a teoria é aceita ou refutada. Caso contrário, a ciência perderia sua universalidade. O subjetivismo aparece no processo criativo científico, mas não no seu produto final, conforme comentei anteriormente. Assim, mesmo que Newton não pudesse compreender a causa do poder da força gravitacional, ele preferiu deixar essa questão de lado, "sem construir hipóteses".

Isso não quer dizer que Newton acreditasse que a "ação à distância" fosse possível. Cinco anos após a publicação dos *Principia*, ele trocou correspondência com Richard Bentley, um brilhante teólogo e acadêmico, capelão do bispo de Worcester. Bentley estava preparando alguns seminários, os primeiros de uma série conhecida como Seminários de Boyle, nos quais queria incluir o tema "A estrutura observada do Universo só poderia ter surgido sob a direção de Deus". Como os seminários seriam a primeira popularização das ideias de Newton, Bentley pediu sua ajuda em vários tópicos, que incluíam questões relacionadas com a natureza da força gravitacional e a infinitude do Universo. Sobre a natureza da força gravitacional, Newton escreveu que

> É inconcebível que a matéria bruta inanimada possa (sem a mediação de algo que não seja material) operar sobre outra matéria e afetá-la sem contato mútuo; como deve ser o caso se a gravitação, no sentido de Epicuro [atomismo], for essencial e inerente à matéria. E essa é a razão pela qual eu não gostaria que você associasse a mim a ideia de gravidade inerente. Que a gravidade seja inerente, inata e essencial à matéria, de forma que um corpo possa operar sobre outro à distância, através do vácuo, sem a mediação de algo capaz de transmitir sua força mútua, isso é, para mim, tal absurdo que eu não acredito que um homem competente em matérias filosóficas possa jamais acreditar nisso. O poder da gravidade deve ser causado por um agente de acordo com cer-

tas leis, mas se esse agente é material ou imaterial é uma questão que eu deixei para a consideração de meus leitores.[22]

Será que essa confissão das limitações da teoria da gravitação comprometem seu valor? De modo algum. Essa limitação é comum em teorias científicas e, ao contrário do que algumas pessoas possam pensar, os cientistas não têm todas as respostas. O que podemos oferecer são princípios testáveis que descrevem uma grande variedade de fenômenos. No entanto, se pressionados sobre o quanto uma dada teoria pode explicar, chegaremos a um ponto no qual seremos obrigados a parar e confessar, como Newton, que não construímos hipóteses. Esse fato não é uma fraqueza da ciência, mas simplesmente o resultado do modo como ela é construída. Sempre tentamos entender as causas físicas por trás de um determinado fenômeno (observado ou previsto) da forma mais completa possível. Mas toda teoria tem suas limitações. Em outras palavras, as teorias operam sempre dentro de um determinado domínio de validade. E é justamente através das "brechas conceituais", deixadas abertas por teorias antigas, que novas teorias emergem. Essa é, muito resumidamente, a forma como a ciência se autoperpetua. Por exemplo, a mecânica newtoniana não pode lidar com movimentos em velocidades muito altas, comparáveis à velocidade da luz. Para isso precisamos da teoria da relatividade de Einstein (que encontraremos no capítulo 7). Porém, para as baixas velocidades do nosso dia a dia, a mecânica newtoniana é "a" teoria.

Os *Principia* podem ser lidos como um livro puramente técnico, baseado em princípios mecânicos estritamente lógicos que não deixam nenhum espaço para especulações metafísicas. É assim que estudamos as ideias de Newton na escola. Esse método pedagógico é perfeitamente legítimo, contanto que estejamos apenas interessados em física, e não no contexto cultural, histórico ou psicológico no qual essa física foi concebida. Devido ao modo como a ciência é estruturada, é sempre possível adotar esse caminho mais "operacional". Essa escolha, que talvez seja útil na prática da ciência, decerto não ajuda na popularização de suas ideias, pois é precisamente esse modo de apresentá-la que faz com que aqueles que não apreciam a beleza de sua linguagem técnica a considerem uma atividade "fria". Entretanto, a ciência é muito mais do que a apreciação e a aplicação de sua linguagem técnica à explicação dos fenômenos naturais. A beleza da ciência está em seu poder de nos aproximar da Natureza. Claro, esse poder também pode ser utilizado erroneamente, em especial na exploração irracional de recursos naturais. A ciência pode se transformar num monstro feio e perigoso, se nossos valores morais forem tão imediatistas a ponto de ignorarem nossa obrigação com as futuras gerações que habitarão este planeta. Talvez se apresentarmos a ciência de um modo menos "operacional", tanto nas escolas como para o público em geral, poderemos, se não reverter, ao menos desacelerar o uso negativo que se tem feito dela.

Com isso dito, vamos voltar a Newton e seu escólio geral, no qual ele deixa clara sua veneração pela beleza da Natureza, que ele apresenta como evidência da existência de um Criador Divino:

> Este magnífico sistema do Sol, planetas e cometas poderia somente proceder do conselho e domínio de um Ser inteligente e poderoso. [...] Nós o conhecemos somente por suas invenções mais sábias e excelentes das coisas e pelas causas finais; o admiramos por suas perfeições; mas o reverenciamos e adoramos por causa de seu domínio: pois nós o adoramos como seus serventes; e um deus sem domínio, providência ou causas finais não é nada além de Destino e Natureza. A necessidade metafísica cega, que certamente é a mesma sempre e em todos os lugares, não poderia produzir nenhuma variedade de coisas. Toda aquela diversidade das coisas naturais que encontramos adaptadas a tempos e lugares diferentes não se poderia originar de nada a não ser das ideias e vontade de um Ser necessariamente existente.*

---

* Tradução de Pablo R. Mariconda (op. cit.).

Na correspondência entre Newton e Bentley, podemos encontrar seus argumentos mais fortes em favor de um Criador Divino e da infinitude do Universo. Newton equacionou Deus a um Geômetra Cósmico, a Primeira Causa de todos os movimentos no Universo:

> Para construir esse sistema com todos seus movimentos, foi necessário uma Causa que compreendeu e comparou as quantidades de matéria dos vários corpos celestes e do poder gravitacional resultante desta [...] E, para ser capaz de comparar e ajustar todas essas coisas com tantos corpos diferentes, essa causa não pode ser uma simples consequência cega do acaso, mas sim uma especialista em mecânica e geometria.[23]

Bentley então pergunta a Newton como a força da gravidade, operando num Universo finito e esférico, não o transformaria rapidamente numa única massa gigante localizada no seu centro. Newton responde que apenas num Universo infinito um número infinito de corpos poderia permanecer em equilíbrio. Como cada corpo estaria cercado por um número infinito de corpos em todas as direções, a soma de todas as atrações gravitacionais se anularia e o corpo permaneceria estático. Newton concedeu que essa hipótese é bastante implausível, comparando-a à tarefa de equilibrar verticalmente um número infinito de agulhas. "E mesmo assim", ele escreveu, "considero possível que, se [os corpos celestes] tivessem sido assim distribuídos pelo poder divino, eles permaneceriam indefinidamente em suas posições, a menos que fossem novamente postos em movimento pelo mesmo poder divino."[24] Portanto, Deus age continuamente no Universo, ora para mantê-lo estável, ora causando os movimentos dos corpos celestes. Para Newton, um Universo infinito, com todas as suas complexidades, era a prova concreta da existência de um Deus onisciente e onipresente.

Após a publicação dos *Principia*, Newton se distanciou consideravelmente do meio acadêmico, preferindo frequentar as altas rodas da sociedade londrina, gozando a fama que lhe fora justamente atribuída. Ele foi eleito membro do Parlamento em 1689, embora ao que parece só tenha feito um único pronunciamento durante toda a sua carreira política, pedindo para que uma janela fosse fechada. Ele não foi reeleito para um segundo mandato. Em 1696, Newton tornou-se supervisor e, três anos mais tarde, mestre da Casa da Moeda. Segundo vários depoimentos, ele adorava interrogar falsificadores, que aprenderam a temer seus olhos escuros e frios e sua face impassível. Como era de se esperar, ele tomou seu trabalho na Casa da Moeda seriamente, dedicando tremenda energia à implementação de um novo sistema de moedas criado por lorde Hallifax. Em 1703 Newton foi eleito presidente da Royal Society, um posto que manteve até sua morte. Ele foi nomeado cavaleiro da Coroa pela rainha Anne em 1705, uma honra jamais concedida anteriormente a um cientista. Newton morreu em 1727, sendo sepultado na Câmara de Jerusalém da abadia de Westminster.

No meio de toda essa pompa, Newton ainda encontrou tempo para supervisionar duas novas edições dos *Principia*. Após a morte de Hooke, em 1703, ele finalmente decidiu organizar suas antigas conclusões sobre a natureza da luz em um livro, *Opticks*, que se tornou sua outra obra-prima, publicado em 1704. Nessa obra, Newton expôs sua crença na hipótese atomística da luz, enfatizando a origem divina dos átomos, os tijolos fundamentais do Universo:

> [...] para mim é muito provável que, no princípio, Deus tenha formado a matéria a partir de partículas sólidas, maciças, duras e impenetráveis [...] [essas partículas são] tão duras que é impossível cortá-las ou dividi-las em pedaços; nenhum poder ordinário pode dividir o que Deus gerou como uma unidade na primeira Criação.[25]

No universo infinito de Newton, a razão era a única ponte possível até o Divino.

Dos universos míticos de nossos ancestrais até as especulações teocientíficas de Newton, um tema comum emerge: uma profunda associação da Natureza com o Divino, inspirada pelo incontrolável desejo de entender o Universo e nosso lugar nele. A rica tapeçaria de ideias que exploramos até agora é tecida por esse tema comum, que, espero tê-lo convencido, faz parte das próprias raízes da ciência ocidental. Dada a importância desse tema, é talvez surpreendente que quando ensinamos ciência hoje em dia não se faça nenhuma menção à religião, a menos que seja para enfatizar que as duas não devem ser confundidas.

Existem várias razões para essa atitude, mas talvez a mais relevante aqui seja a preocupação dos cientistas em relação à legitimidade do pensamento científico. O enorme sucesso do método racional desenvolvido por Newton para lidar com os fenômenos físicos rapidamente o transformou no símbolo de uma nova era na história da humanidade, baseada no poder do pensamento, e não no poder da fé. Durante séculos, a Europa foi torturada por inúmeros conflitos religiosos causados pela Reforma e pela Contrarreforma. Era o momento oportuno para uma mudança radical. Se a ciência podia de fato ser formulada de modo puramente racional, ela poderia se transformar na voz libertadora dessa nova era, na qual diferenças religiosas e dogmatismos seriam substituídos por valores universais, baseados na igualdade e liberdade de expressão para todos.

Na sua versão mais pura, esse racionalismo radical deveria ser poderoso o suficiente para explicar todos os fenômenos naturais sem nenhuma menção a Deus. Essas ideias de separação entre ciência e religião formaram o núcleo do movimento conhecido como Iluminismo, que floresceu no século XVIII. Claro que, na prática, o grau dessa separação variava bastante, por exemplo, do ateísmo radical de Pierre Simon, o marquês De Laplace, ao cristianismo racional de Benjamin Franklin. Mas, à medida que a ciência evoluiu, explicando um número cada vez maior de fenômenos naturais, a crença nessa separação tornou-se cada vez mais forte, até chegar ao ponto de completa independência: o discurso científico oficial não tolera nenhuma menção à religião. O papel da religião em ciência transformou-se profundamente, de ator a uma memória "proibida", quase que embaraçosa.

Será que essa separação entre ciência e religião é realmente necessária? Sem dúvida. Ela serve como proteção contra o subjetivismo na prática científica, garantindo que a ciência continuará a ser uma linguagem universal numa comunidade extremamente diversificada. O discurso científico é, e deve ser, livre de qualquer conotação teológica. Invocar religião para cobrir falhas no nosso conhecimento é, a meu ver, uma atitude anticientífica. Se existem falhas no nosso conhecimento (e sem dúvida existem muitas), devemos preenchê-las com mais ciência e não com especulação teológica. Em outras palavras, não é o "Deus tapa-buracos", invocado toda vez que atingimos o limite das explicações científicas, que faz com que a religião tenha um papel dentro do contexto científico. Se queremos encontrar um lugar para a religião na ciência moderna, devemos examinar as motivações subjetivas de cada cientista, e não o produto final de suas pesquisas.

Ao assumir essa posição, estou me aliando a Einstein, que escreveu que "religião sem ciência é cega, e ciência sem religião é aleijada".[26] Com isso Einstein queria dizer que, no estudo de fenômenos naturais, a religião não deve fechar seus olhos aos avanços científicos, como, por exemplo, no episódio entre Galileu e a Igreja católica. Contudo, talvez de modo mais surpreendente, Einstein acreditava que a prática científica necessita de uma espécie de inspiração religiosa; ou, mais dramaticamente, que a devoção à ciência e a fé que implicitamente temos na razão humana como instrumento capaz de desvendar os mistérios da Natureza são, em sua essência, atitudes religiosas. Não iremos (e não devemos) encontrar as palavras *Deus* ou *religião* num manuscrito científico; contudo, acredito que um componente essencialmente religioso atua ainda hoje como inspiração na pesquisa científica de vários cientistas, do mesmo modo que atuou, talvez de modo mais explícito, nas obras de Kepler e

Newton. Tudo depende de quão abrangente é a nossa definição de religião.

Com isso em mente, continuaremos nossa jornada em direção à cosmologia do século XX, descrevendo a seguir os sucessos e limitações da nova visão clássica do mundo, produto da Revolução Científica.

Parte 3
A ERA CLÁSSICA

6. O MUNDO É UMA MÁQUINA COMPLICADA

> NAPOLEÃO: *Monsieur Laplace, por que o Criador não foi mencionado em seu livro Mecânica celeste?*
> LAPLACE: *Sua Excelência, eu não preciso dessa hipótese.*

AS GRANDES DESCOBERTAS científicas de Galileu, Kepler, Descartes, Newton e muitos outros durante o século XVII provocaram uma profunda revisão na concepção ocidental do cosmo. O Universo medieval, finito e limitado, foi substituído pelo infinito de Newton, a morada de um Deus infinitamente poderoso. O poder (mas não a intenção) do dogmatismo religioso de influenciar a evolução da ciência já não existia. Especulações escolásticas não podiam mais substituir resultados científicos obtidos a partir da interação entre teoria e experimento.

A fundação racional da nova ciência, desenvolvida durante o século XVII, atingiu um nível magnífico de sofisticação durante o século XVIII. O mundo físico foi reduzido a partículas maciças interagindo sob a ação de forças, conforme ditado pelas três leis do movimento e pela lei da gravitação universal de Newton. Implícito nessa descrição mecanicista da Natureza encontramos um rígido determinismo: se conhecêssemos as posições e velocidades de todos os objetos num certo sistema (por exemplo, o Sol, a Terra e a Lua) em um dado instante, então, usando as leis de Newton, seria, *em princípio*, possível prever as posições dos objetos em qualquer momento do passado ou do futuro! No final do século XVIII, Pierre Simon, o marquês De Laplace (1729-1827), conseguiu explicar a maioria dos movimentos do sistema solar, enquanto outros franceses, como Pierre Louis Moreau de Maupertuis (1698-1759) e Louis de Lagrange (1736-1813), reformularam a mecânica newtoniana em termos de um poderoso formalismo matemático, tornando-a capaz de descrever o comportamento de sistemas físicos muito mais complexos. O Universo foi reduzido a um grande sistema mecânico, uma máquina complicada, porém compreensível.

A enorme confiança no sucesso desse determinismo é ilustrada pela crença de Laplace e outros na existência, ao menos hipotética, de uma "supermente" capaz de prever o futuro de todas as entidades do Universo. Apenas era necessário que essa supermente conhecesse as posições e velocidades de todos os objetos do Universo num dado instante. Todo movimento, pensamento, ou mesmo qualquer surpresa que ocorresse em nossas vidas, boa ou ruim, seria conhecido por essa inteligência gigante. O destino seria perfeitamente previsível, mera consequência das rígidas leis da mecânica. Nesse mundo-máquina, não existia espaço para o livre-arbítrio. E, como Laplace orgulhosamente anunciou para Napoleão, também não existia espaço para Deus.

Mesmo uma pessoa do século XVIII que não conhecesse as sutilezas da mecânica quântica ou da dinâmica caótica de sistemas complexos podia identificar vários problemas com esse argumento. Laplace provavelmente usou-o mais como uma alegoria do que como um pronunciamento metafísico sério.[1] Entretanto, a atitude de Laplace é uma expressão perfeita do espírito da época. O sucesso da mecânica newtoniana não se restringiu ao estudo de partículas movimentando-se sob a ação de forças. Ela foi adaptada ao estudo de corpos elásticos (ou seja, corpos que se deformam sob a ação de forças) e ao estudo da propagação de ondas em meios materiais, como, por exemplo, ondas em líquidos ou ondas de som.

Durante a transição para o século XIX, a melhoria nas técnicas de laboratório e de instrumentação, assim como inúmeras descobertas científicas, gerou uma série de inovações tecnológicas de grande importância, que incluíam a máquina a vapor e o dínamo. A Revolução Industrial emerge com toda a força, dando uma credibilidade ainda maior à filosofia mecanicista e ao método reducionista aperfeiçoados durante o século XVIII. A essa altura, o estudo da física abrangia não só a mecânica newtoniana, mas também o estudo da física do calor e dos fenômenos elétricos e magnéticos. Essas três disciplinas irão constituir a chamada física clássica, que atingiu seu clímax durante a segunda metade do século XIX.

Empolgados com seu sucesso, vários físicos declararam o "fim da física". O escocês lorde Kelvin, em particular, proclamou em 1900 que tudo de fundamental em física já havia sido descoberto, e que os problemas ainda não resolvidos eram apenas detalhes a serem tratados por futuras gerações de cientistas. Entretanto, para teorias, assim como para pessoas, sucesso e popularidade podem ser perigosos; do mesmo modo que pessoas populares muitas vezes perdem sua privacidade, teorias bem-sucedidas são continuamente expostas a testes experimentais que procuram possíveis falhas e limitações em sua validade. Com o progresso tecnológico e a melhoria na qualidade das técnicas experimentais, os cientistas puderam analisar com maior precisão um número cada vez maior de fenômenos físicos. Inesperadamente, surpresas bem desagradáveis começaram a surgir, experimentos que demonstraram claramente as várias limitações da física clássica. Quando lorde Kelvin morreu, em 1907, contra todas as suas expectativas, a física estava passando por uma profunda reestruturação conceitual, que acabaria levando ao desenvolvimento de uma nova cosmologia, de toda uma nova visão de mundo. A lição aqui é simples: devemos manter muita cautela ao afirmar o quanto de fato conhecemos da Natureza, algo que infelizmente é muitas vezes esquecido.

A HIPÓTESE NEBULAR

Qual poderia ser o papel do Criador em um Universo regido pelas leis da mecânica? Segundo Newton, a presença contínua de Deus assegurava a estabilidade de um universo infinito. Essa era a posição dos *teístas*, que atribuíam a Deus a dupla função de criador de todas as coisas e também de "mecânico", consertando coisas aqui e ali conforme a demanda. Leibniz sarcasticamente comentou que o Deus newtoniano era ineficiente, já que Ele tinha que interferir constantemente em Sua criação. Um Deus mais eficiente teria criado um Universo autossuficiente, capaz de autorregular-se através de seus próprios mecanismos internos.

Com o sucesso crescente da física newtoniana, um Deus que estivesse sempre interferindo no Universo tornou-se cada vez menos necessário. Um dos argumentos de Newton em favor de um Arquiteto Cósmico era baseado no então misterioso fato de que todos os planetas não só orbitam ao redor do Sol na mesma direção como também estão localizados aproximadamente no mesmo plano, fazendo com que o sistema solar se assemelhe a um disco. Qual a possível razão dessa óbvia manifestação de ordem senão provar a existência de uma Inteligência Divina? Cerca de cem anos mais tarde, Laplace formulou um modelo revolucionário da formação do sistema solar que explicava algumas das propriedades que, nos tempos de Newton, eram consideradas argumentos em favor da existência de Deus. Mais uma lacuna no conhecimento parecia ter sido preenchida, forçando o "Deus das lacunas" de Newton a retirar-se ainda mais para a retaguarda.

Laplace baseou seus argumentos nas ideias desenvolvidas pelo filósofo alemão Immanuel Kant, que, em 1755, teorizara que uma nuvem gasosa em rotação iria necessariamente assumir a forma de um disco ao contrair-se sob a ação de sua própria gravidade. Kant era fascinado pela Via Láctea e pelos demais objetos difusos que brilham com sua fraca luz no céu noturno. Esses objetos eram coletivamente conhecidos como nebulosas, do latim *nube*, isto é, "nuvem". Uma nebulosa bastante conhecida pode ser vista a olho nu na constelação de Andrômeda. De fato, essa nebulosa é o objeto mais distante visível sem um telescópio, localizado a uma distância de aproximadamente 2 milhões de anos-luz.[2] Nos trópicos do Sul, as Nuvens de Magalhães são uma visão belíssima. Elas são nossas galáxias-satélites, localizadas a uma distância de "apenas" 200 mil anos-luz.

Galileu acreditava que todas as nebulosas eram aglomerados de estrelas, que pareciam difusas devido a sua enorme distância. Kant concordava com Galileu, mas foi mais além. Assim como as estrelas se agrupam sob sua atração gravitacional para formar nebulosas, grupos de nebulosas também formam aglomerados, que

Kant chamou de "universos-ilhas". Kant acreditava que o Universo tinha uma estrutura hierárquica, criado "de acordo com a infinitude do grande Construtor".[3]

Segundo Laplace, o sistema solar formou-se quando uma enorme nuvem gasosa condensou-se, atraída por sua própria gravidade. À medida que a nuvem começou a achatar-se em forma de disco, forças rotacionais forçaram anéis concêntricos de material a separar-se do resto de sua massa. Os anéis supostamente condensaram-se e formaram os planetas, enquanto o resto da massa aglomerou-se no centro, formando por fim o Sol. De acordo com as ideias de Laplace, a uma certa altura em sua evolução, o sistema solar se parecia muito com Saturno. Esse mecanismo dinâmico para a formação das estrelas e seus sistemas planetários ficou conhecido como "hipótese nebular".

A hipótese nebular foi um terrível choque para os teístas, seguidores dos passos de Newton: para que invocar Deus como criador da ordem observada no sistema solar, quando simples argumentos mecânicos são suficientes? (Ninguém parece ter se preocupado com a questão da origem da nuvem gasosa.) Bombardeado por argumentos dessa natureza, o Deus dos teístas foi sendo aos poucos substituído pelo Deus "relojoeiro" dos *deístas*, o qual, após criar o Universo, deixa-o evoluir sob o controle das leis da física, tal como um relógio funcionando sob a ação de seus próprios mecanismos.

Os deístas forjaram um compromisso entre a crença em Deus e a tradição racionalista vinda do Iluminismo. Deus é a primeira causa e o criador das leis imutáveis e universais que regem o comportamento do Universo, que podem ser descobertas através do estudo científico da Natureza. Já que Deus não interfere ativamente no mundo, os deístas não aceitavam a existência de milagres. O que existe de sobrenatural no Universo é relegado ao mistério de sua criação e à concepção divina das leis que controlam sua evolução. As leis da física são criadas por Deus, e a função do cientista é desvendá-las.

William Paley, um teólogo inglês cujos livros sobre cristianismo e ciência eram muito populares durante o século XIX, desenvolveu uma série de argumentos em favor das ideias dos deístas. Vamos examinar um dos argumentos mais conhecidos de Paley. Suponha, disse ele, que, ao atravessar um campo aberto numa bela tarde de verão, você ache um relógio no chão, abandonado sobre a grama. Suponha também que você nunca tivesse visto um relógio antes. Após um rápido exame do objeto, você concluiria que o relógio não só foi construído por um artesão extremamente inteligente, mas também que foi construído com algum objetivo, mesmo que de início esse objetivo não seja óbvio para você. (Lembre-se de que você nunca havia visto um relógio antes.) Após um exame mais detalhado, e assumindo que o relógio ainda estivesse funcionando, você ficaria impressionadíssimo ao descobrir que esse objeto foi realmente construído com um objetivo, marcar a passagem do tempo.

Agora olhe à sua volta, Paley argumentaria, e admire a Natureza com toda sua sofisticação e detalhe. Como acreditar que toda essa complexidade, tão misteriosamente eficiente, não seja o produto do trabalho de um Criador? Como acreditar que não exista objetivo na maravilhosa sofisticação do Universo? A mesma excitação que você sentiu quando descobriu qual a função do relógio, um cientista a sente quando tem a oportunidade de desvendar mais um pequeno detalhe do mistério cósmico. Para os deístas, a Natureza é criação do "Deus Relojoeiro", e o papel da ciência é revelar a estrutura de seus intrincados mecanismos.

O problema com esse argumento, conforme comentou David Hume e, mais recentemente, o físico e escritor Paul Davies,[4] é que ele se baseia numa analogia; já que o relógio foi criado por um agente inteligente, então o Universo também deve ter sido. Mesmo que o argumento de Paley seja aparentemente convincente, decerto não podemos usá-lo como prova da existência de uma Inteligência Cósmica. O exemplo que examinamos acima, opondo Newton a Laplace, nos mostra claramente que o que pode parecer hoje uma evidência da existência de Deus pode vir a ser explicado amanhã por argumentos puramente científicos.

"Mas então", você pergunta com um tom de impaciência em sua voz, "será que vamos algum dia poder responder a essa pergunta tão fundamental?" Infelizmente, não sei. O que pode fazer um cientista? Como consolo, posso lhe garantir que nenhuma outra pessoa pode concretamente provar se existe ou não uma resposta. Mesmo que não possamos descartar por completo a possibilidade de que uma prova definitiva da existência de Deus esteja escondida em algum canto obscuro da Natureza, pacientemente esperando para ser descoberta por nós, também não podemos descartar a possibilidade de que jamais tenhamos acesso a essa prova através da ciência. Ou de que essa prova simplesmente não exista, a menos que *acreditemos* nela. Talvez existam muitas respostas possíveis a essa pergunta, científicas ou não, cada uma satisfazendo parcialmente nossa necessidade de entender a origem de todas as coisas.

No momento, tudo o que podemos fazer é especular, com base em nossos próprios preconceitos. Para mim, não é claro que a beleza e a ordem que tantas vezes encontramos na Natureza não possam ser simplesmente resultado do acaso, de acidentes sem nenhum objetivo ou "plano final". Por outro lado, também não é claro que tudo seja produto do acaso. O que confunde essa discussão é que, com frequência, a beleza é resultado de um compromisso entre acaso e otimização. Considere, por exemplo, flocos de neve. Sua belíssima simetria hexagonal (seis lados) inspiraram Kepler, em 1611, a escrever um ensaio notável, no qual ele procurou encontrar a causa dessa simetria.[5] Agora sabemos que a simetria hexagonal dos flocos de neve se deve ao arranjo dos átomos de oxigênio nas moléculas de água. Nesse caso, *a emergência da beleza é controlada pelas leis da física*. Por outro lado, não existem dois cristais de neve idênticos. Essa infinita diversificação tem sua origem no processo de congelamento das gotas de água, que procuram os modos mais eficientes possíveis de dissipar calor, um processo de otimização que é muito sensível aos detalhes das condições locais de temperatura e umidade, os quais, em essência, são imprevisíveis. Neste caso, *a diversidade da beleza é resultado do acaso*.

Inspirados pela beleza dos flocos de neve, produto de seu complicado processo de formação, podemos agora concentrar nossa discussão na natureza das leis físicas. Será que as leis da física são evidência para a existência de um Criador? É muito tentador dizer que as leis da física são "inteligentes". Afinal, é devido à nossa inteligência que podemos desvendar os mecanismos através dos quais a Natureza opera, expressando-os em termos de leis físicas. Mas assumir superficialmente essa posição pode ser muito perigoso. O fato de que seja necessária inteligência para desvendarmos as leis da física não implica que elas sejam produto de um Criador. A menos, claro, que *acreditemos* que nossa própria inteligência não seja produto do acaso, por intermédio da seleção natural, mas sim o produto do trabalho de um Criador.

Será que a necessidade de identificarmos inteligência por trás do funcionamento dos processos naturais é uma consequência do fato de sermos seres inteligentes? Afinal, se a capacidade do cérebro humano de reconhecer padrões complexos (como, por exemplo, atribuirmos formas a constelações ou a nuvens, ou reconhecermos melodias musicais) é uma de suas propriedades mais importantes, não seria previsível que tentaríamos encontrar inteligência em um mundo cheio de padrões complexos? Será que somos vítimas de nossos próprios processos mentais? Ou será que o modo como funcionamos é realmente produto premeditado de um Criador inteligente? Até que tenhamos uma compreensão mais profunda da origem de nossa própria inteligência, talvez seja um pouco prematuro querer atribuir inteligência ao Universo como um todo.

Está na hora de deixarmos a metafísica de lado por um momento, para voltarmos à nossa discussão das nebulosas. Sua descoberta e suas enigmáticas propriedades marcam um ponto de transição na história da astronomia. Se, como Galileu e Kant pensavam, as nebulosas eram apenas aglomerados de estrelas, telescópios mais poderosos seriam em princípio capazes de reduzir seu brilho difuso a seus componentes pontuais. Essa questão instigou a construção de telescópios cada vez mais poderosos. Infelizmente, mesmo que com esses telescópios a lista de nebulosas conhecidas tenha aumentado de modo considerável, o mistério de sua natureza persistiu por muito tempo. De fato, apenas por volta de 1920 é que ficou claro que a nebulosa em Andrômeda era, na verdade, outra galáxia, e não parte da Via Láctea! Foi também por volta dessa época que os astrônomos finalmente aceitaram o fato de que o sistema solar não está no centro da Via Láctea. Conforme escreveu meu colega e amigo Rocky Kolb, "o estudo das nebulosas atraiu e confundiu, desde Galileu até hoje em dia, alguns dos maiores astrônomos da História".[6]

Uma das razões para tal confusão é que os vários objetos que foram em princípio classificados como nebulosas são, na verdade, completamente diferentes: "nebulosas difusas" são enormes nuvens de gás iluminadas pela luz de estrelas vizinhas; "nebulosas planetárias" são anéis de gás expelidos durante a explosão de uma estrela; "aglomerados estelares" podem ser de dois tipos, "aglomerados abertos" com relativamente poucas estrelas, ou "aglomerados globulares" com milhões de estrelas; e finalmente existem as "galáxias", que podem ter de algumas centenas de milhões até 10 trilhões de estrelas. Outra razão para a confusão é que a maioria desses objetos está localizada a enormes distâncias de nosso sistema solar.

O primeiro catálogo sistemático de nebulosas foi compilado por Charles Messier por volta de 1780. O catálogo tinha 103 nebulosas, 42 descobertas pelo próprio Messier. Das 103, sete são nebulosas difusas, quatro são nebulosas planetárias, 28 são aglomerados abertos, 29 são aglomerados globulares, 34 são galáxias e uma, um sistema de estrelas binário, formado por duas estrelas girando em torno de si mesmas. Os céus subitamente se transformaram, povoados por uma incrível variedade de objetos completamente desconhecidos até então.

Talvez nenhum outro astrônomo do século XVIII conhecesse o céu com a precisão do inglês William Herschel. Ele gostava de comparar o céu a um jardim, "que contém uma enorme variedade de seres".[7] Com a devoção obsessiva de um botânico semienlouquecido, armado com os maiores telescópios da época, Herschel decidiu mapear os céus. Em 1788, ele tinha um telescópio com um espelho de 130 centímetros de diâmetro. Próximo à sua morte, em 1822, Herschel havia descoberto um novo planeta, Urano; produzido um catálogo com 2500 nebulosas;

desenvolvido a nova disciplina conhecida como astronomia estelar, e tentado, pela primeira vez, desenvolver um esquema de classificação para as várias nebulosas, criando os nomes "nebulosa planetária" e "aglomerado globular". Mais do que qualquer outro antes dele, Herschel contemplou a imensa riqueza escondida nas profundezas do cosmo.

O crescente poder dos telescópios revelou uma nova dimensão dos céus, sua profundidade. Se algumas (de fato a maioria) nebulosas são de fato grupos de estrelas atraídas mutuamente pela força gravitacional, como podemos determinar suas distâncias? Quanto mais poder seria necessário para que telescópios pudessem resolver esse mistério de uma vez por todas? Em meados do século XIX, a maioria dos astrônomos estava (erradamente) convencida de que *todas* as nebulosas eram aglomerados de estrelas; mas, como em muitas outras ocasiões na história da ciência (e em outras histórias), ter mais poder não é sempre a melhor opção. Às vezes uma nova ideia é necessária, para suplantar e resolver questões que, de outra forma, permaneceriam em aberto por muito mais tempo. No caso das nebulosas, essa nova ideia foi utilizar um novo instrumento no estudo de objetos astronômicos, o espectroscópio.

O *espectroscópio* é um instrumento capaz de separar a luz proveniente de uma fonte em seus componentes, de modo semelhante ao prisma de Newton, que separou a luz do Sol nas sete cores do arco-íris. O ingrediente adicional do espectroscópio é uma fenda vertical bem fina que é colocada entre a fonte de luz e o prisma. (Em vez do prisma, um *retículo* pode ser usado, isto é, uma superfície transparente na qual são lavradas finíssimas linhas verticais.) Um espectroscópio bem simples pode ser construído colocando-se a fenda em frente ao prisma (como na figura 6.1), seguida de uma folha de papelão onde a luz é projetada. O que aparece na folha de papelão é o *espectro* da fonte de luz para a qual você apontou seu espectroscópio.

No início do século XIX, Joseph Fraunhofer, um jovem oculista alemão, teve uma ideia brilhante. Por que não apontar um espectroscópio para o Sol? Fraunhofer rotineiramente trabalhava

Figura 6.1: O espectroscópio e o espectro: a luz proveniente de uma fonte passa através da abertura, atingindo o retículo, localizado do lado oposto do espectroscópio. O espectro resultante exibe algumas linhas escuras.

com espectroscópios para obter linhas monocromáticas (apenas uma cor), que ele utilizava para testar suas lentes. Quando examinou o espectro produzido pela luz solar, mal podia acreditar nos seus olhos. Ele observou "um número enorme de linhas verticais de intensidade variável que eram mais escuras do que o resto da imagem colorida. Algumas pareciam ser completamente escuras".[8] Assim, Fraunhofer descobriu que o espectro solar exibia uma série de linhas escuras superpostas às cores do arco-íris descobertas por Newton. Ao examinar o espectro do mais intenso violeta até o mais intenso vermelho, Fraunhofer descobriu que as linhas escuras representavam cores que estavam ausentes. O espectro solar não era completo!

Fraunhofer catalogou centenas dessas linhas escuras, mostrando que os espectros provenientes da Lua e dos planetas eram idênticos ao espectro solar: com isso, ele demonstrou que a Lua e os planetas apenas refletiam a luz solar, conforme Galileu havia inferido duzentos anos antes, ao estudar as fases de Vênus. Todavia, as descobertas de Fraunhofer também levantaram uma série de questões: qual era a causa dessas linhas escuras? Por que apenas certas cores estavam ausentes do espectro? A resolução final do mistério das linhas escuras iria ter que esperar mais cem anos, até que a natureza enigmática da física atômica começasse a ser entendida. Mesmo assim, a descoberta de Fraunhofer abriu uma nova janela para os céus, que iria influenciar profundamente o desenvolvimento da astronomia e da cosmologia.

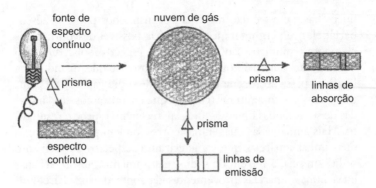

Figura 6.2: Espectros de emissão e absorção: uma nuvem de gás produz um *espectro de emissão* com algumas linhas brilhantes características (centro). Quando a mesma nuvem está entre uma fonte de espectro contínuo (esquerda) e um espectroscópio, ela irá absorver seletivamente, produzindo um *espectro de absorção* com linhas escuras nas mesmas posições das linhas brilhantes originais (direita).

Apesar de vários outros astrônomos terem confirmado a existência de linhas escuras no espectro solar, foram necessários quase que outros cinquenta anos para que novos avanços fossem adicionados à descoberta de Fraunhofer. Entre 1855 e 1863, os alemães Gustav Kirchhoff e Robert Bunsen examinaram o espectro de vários elementos químicos após aquecê-los a altas temperaturas. Eles descobriram que cada elemento, quando aquecido, emite luz de determinadas cores, ou, mais acuradamente, descobriram que cada elemento tem seu próprio espectro. Portanto, podemos pensar no espectro de um determinado elemento químico como sendo sua "impressão digital"; se analisarmos com um espectroscópio uma mistura contendo vários elementos químicos, o espectro resultante irá revelar quais são as diferentes espécies que fazem parte da mistura.

Uma noite, Bunsen e Kirchhoff estavam trabalhando em seu laboratório em Heidelberg, quando notaram um incêndio na cidade vizinha de Mannheim. Ao apontarem seu espectroscópio na direção do incêndio, identificaram as linhas dos elementos químicos bário e estrôncio nas chamas. Inspirados por essa descoberta, eles se perguntaram se não seria possível descobrir quais elementos químicos são revelados no espectro solar. O físico francês Jean-Bernard Foucault havia mostrado que, quando uma luz forte passa através de uma nuvem de sódio vaporizado mantida a baixas temperaturas (como a que encontramos em lâmpadas de sódio), duas linhas escuras aparecem no espectro resultante. Mais ainda, essas duas linhas correspondem precisamente às duas linhas amarelas que caracterizam o espectro do elemento sódio; ou seja, a nuvem de sódio seletivamente "absorveu" suas duas linhas amarelas provenientes da fonte de luz. Kirchhoff provou que todos os elementos emitem e absorvem luz das mesmas cores. Com isso, o resto da tarefa era "fácil": dado o espectro solar, era só averiguar quais as cores que estavam ausentes (linhas escuras) e compará-las com os espectros dos elementos químicos conhecidos.

Em 1861, após uma análise detalhada do espectro solar, Kirchhoff identificou linhas características do espectro de absorção de vários elementos químicos, incluindo intensas linhas de sódio, cálcio, magnésio e ferro. Esses elementos, estando presentes nas camadas exteriores e, portanto, mais frias do Sol, absorviam seletivamente suas cores espectrais, gerando as linhas escuras observadas originalmente por Fraunhofer. Essa foi uma descoberta de enorme importância: o Sol é composto pelos mesmos elementos químicos que encontramos na Terra! O éter dos gregos não existia, apenas elementos químicos que fazem parte do dia a dia de qualquer laboratório. O próximo passo era claro: examinar outros objetos celestes, estrelas e nebulosas, para desvendar sua composição química.

William Huggins, um rico astrônomo amador, empolgou-se com as descobertas de Bunsen e Kirchhoff. Ele adaptou um espectroscópio ao seu telescópio em Upper Tulse Hill, Londres, e pacientemente mediu o espectro produzido pelas estrelas Aldebarã e Betelgeuse. Após um complexo processo de separação das várias linhas espectrais que originalmente apareciam superpostas umas sobre as outras, Huggins corretamente identificou os elementos ferro, sódio e cálcio no espectro dessas estrelas. Ele descobriu que as estrelas são compostas por elementos químicos encontrados no sistema solar, embora seu espectro individual possa variar substancialmente.

Huggins então decidiu examinar o espectro das nebulosas. Será que ele podia resolver o mistério de sua natureza analisando seu espectro? Se as nebulosas eram apenas aglomerados de estrelas, ele deveria ser capaz de identificar espectros estelares típicos no espectro das nebulosas. Em 1864, Huggins escreveu em suas notas:

> [Foi com] grande emoção e suspense, misturados com um grau de fascínio, que, após alguns instantes de hesitação, finalmente olhei através de meu espectroscópio. Afinal, estava prestes a penetrar nos segredos da Criação [...] Eu olhei pelo espectroscópio. E não encontrei nada do que esperava! Apenas uma única linha brilhante! [...] O mistério das nebulosas estava resolvido. A resposta, trazida pela própria luz emitida pela nebulosa, dizia: não um agregado de estrelas, mas sim uma nuvem luminosa de gás.[9]

Infelizmente, Huggins havia apontado seu telescópio para uma nuvem de gás, concluindo erroneamente que todas as nebulosas eram iguais. Apesar de sua observação estar correta, sua generalização estava errada. Por outros cinquenta anos, a verdadeira natureza das nebulosas iria permanecer tão misteriosa quanto seus tênues filamentos luminosos.

A descoberta dos espectros estelares e sua relação com a química terrestre criou uma nova disciplina, a astrofísica, o ramo da física dedicado ao estudo dos objetos celestes. Com telescópios e espectroscópios de melhor qualidade, um número cada vez maior de espectros podia ser lido e interpretado, revelando as muitas semelhanças e diferenças entre as várias fontes luminosas dos céus; mas muitas questões fundamentais permaneceram em aberto. Por que objetos quentes emitem luz? Por que elementos químicos diferentes produzem espectros diferentes? Ou, em termos mais gerais, o que é luz, o que é calor, e qual a relação, se é que existe alguma, entre os dois? Uma grande parte da física fundamental desenvolvida durante o século XIX foi dedicada a essas perguntas. Na luta para encontrar respostas, os cientistas seriam obrigados a confrontar as limitações da física clássica. Eles jamais poderiam imaginar que a resolução final dos mistérios da luz e do calor iria demandar a criação de toda uma nova física, de uma nova visão de mundo. Para entendermos as sutilezas dessa transição entre o clássico e o moderno, nas duas próximas seções iremos discutir a física do calor e a física da eletricidade e da luz.

A NATUREZA ELUSIVA DO CALOR

Não existe uma criança no mundo que não seja fascinada pelo fogo. Quando eu era pequeno, minha família escapava do Rio de Janeiro quase todos os fins de semana para a casa de meus avós em Teresópolis, uma cidade localizada a cem quilômetros da costa, nas montanhas da serra do Mar. Eu me lembro como ficava excitado quando meu avô anunciava, do alto da cabeceira da mesa, que estava frio o suficiente para acendermos a lareira, coisa rara para uma criança do Rio. Assim que as chamas começavam a consumir a lenha, eu me plantava em frente ao fogo, completamente fascinado pela sua dança. Junto com meus primos, usávamos as ferramentas da lareira para bater na lenha, criando fagulhas de todos os tamanhos, para desespero de minha avó. "O tapete! Cuidado com o tapete! Suas mãos, cuidado!... Vocês vão molhar suas camas hoje à noite, seus moleques!"

O fogo tem uma natureza dual, sendo ao mesmo tempo perigoso e útil, belo e destruidor, mágico e intangível. A liberação de calor por materiais em combustão é a causa, em grande parte, da sobrevivência de nossa espécie. Mesmo assim, a compreensão do processo de combustão e da natureza física do calor iria frustrar os esforços dos cientistas até meados do século XIX. A primeira tentativa mais séria de compreender por que certos materiais são combustíveis foi proposta pelo químico alemão Georg Ernst

Stahl (1660-1734), que postulou que a combustão era resultado da liberação de um elemento hipotético chamado *flogisto*. Toda substância combustível era feita de uma combinação de flogisto e do resíduo que é deixado após o processo de combustão.

Foi o grande químico francês Antoine Laurent de Lavoisier quem entendeu, pela primeira vez, que o processo de combustão é resultado de uma combinação química entre o material combustível e o oxigênio. Sem oxigênio, materiais não queimam. Lavoisier demonstrou esse fato através de uma série de experimentos brilhantes, que revolucionaram a química. Em um deles, ele pediu emprestado a um joalheiro de Paris alguns diamantes, colocando-os em um vasilhame selado, do qual foi sugado todo o ar. Em seguida, ele colocou o vasilhame com os diamantes num forno aquecido a uma temperatura bem alta. Para alívio do pobre joalheiro, Lavoisier mostrou que, na ausência de ar, os diamantes não queimavam. Ele também mostrou que, durante o processo de combustão, assim como em qualquer reação química, a massa total das substâncias reagentes é conservada. Não era necessário inventar uma substância hipotética (flogisto) para explicar o processo de combustão. Em 1789, ano da Revolução Francesa, ele enunciou a lei de conservação da massa:

> Devemos aceitar como um axioma incontestável que, em todas as operações da arte e da Natureza, nada é criado; uma quantidade idêntica de matéria existe antes e depois do experimento. Esse princípio é fundamental na arte da experimentação em química.[10]

Não obstante as descobertas de Lavoisier, a natureza física do calor permaneceu obscura. Sabemos que o calor sempre flui de objetos quentes para objetos frios: essa é a razão pela qual podemos dizer se alguém está com febre pondo nossa mão sobre sua testa, ou que um prato de sopa quente irá esfriar se não for mantido aquecido. A explicação mais simples e intuitiva é que o calor é uma espécie de fluido invisível, que flui espontaneamente de objetos quentes para objetos frios. De fato, essa foi a suposição da *hipótese calórica*, apoiada pelo próprio Lavoisier. Para manter a hipótese calórica consistente com sua lei de conservação da massa, ele supôs que o fluido calórico não tinha massa, e que sua quantidade total no Universo era constante. O único modo possível de se detectar a presença do fluido calórico era por intermédio do fluxo de calor induzido pelo contato entre dois corpos a temperaturas diferentes. Essa ideia, embora errada, era bem interessante, sendo responsável pelo grande progresso no estudo do calor e pelo desenvolvimento de várias aplicações tecnológicas a partir de meados do século XVIII.

Das várias inovações tecnológicas que apareceram durante esse período, nenhuma é mais claramente associada com a Revolução Industrial do que a máquina a vapor. A mecanização da produção, tanto nos setores de manufatura como nos setores agrícolas da economia inglesa, tornou-se sinônimo de progresso. Quando o escocês James Watt patenteou a primeira máquina a vapor realmente eficiente, em 1769, ele inaugurou uma nova etapa na história da tecnologia: a corrida para a construção da máquina a vapor mais eficiente, capaz de produzir mais trabalho mecânico com uma quantidade menor de carvão. A visão profética de Roger Bacon havia se tornado realidade, cinco séculos depois.

Com o vapor propelindo o avanço da Revolução Industrial, a eficiência foi equacionada com mais-valia: máquinas eficientes significavam mais trabalho com uma menor quantidade de combustível e, portanto, mais dinheiro nas contas bancárias da nova classe de ricos industriais. Será que existe um limite para a eficiência de uma máquina a vapor? Os esforços para responder a essa pergunta criaram uma nova disciplina na física, o estudo do calor, ou *termodinâmica*.

Usando a hipótese calórica, o engenheiro francês Nicolas Léonard Sadi Carnot (1796-1832) esclareceu alguns dos princípios físicos da máquina a vapor. Ele mostrou que o funcionamento da máquina a vapor pode ser comparado ao de um moinho de água. A água caindo sobre as pás do moinho faz com que ele possa mover outras máquinas que estejam ligadas às suas engrenagens. Essa ação é a expressão do princípio de conservação da energia, um dos princípios fundamentais da física. Antes de prosseguirmos com a analogia de Carnot, vamos discutir como os físicos descrevem o conceito de energia.

Em mecânica, a energia é convenientemente dividida em dois tipos, potencial e cinética. A *energia cinética* é a energia dos objetos em movimento, enquanto a *energia potencial* é a energia que, de alguma forma, é armazenada. O interessante é que as duas formas de energia podem se transformar uma na outra. Um instrumento simples e eficiente para estudarmos como a energia potencial pode ser transformada em energia cinética é o estilingue. (Se você nunca viu ou brincou com um estilingue, imagine um arco e flecha.) Após colocarmos uma pedra no elástico, ao puxá-la para trás estamos armazenando energia potencial elástica. Ao soltarmos o elástico a pedra é disparada para a frente, de modo que a energia potencial armazenada no elástico é transformada na energia cinética de movimento da pedra. Uma arma de fogo faz a mesma coisa, transformando a energia química armazenada na pólvora na energia cinética da bala.

Ainda outro exemplo, menos violento mas ainda assim perigoso: ao subir num trampolim, um mergulhador armazena energia potencial gravitacional. Quanto mais alta a plataforma, mais energia potencial é armazenada pelo mergulhador. De fato, tudo que pode cair armazena energia potencial gravitacional: quanto maior a altura, mais dura a queda! Ou seja, quanto mais energia potencial gravitacional for armazenada na subida, mais energia cinética ao bater no chão.[11]

Agora podemos voltar à analogia de Carnot entre o moinho de água e a máquina a vapor. Ao cair sobre as pás do moinho, a energia potencial gravitacional da água é transformada em energia cinética. Quanto maior a elevação inicial da água, mais energia cinética ela terá ao atingir as pás. Ao mover as pás, a energia cinética da água é convertida na energia mecânica do moinho. Carnot raciocinou que uma máquina a vapor funciona de modo semelhante. Do mesmo modo que, ao cair, a água move o moinho, o fluxo de calor move a máquina a vapor. Para aumentarmos a eficiência da máquina a vapor, devemos aumentar a diferença de temperatura entre a fonte de calor e seu recipiente, assim como aumentamos a altura de onde a água cai para melhorarmos a eficiência do moinho.

Carnot também entendeu que, mesmo que muito útil, essa analogia não era perfeita. Em uma máquina a vapor, a diferença de temperatura é entre o vapor e o ambiente externo. Como seria possível aumentar a diferença de temperatura entre os dois, se o vapor tem a mesma temperatura que a água em ebulição, cem graus centígrados? Carnot descobriu que, para aumentar a temperatura do vapor e, consequentemente, a eficiência da máquina a vapor, devemos produzi-lo a pressões mais altas. Esse é o mesmo princípio de funcionamento das panelas de pressão; se o volume é mantido constante, quanto mais alta for a pressão do gás, maior será a sua temperatura. O feijão cozinha mais rapidamente e as máquinas a vapor funcionam de modo mais eficiente.

Carnot não recebeu o reconhecimento que merecia por outros vinte anos. Ele publicou suas ideias em 1824, num livro intitulado *Réflexions sur la puissance du feu et sur les machines propres à développer cette puissance*, que pode ser traduzido por "Reflexões sobre o poder mecânico do fogo e sobre as máquinas adequadas para desenvolver esse poder". Foi apenas com o trabalho de William Thomson (mais tarde lorde Kelvin) e do alemão Rudolf Clausius (1822-1888) que a importância do trabalho de Carnot foi finalmente compreendida. Inspirados pelos argumentos de Carnot eles descobriram que, numa máquina qualquer, parte do calor era usada para ferver a água, parte era sempre perdida para o ambiente externo devido ao atrito, e parte simplesmente se perdia; ou seja, Thomson e Clausius descobriram que era impossível construir uma máquina perfeita. Enquanto a máquina repetia seu movimento cíclico, transformando água em vapor, que por sua vez movia alguma engrenagem antes de condensar-se e transformar-se novamente em água, não era possível recuperar todo o calor liberado durante o ciclo. Para manter a máquina em funcionamento era necessário fornecer mais combustível, compensando a perda inevitável de calor ocorrida durante o processo. Isso os le-

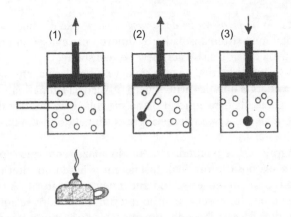

Figura 6.3: À medida que a lamparina aquece o ar no interior do cilindro, o pistão se move para cima (1). O pistão também se move para cima quando a energia mecânica de um pêndulo em movimento oscilatório aquece o ar no cilindro por atrito (2). Empurrando o pistão para baixo nós aquecemos o ar, mas não fazemos com que o pêndulo oscile novamente (3). Os círculos representam moléculas de ar (ampliadas!).

vou a concluir que, embora seja fácil converter trabalho mecânico em calor (por exemplo, quando você esfrega uma mão na outra para mantê-las aquecidas em dias frios), o reverso é muito mais difícil. (Imagine o que seria de nossas vidas se o calor nos obrigasse a esfregar as mãos!) Apenas uma fração do calor gerado num sistema é "calor útil", capaz de ser convertido em trabalho mecânico organizado.

Um simples "experimento mental" ilustra o que quero dizer com calor útil.[12] Considere um cilindro transparente e, no seu topo, um pistão que possa se mover para cima e para baixo sem atrito, como o ilustrado na figura 6.3. Um termômetro mede a temperatura do ar (ou gás) no interior do cilindro. Suponha que nenhum calor possa escapar do cilindro. (Essa é a grande vantagem de experimentos mentais!) Agora vamos aquecer o cilindro com uma lamparina. À medida que a chama aquece o cilindro, o ar no seu interior também se aquece e começa a expandir-se, movendo o pistão para cima. Esse fenômeno simples é uma manifestação da *primeira lei da termodinâmica*, que diz que a energia total num sistema isolado (o cilindro, o ar em seu interior, a lamparina e o ar à sua volta) deve ser constante.

A quantidade total de energia deve ser a mesma, antes e depois: a energia química armazenada no óleo da lamparina é igual à energia usada para aquecer o ar a sua volta e no interior do cilindro mais a energia potencial gravitacional do pistão na posição elevada.

Agora resfrie o cilindro, de modo a fazer com que o pistão volte à sua posição original. Instale um pêndulo no interior do cilindro e faça-o mover-se com movimento oscilatório. À medida que o pêndulo oscila, o ar no interior do cilindro se aquecerá devido à fricção, fazendo com que o pistão se mova para cima, de modo idêntico ao movimento causado pela chama da lamparina. (Lembre-se de que esse é um experimento mental!) Quando toda a energia mecânica do pêndulo se transformar em calor, o pêndulo atingirá sua posição de repouso na vertical. Portanto, toda a energia mecânica do pêndulo foi usada para aquecer o ar no interior do cilindro e para fazer com que o pistão subisse.

Mais uma vez, esse experimento é uma manifestação da primeira lei da termodinâmica, com a energia mecânica sendo transformada em calor: você pode aumentar a temperatura de um gás tanto aquecendo-o como "agitando-o" por meios mecânicos. De fato, durante a década de 1840, o físico britânico James Joule mediu, numa série de experimentos de grande importância, o *equivalente mecânico do calor*, ou seja, quanto calor é gerado por uma determinada quantidade de trabalho mecânico. O calor, assim, é apenas uma das várias formas possíveis de energia.

Agora chegamos à parte crucial do experimento; empurre o pistão para baixo até ele chegar a sua posição original. À medida que a pressão aumenta no interior do cilindro, a temperatura do ar em seu interior também aumenta. Num mundo perfeito, esperaríamos que a energia liberada pelo calor fizesse com que o pêndulo começasse a oscilar de novo; mas é óbvio que isso não acontece. Uma vez que o movimento mecânico, tipicamente organizado e estruturado, é dissipado na forma de calor, desorganizado e desestruturado, é impossível obtê-lo de volta.

Foi quando Clausius estava ponderando sobre como quantificar a utilidade do calor para gerar trabalho mecânico que ele chegou ao conceito de *entropia*. A entropia pode ser definida como uma medida da habilidade de um sistema de gerar trabalho organizado. Um sistema com baixa entropia tem maior habilidade de gerar trabalho organizado do que um sistema com alta entropia. Uma característica típica de um processo irreversível é o aumento de entropia. O experimento que acabamos de descrever é um exemplo de um processo irreversível. O sistema espontaneamente gera calor a partir de energia mecânica (a oscilação do pêndulo diminui devido à fricção do ar), mas ele não gera espontaneamente movimento mecânico a partir do calor (aquecer o ar no cilindro não faz com que o pêndulo oscile novamente).

O calor é energia em forma desorganizada; fazer com que o calor gere trabalho mecânico organizado não é nada fácil. Como consequência, na evolução de qualquer sistema, o estado final será necessariamente mais desorganizado (terá maior entropia) do que o estado inicial. Esse resultado fundamental é conhecido como *segunda lei da termodinâmica*.

Frequentemente lidamos com processos irreversíveis no nosso dia a dia. Eis aqui alguns exemplos: um cubo de açúcar dissolve-se espontaneamente numa xícara de café, mas jamais observamos os grãos de açúcar se reorganizarem espontaneamente voltando à forma de cubo. Uma omelete não se transforma espontaneamente em ovos crus. Moléculas de perfume escapando de um vidro aberto não retornam ao seu interior. Água morna não se divide em água fria e água quente.

Em outras palavras, a segunda lei afirma que, em qualquer sistema físico *isolado*, a entropia sempre cresce. "Isolado", aqui, refere-se a um sistema que não pode trocar energia com o ambiente externo. Num sistema aberto (o oposto de um sistema isolado), a entropia pode decrescer. Essa é a razão pela qual estruturas organizadas complexas podem surgir localmente, como, por exemplo, cubos de açúcar, casas limpas, macromoléculas orgânicas e, por fim, os próprios seres vivos. Para que seres vivos possam se desenvolver, é necessário que se alimentem de produtos encontrados em seu meio ambiente, deixando para trás restos ou excrementos desnecessários para seu metabolismo. Embora a ordem esteja surgindo localmente (o ser vivo), globalmente (o ser vivo e o meio ambiente) a entropia continua sempre a crescer. No final, a desordem sempre vence. Parece deprimente? Pense na outra alternativa: um mundo com entropia constante é um mundo sem mudanças, sem surpresas. Tudo seria ou estático ou perfeitamente cíclico, sempre voltando ao seu ponto de partida, num movimento que se repete por toda a eternidade. Essa, eu acredito, é uma alternativa muito mais deprimente. O preço do novo é o declínio da ordem.

A irreversibilidade está intimamente relacionada com a direção do tempo. Se eu fizesse um filme mostrando um cubo de açúcar dissolvendo-se numa xícara de café e o projetasse de trás para a frente, você imediatamente saberia que esse processo não pode ocorrer na Natureza, que o filme estaria invertendo a direção do tempo. O dissolver do cubo de açúcar implica uma direção do tempo que é irreversível. Entretanto, se eu filmasse uma bolha de sabão flutuando livremente e mostrasse o filme de trás para a frente, você não saberia qual a direção correta (a menos que a bolha estourasse!): o movimento da bolha é reversível.

Como é possível que um cubo de açúcar dissolvendo-se numa xícara de café demonstre a irreversibilidade do tempo tão claramente, enquanto o movimento da bolha de sabão é reversível? A resposta a essa pergunta reside na complexidade do sistema em questão.[13] Em princípio, é possível que os cristais de açúcar refaçam seus caminhos individuais até emergirem e se juntarem em forma de cubo, mas a probabilidade dessa manifestação coletiva de ordem é tão astronomicamente pequena a ponto de ser desprezível: simplesmente isso jamais irá acontecer. Já o movimento da bolha de sabão é muito mais restrito, fazendo com que seja difícil distinguir qual a direção "certa" do tempo apenas assistindo ao filme. O movimento irreversível é uma consequência da complexidade dos sistemas naturais. Quanto mais complicado for um sistema, como, por exemplo, um sistema com várias partículas interagindo entre si, menor a probabilidade de o sistema voltar ao seu estado original numa manifestação espontânea de ordem.

A introdução dos conceitos de entropia e irreversibilidade no contexto da segunda lei da termodinâmica revelou a necessidade de dois novos ingredientes na física: probabilidade e comportamento microscópico. A termodinâmica lida exclusivamente com propriedades macroscópicas de sistemas, como sua pressão, volume ou temperatura. Ela não explica por que, por exemplo, ao aquecermos um determinado gás aumentamos sua temperatura. Em meados do século XIX, a única explicação existente ainda se baseava na hipótese calórica; porém, estava ficando cada vez mais claro que essa hipótese não era suficiente. De fato, alguns exemplos discutidos acima contradizem diretamente a suposição básica da hipótese calórica, de que o calórico (calor) não pode ser criado nem destruído, apenas passado de objetos mais quentes para objetos mais frios. Se isso fosse verdade, de onde vem o calor quando esfregamos uma mão na outra? As duas mãos estão na mesma temperatura e, mesmo assim, ao esfregarmos uma na outra, geramos calor. Os proponentes da hipótese calórica diriam que a ação de esfregar um objeto no outro faz com que uma certa quantidade de calórico "vaze" do objeto, liberando assim o calor observado. Se essa explicação fosse correta, poderíamos imaginar que, a uma certa altura, a reserva de calórico de um objeto terminaria e não seria mais possível gerar calor por atrito.

Benjamin Thompson (1753-1814), um expatriado americano que mais tarde ficou conhecido como conde Rumford, era um árduo inimigo da hipótese calórica. Após servir como oficial no exército de Jorge III nos Estados Unidos, Rumford mudou-se da Inglaterra para Munique, na Alemanha, onde supervisionou a fabricação de canhões, um excelente laboratório para o estudo da geração de calor por fricção. Usando água para resfriar a broca que perfurava a boca dos canhões, Rumford mal podia acreditar na incrível quantidade de calor liberada durante o processo, a qual não só fazia com que a água fervesse rapidamente, como também a mantinha fervendo pelo tempo em que a broca continuava em ação. Ele inferiu, então, que a quantidade de calor gerada pela fricção "parecia evidentemente ser inextinguível", e escreveu, em 1798, que

> qualquer coisa que um corpo isolado, ou sistema de corpos, pode fornecer continuamente sem limitação não pode ser uma substância material; e me parece extremamente difícil, senão impossível, imaginar qualquer coisa capaz de ser excitada e transferida do modo como o Calor foi excitado e transferido nesses experimentos, senão como uma forma de Movimento.[14]

Aqui encontramos uma das primeiras declarações concretas de que o calor está relacionado com o movimento. Rumford estava completamente convencido de que a hipótese calórica estava errada. Após Lavoisier ter sido tragicamente decapitado durante o reinado do Terror, Rumford escreveu para sua viúva, prestes a se tornar a condessa Rumford: "Eu irei provar o quanto a hipótese calórica está errada, do mesmo modo que monsieur Lavoisier mostrou que o flogisto não existe. Que destino singular para a esposa de dois filósofos!".[15]

No entanto, o golpe de misericórdia que finalmente provou que a hipótese calórica não podia descrever corretamente as propriedades do calor teve de esperar pelos experimentos de Joule. Em nosso experimento do pêndulo no cilindro, vimos que o movimento oscilatório do pêndulo foi dissipado sob a forma de calor pelo atrito com o ar. O calor gerado pelo atrito elevou a temperatura do ar no interior do cilindro. De acordo com a hipótese calórica, isso seria impossível: se a quantidade total de calórico era sempre conservada, o movimento não podia criar mais calórico. A menos, claro, que o movimento do pêndulo fizesse com que o ar "vazasse" calórico, algo que estava ficando cada vez mais difícil de aceitar. Mais ainda, esse experimento mostra claramente que o calor pode ser criado "agitando" o ar, expondo, mais uma vez, a íntima relação entre calor e movimento.[16]

Mesmo antes dos experimentos de Rumford, e mais de cem anos antes dos experimentos de Joule, outros cientistas tentaram elucidar qual a relação entre calor e movimento. Em 1738, Daniel Bernoulli (1700-1782) propôs um modelo microscópico descrevendo o comportamento dos gases, o qual possuía algumas das ideias fundamentais da teoria que, finalmente, iria elucidar a verdadeira natureza física do calor, a *teoria cinética*, elaborada durante a segunda metade do século XIX. Supondo que os gases consistem em inúmeras moléculas em rápido movimento aleatório, Bernoulli mostrou que a pressão que um gás exerce sobre as paredes de um vaso é devida às colisões das moléculas com as paredes do vaso.

Ao controlar, por meio de um pistão, o volume do vaso contendo o gás, Bernoulli mostrou que, se o volume do vaso é reduzido à metade, a pressão exercida pelo gás dobra de intensidade. Ele propôs, assim, que o aumento da pressão é causado pela diminuição do volume disponível para o movimento das moléculas; à medida que a densidade do gás aumentava (ou seja, o número de moléculas num determinado volume), o número de colisões das moléculas com as paredes do vaso também aumentava, explicando o aumento da pressão. Esse resultado, embora notável e correto, foi ignorado por mais de cem anos, mesmo tendo sido proposto por um cientista com a reputação de Bernoulli.

A próxima grande contribuição para a teoria microscópica do calor veio em 1845, quando o físico britânico John James Waterson submeteu um manuscrito à Royal Society, no qual apontava as relações entre a temperatura e a pressão de um gás e a velocidade média de suas moléculas. Waterson obteve dois resultados cruciais: *a*) a temperatura de um gás é proporcional ao quadrado da velocidade média de suas moléculas; *b*) a pressão de um gás é proporcional ao produto da densidade de moléculas (quanto maior a densidade do gás, maior a pressão) por sua velocidade média (quanto maior a velocidade média das moléculas, maior a pressão). Portanto, as propriedades macroscópicas dos gases, tais como sua temperatura e pressão, podem ser compreendidas em termos dos movimentos de seus constituintes microscópicos. Ao aquecermos um gás, o aumento de sua temperatura se deve ao aumento na velocidade média de suas moléculas. Calor e movimento estão, sem dúvida, intimamente relacionados!

Infelizmente, o manuscrito de Waterson foi rejeitado por dois especialistas da Royal Society e arquivado. Um deles escreveu em seu parecer que o manuscrito "não faz o menor sentido, e certamente não deve ser lido perante a Royal Society", enquanto o outro escreveu que o manuscrito "demonstra o talento do autor e está notavelmente de acordo com dados experimentais [...] mas o princípio original em que o manuscrito se baseia [...] não fornece uma estrutura conceitual satisfatória para uma teoria matemática".[17] Por trás dessas críticas podemos identificar um forte preconceito contra a teoria corpuscular da matéria, que iria sobreviver até o início do século XX. Era muito difícil para os físicos do século XIX aceitar a existência de objetos que não podiam ser vistos, mesmo que a hipótese corpuscular explicasse tantas das propriedades físicas dos gases.

Preconceitos à parte, a teoria corpuscular ganhou novo ímpeto com a publicação, em 1860, de um artigo brilhante escrito por James Clerk Maxwell intitulado "Ilustração da teoria dinâmica dos gases: sobre o movimento e colisão de esferas elásticas perfeitas". Maxwell postulou que as moléculas de um gás podiam ser descritas como esferas rígidas, as quais, movendo-se segundo as leis de Newton, colidiam entre si sem perder energia cinética (daí o termo "esferas elásticas"). A inclusão por Maxwell das consequências das colisões na descrição do comportamento dos gases foi um passo muito importante. À temperatura ambiente, uma molécula de ar tem uma velocidade média de cerca de 1500 quilômetros por hora. E, já que existem mais de mil trilhões (ou, para aqueles familiarizados com a notação científica, 10^{15}) de moléculas em um metro cúbico de ar, o número médio de colisões gira em torno de 100 bilhões por segundo!

Os resultados de Maxwell foram expandidos e generalizados pelo grande físico austríaco Ludwig Boltzmann (1844-1906) na sua obra monumental sobre a teoria cinética, em que ele obtete as leis da termodinâmica usando métodos estatísticos na descrição dos movimentos das moléculas de gás. A ênfase na estatística reflete uma mudança radical no uso da matemática na descrição de fenômenos naturais, uma ruptura com os métodos tradicionalmente usados na física newtoniana. Boltzmann mostrou que era impossível e *desnecessário* tentar seguir o movimento de cada molécula de modo a explicar as propriedades macroscópicas dos gases. A "supermente" de Laplace era, num certo sentido, supérflua. A descrição dos movimentos individuais das moléculas, ou seja, a descrição determinista do sistema, foi abandonada em favor do uso de médias, obtidas através da aplicação da estatística aos sistemas físicos. Mesmo que as leis de Newton ainda determinassem os movimentos individuais das moléculas, era seu movimento coletivo, descrito acuradamente por leis estatísticas, que determinava as propriedades macroscópicas dos gases medidas no laboratório.

Apesar do sucesso da teoria cinética na descrição das propriedades macroscópicas dos gases, seus argumentos atomísticos e estatísticos eram vistos pela maioria da comunidade científica como meras ferramentas conceituais e não como uma descrição da realidade física. Em 1883, o famoso físico e filósofo Ernst Mach escreveu:

> Os átomos não podem ser percebidos pelos sentidos; como todas as substâncias, eles são produtos do pensamento. Mais ainda, os átomos são dotados de propriedades que parecem contrariar os atributos observados nos objetos. Mesmo que a teoria atomística seja tão eficiente na reprodução de certos fatos, o físico que abraça as leis de Newton só poderá aceitar essas teorias como provisórias, tentando obter, de modo mais natural, um substituto satisfatório.[18]

No final do século XIX, Boltzmann encontrava-se praticamente isolado em sua defesa da teoria cinética contra as severas críticas de Mach e vários outros físicos. Ele expressou sua opinião no prefácio do segundo volume de seu livro, no qual expunha sua teoria (1898):

Na minha opinião, seria uma grande tragédia para a ciência se a teoria [cinética] dos gases fosse abandonada devido a uma atitude momentaneamente hostil, como o que aconteceu com a teoria ondulatória [da luz], devido à autoridade de Newton.

Estou plenamente consciente de ser apenas um indivíduo nadando timidamente contra a corrente. Mesmo assim, ainda tenho o poder de contribuir com minhas ideias, de modo que, quando a teoria [cinética] dos gases for novamente ressuscitada, muito pouco terá de ser redescoberto [...][19]

Profundamente deprimido e em péssimo estado de saúde, Boltzmann suicidou-se em 1906, apenas dois anos antes de o trabalho experimental do físico francês Jean Perrin confirmar muitas de suas ideias. Embora jamais possamos saber o quanto do desespero de Boltzmann se devia à rejeição de seu trabalho, sua morte representa um dos episódios mais dolorosos na história da ciência. No entanto, a fé de Boltzmann em suas próprias ideias foi mais do que justificada: a teoria cinética desvendou, de uma vez por todas, a verdadeira natureza física do calor. Todas as propriedades observadas dos gases podem ser explicadas em termos de movimentos de moléculas, individualmente dançando conforme as leis de Newton, mas coletivamente descritos pelas leis da estatística. De sua origem na filosofia pré-socrática até uma teoria testável da matéria, o atomismo volta triunfalmente à arena da física.

ONDAS DE LUZ

Tempestades despertam medos ancestrais. Você pode ser uma pessoa bem informada, em contato com o mundo através da televisão a cabo ou da Internet, perfeitamente à vontade perante as manifestações de fúria que a Natureza volta e meia oferece.[20] Tempestades não o assustam; pelo contrário, você até as acha românticas. Para testar sua coragem, vamos imaginar a seguinte situação: numa bela tarde de verão, voltando do trabalho para casa, você percebe uma suave brisa soprando do leste. Inexplicavelmente, numa questão de segundos, a suave brisa transforma-se numa ventania infernal, com poeira nos olhos, jornais voando pelas ruas, nuvens pesadas vindas de todas as direções ao mesmo tempo. Após uma hora de caos, o céu fica escuro, cor de chumbo. Em silêncio, você se pergunta se já anoiteceu ou se a escuridão se deve às nuvens cobrindo o céu em sua vizinhança. Com um leve calafrio subindo pela sua espinha, você se lembra de que nessa época do ano costuma ficar claro até bem mais tarde. Olhando para o céu, você se pergunta quando o dilúvio irá finalmente acontecer. Por alguns instantes, uma calma profunda permeia tudo a sua volta. E, de repente, a tempestade começa.

Sua casa está sob o ataque de uma poderosa tempestade elétrica. Relâmpagos explodem a sua volta, pintando, por segundos apenas, as paredes de seu quarto de um pálido tom de azul. Trovões ensurdecedores sacodem sua cama (pois é, misteriosamente você foi parar sob as suas cobertas) e seus nervos. Se você tem filhos, eles estão gritando quase tão alto quanto os trovões lá fora. Se não os tem, é você quem grita quase tão alto quanto os trovões. (Pais "jamais" têm medo em frente dos seus filhos.) Água jorra dos céus (quem disse que chuva cai em pingos?) sem a menor intenção de parar. A eletricidade, claro, acaba. Em meio à escuridão, uma explosão de luz e som, seguida de um barulho de madeira quebrando, sacode seus ossos; seu belíssimo pinheiro de duzentos anos tomba, instantaneamente devorado pelas chamas. A umidade faz você suar sem parar, seu coração bate sem controle, sua cabeça lateja... Em meio à confusão, você só consegue pensar numa coisa: para-raios, essa grande invenção. "Por favor, POR FAVOR, funcione!"

Pelo menos você tem um para-raios, ou algum outro instrumento capaz de diluir o poder destruidor de um raio. Imagine o medo causado por tempestades elétricas antes da invenção do para-raios. Podemos agradecer a Benjamin Franklin (1706-1790) por essa grande invenção. No verão de 1752, durante uma tempestade semelhante à que descrevi, Franklin decidiu comprovar sua hipótese de que os raios eram relacionados com a eletricidade. Quando os raios começaram a cair, Franklin e seu filho corajosamente saíram para soltar uma pipa feita de seda. Eles amarraram uma chave à linha da pipa, notando que, quando o "fogo elétrico" atingia a pipa, a chave soltava faíscas. Mudando os objetos amarrados à linha da pipa, Franklin podia "coletar" a eletricidade dos raios. Ele também descobriu que, se a linha da pipa estivesse ligada diretamente ao chão, o raio descarregava-se completamente, sem causar nenhum dano. E assim nasceu o para-raios![21]

Em meados do século XVIII a eletricidade, assim como o calor, era considerada um fluido. Na verdade, como se sabia que objetos eletrificados podiam tanto atrair-se como repelir-se mutuamente, era comum pensar-se na eletricidade como sendo composta por dois fluidos, um responsável pela atração e o outro pela repulsão. Aparentemente, Franklin não estava a par desse modelo. Ele propôs um modelo mais simples e mais correto, no qual a eletricidade era composta por apenas um fluido. O fluido elétrico supostamente estava presente em todos os objetos materiais. Quando dois corpos são esfregados um ao outro, um pouco desse fluido se desloca: se um objeto ganha fluido, ele se torna positivamente carregado, ao passo que, se um objeto perde fluido, ele se torna negativamente carregado. Por exemplo, se um bastão de vidro for esfregado por um lenço de seda, o bastão fica positivamente carregado, enquanto o lenço fica negativamente carregado. Note que esse modelo supõe que carga elétrica (fluido) não pode ser criada ou destruída, mas simplesmente deslocada de um meio material para outro. Tal como com a conservação de energia, a carga elétrica total de um sistema deve ser conservada, uma lei natural de grande importância.

A teoria de Franklin também faz sentido sob um ponto de vista mais moderno. Sabemos que a matéria é feita de átomos e que os átomos são formados de elétrons negativamente carregados, "girando" em torno de um núcleo positivamente carregado.[22] A carga positiva do núcleo é balanceada pela carga negativa dos elétrons, de tal forma que a matéria bruta é, em princípio, eletricamente neutra. No entanto, quando materiais são esfregados uns

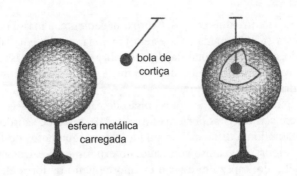

Figura 6.4: A bola de cortiça é atraída pela esfera metálica carregada. No entanto, quando posta no interior da esfera carregada, a bola de cortiça não é submetida a nenhuma força.

aos outros, o atrito pode remover ou adicionar elétrons, causando um excesso ou um déficit de carga negativa. Portanto, a única "falha" na teoria de Franklin foi sua escolha da carga do fluido elétrico. Por suas contribuições ao estudo da eletricidade, ele foi eleito membro da Royal Society em 1756.

O próximo grande passo no estudo da eletricidade foi a medida da força elétrica entre dois corpos carregados. Franklin também teve um papel importante nesse desenvolvimento, mesmo que a essa altura ele estivesse mais interessado em política do que em ciência. Como representante da colônia da Pensilvânia junto à Coroa britânica, Franklin usou sua estada na Inglaterra para participar das reuniões da Royal Society. Numa delas, ele mencionou a Joseph Priestley sua peculiar descoberta envolvendo uma pequena bola de cortiça pendurada por uma linha e uma esfera metálica carregada; quando a bola de cortiça é posta do lado de fora da esfera, ela é fortemente atraída pela esfera, mas, quando a bola é posta no interior da esfera, nada acontece (ver a figura 6.4).

Priestley imediatamente notou uma analogia com a força gravitacional: uma massa pequena não é atraída por uma esfera maciça quando posta no seu interior, algo que nos *Principia* Newton havia demonstrado ser consequência do fato de a força gravitacional diminuir de modo proporcional ao quadrado da distância entre dois corpos. (Aproximadamente, a massa pequena está sendo atraída pela esfera em todas as direções, de tal modo que a soma total das forças sobre ela se anula. Isso só é possível para forças que decrescem de modo proporcional ao quadrado da distância.)

Será que a atração e a repulsão de cargas elétricas também podem ser descritas por uma força que decresce de acordo com o quadrado da distância? Inspirado pelos argumentos de Priestley, Henry Cavendish construiu um experimento extremamente delicado, capaz de testar o comportamento da força elétrica. Ele colocou uma esfera carregada isolada no interior oco de uma grande esfera metálica descarregada. As duas esferas foram então conectadas por um fio que permitia que cargas elétricas fluíssem de uma para outra. Após remover a esfera externa, Cavendish notou que a esfera interna estava completamente descarregada, e que toda a carga migrara para a esfera externa. Usando as técnicas matemáticas desenvolvidas por Newton, ele mostrou que isso só seria possível se a força entre corpos carregados variasse de modo proporcional ao quadrado de sua distância, exatamente como com a força gravitacional.

Curiosamente, Cavendish nunca publicou esses resultados e sua grande descoberta permaneceu desconhecida por outros cem anos. Foram os cuidadosos experimentos do francês Charles Augustin de Coulomb (1736-1806) que, em 1785, revelaram as propriedades da força elétrica entre dois corpos carregados. Até hoje, a fórmula matemática descrevendo a força entre corpos carregados é conhecida como lei de Coulomb.

O fato de que forças elétricas e gravitacionais tenham tantas propriedades semelhantes revela uma profunda simplicidade no modo como a Natureza opera. Quando um físico se depara com um resultado de tal importância, ele imediatamente se põe a trabalhar, buscando um nível mais profundo de explicação, talvez um princípio fundamental até então desconhecido, capaz de revelar a razão pela qual ambas as forças operam de modo tão semelhante. É como se uma nova física estivesse se escondendo por trás dos fenômenos, insinuando-se aqui e ali através de pistas de grande sutileza. Mesmo que essa busca de princípios fundamentais seja sem dúvida muito estimulante, ela pode também ser muito frustrante. No caso da relação entre eletricidade e gravidade, a busca continua até hoje, após haver derrotado algumas das maiores mentes de todos os tempos, incluindo o próprio Einstein. Todavia, para os que são persistentes, como todos os cientistas devem ser, a derrota apenas aumenta o desafio e a recompensa de uma possível descoberta futura. A menos, claro, que a "intuição" se transforme em obsessão cega, e o desafio, numa grande perda de tempo. Contudo, como podemos saber quando devemos interromper a busca?

As forças elétricas, sendo também descritas como uma força que diminui de modo proporcional ao quadrado da distância, ressuscitaram um velho fantasma: a ação à distância. Como dois corpos carregados podem interagir através do espaço vazio? E o mesmo era verdade para o magnetismo, essa misteriosa força que havia inspirado Kepler em sua busca da causa dos movimentos celestes. O magnetismo era ainda mais parecido com a eletricidade do que a gravitação, já que materiais magnetizados podem tanto atrair-se como repelir-se mutuamente. No início do século XIX, a analogia entre as duas forças terminava aqui: eletricidade e magnetismo eram considerados fenômenos completamente independentes. Mas não por muito mais tempo. Em breve, uma série de descobertas sobre o comportamento das forças elétricas e magnéticas iria promover profundas mudanças na visão newtoniana de mundo. Ao chegarmos ao final do século, o conceito de ação à distância havia sido substituído pelo novo conceito de *campo*, e demonstrou-se que eletricidade e magnetismo eram manifestações de um único *campo eletromagnético*, e que a luz era uma onda eletromagnética. A física clássica estava em sérios apuros. Prossigamos, contudo, aos poucos. Primeiro, iremos discutir como as forças elétricas e magnéticas foram por fim unificadas numa única força, a eletromagnética.

O acaso ajuda aqueles que são bem preparados. Embora seja verdade que a sorte tenha tido um papel importante em várias descobertas científicas, também é verdade que apenas a sorte jamais é suficiente. Em geral, uma descoberta que acontece "por acaso" acontece porque o cientista está procurando alguma coisa. Será que Fraunhofer teria descoberto as linhas escuras do espectro solar se ele não houvesse apontado seu espectroscópio na direção do Sol? Assim também ocorreu com o primeiro elo na longa cadeia que levou à descoberta do eletromagnetismo.

Durante o inverno de 1820, o físico dinamarquês Hans Christian Oersted (1777-1851), amigo de outro Hans Christian mais interessado em contos de fada do que em ciência, estava ministrando um curso sobre eletricidade e magnetismo para uma classe de jovens estudantes. Oersted suspeitava que existia alguma ligação entre eletricidade e magnetismo, inspirado pela crença de Kant na unidade dos fenômenos naturais. De fato, já em 1813, Oersted escreveu:

> Sempre foi muito tentador comparar as forças elétricas com as forças magnéticas. A grande semelhança entre as atrações e repulsões elétricas e magnéticas forçosamente nos leva a compará-las. Um maior esforço deve ser dedicado à busca de um possível efeito que a eletricidade possa ter sobre um magneto.[23]

Para uma de suas aulas, Oersted havia posto vários objetos sobre sua mesa de demonstrações, incluindo células voltaicas (baterias), fios de vários comprimentos, magnetos e bússolas.[24] Durante uma demonstração de como uma célula voltaica podia ser usada para gerar uma corrente elétrica, Oersted notou, para sua surpresa, que, cada vez que uma corrente fluía através de um fio, a agulha de uma bússola posicionada a alguns centímetros do fio movia-se espontaneamente! Mas como isso podia ser possível? Todos sabem que apenas uma força magnética é capaz de defletir a agulha de uma bússola através do espaço vazio. Essa é a razão pela qual bússolas nos dizem qual a nossa orientação em relação ao polo norte terrestre. Oersted deduziu que a corrente elétrica passando pelo fio gerava a força magnética que defletia a agulha da bússola. Já que corrente elétrica significa cargas elétricas (ou, mais apropriadamente para a época, fluido elétrico) em movimento, cargas elétricas em movimento geram uma força magnética. E assim foi descoberta a primeira metade da profunda relação entre eletricidade e magnetismo.[25]

A descoberta de Oersted causou uma verdadeira comoção na comunidade científica europeia. Na França, André-Marie Ampère (1775-1836) e outros desenvolveram vários experimentos explorando as forças entre fios eletrificados, que deveriam se comportar como magnetos. Na Inglaterra, a relação entre eletricidade e magnetismo chamou a atenção de um jovem assistente de laboratório, que iria se tornar um dos maiores cientistas de todos os tempos. Seu nome era Michael Faraday.

Faraday nasceu no dia 22 de setembro de 1791, em Surrey, filho de um ferreiro. Ele cresceu em tal pobreza que às vezes tinha de sobreviver por uma semana com uma bisnaga de pão. Quando Faraday tinha cinco anos, sua família mudou-se para Londres, embora a mudança não tenha melhorado a situação financeira de seu pai. Mais tarde, ele escreveu: "Minha educação foi perfeitamente ordinária, consistindo nos rudimentos de leitura, caligrafia e aritmética ensinados numa escola pública. Minhas horas livres eram gastas em casa ou nas ruas".[26]

Mas Faraday era um autodidata. Com treze anos, ele se tornou um aprendiz de encadernador, cercando-se de livros que leu avidamente, como relatou a um amigo:

Foi nesses livros, nas horas livres após meu trabalho, que encontrei as raízes de minha filosofia. Dois deles foram particularmente úteis para mim, a *Enciclopédia britânica*, onde aprendi minhas primeiras lições sobre eletricidade, e o livro da senhora Marcet, *Conversas sobre química*, que me forneceu os rudimentos dessa ciência.[27]

Aos dezenove anos, Faraday gastava todo dinheiro extra que conseguia economizar financiando seus experimentos com a decomposição eletroquímica. (O uso de correntes elétricas para promover a decomposição química de substâncias, como, por exemplo, a decomposição da água em oxigênio e hidrogênio.) Durante a primavera desse mesmo ano, um cliente generoso financiou a participação de Faraday nos seminários apresentados pelo famoso químico sir Humphry Davy, da Royal Institution. Esses seminários iriam transformar sua vida. Faraday tomou notas meticulosas, estendeu-as, e usou seus talentos como encadernador para produzir um belo volume que ele enviou para Davy, juntamente com um pedido de emprego na Royal Institution. Às vezes, o talento precisa de coragem para florescer.

A Royal Institution foi fundada (pelo conde Rumford) com o nobre ideal de melhorar o nível educacional da classe operária através de um programa de estudo sobre vários tópicos em ciência. (Certamente, o ideal era tão nobre quanto inocente; melhores salários e escolas teriam sido muito mais eficientes em ajudar a classe operária.) Aulas públicas seriam frequentadas por operários, "ávidos" em melhorar suas vidas por meio da cintilante luz do saber. Infelizmente, uma média de setenta horas de trabalho por semana em condições miseráveis deixava muito pouco apetite pela ciência ou pelo saber em geral. As aulas eram frequentadas pela mesma classe média que as financiava. Contudo, lá estava Faraday, certamente membro da classe operária, pedindo apoio à Royal Institution. Mesmo assim, Davy aconselhou-o a manter seu trabalho como encadernador, argumentando que uma carreira científica não oferecia nenhuma segurança econômica ou oportunidades futuras. Esses mesmos conselhos são repetidos diariamente em universidades ao redor do mundo.

Em março de 1813, um dos assistentes no laboratório de Davy foi despedido e Faraday foi convidado a substituí-lo. Ele recebeu uniformes, velas e combustível para o aquecimento de seu quarto no sótão da Royal Institution, assim como livre acesso aos seus laboratórios. Logo após Faraday ter iniciado seu trabalho, ele acompanhou Davy e sua esposa em uma viagem de dezoito meses visitando vários laboratórios e universidades na França, Itália e Suíça. Faraday conheceu alguns dos grandes cientistas da época, aprendendo muita ciência, mas também algo sobre si mesmo: ele jamais iria novamente abandonar a simples vida do laboratório pela pompa e circunstância da vida nos altos círculos científicos da Europa. Bem mais tarde em sua carreira, quando o cargo de presidente da Royal Society lhe foi oferecido, Faraday recusou, justificando-se para um amigo: "Eu tenho que continuar sendo o simples Michael Faraday até o final de minha vida".[28]

Quando Faraday ouviu as novas sobre as descobertas de Oersted, seu interesse temporariamente se deslocou da química e da eletrólise para a física. De modo a aprender as técnicas experimentais necessárias, Faraday reproduziu *todos* os experimentos sobre eletricidade e magnetismo conhecidos na época, publicando suas meticulosas notas no jornal *Annals of Philosophy*. Ao todo, durante sua carreira, ele executou mais de 15 mil experimentos envolvendo eletricidade e magnetismo. Enquanto trabalhava nos resultados de Oersted, Faraday inventou o primeiro motor elétrico, usando correntes elétricas para mover magnetos; ele conseguiu transformar energia elétrica em energia mecânica, criando a engenharia elétrica. Em 1823, apesar da forte oposição do enciumado Davy, Faraday, filho do pobre ferreiro de Surrey, foi eleito membro da Royal Society.

Mas muito mais estava ainda por vir. A descoberta de Oersted, de que correntes elétricas geram forças magnéticas, tinha algo de incompleto, de desequilibrado. E a possibilidade oposta? Será que forças magnéticas podem gerar correntes elétricas? Faraday suspeitava que sim. A Natureza não podia ser assim tão assimétrica. Primeiro, ele usou sua magnífica intuição para visualizar a ação de uma carga sobre outra através do espaço. Para ele, a ação à distância não existia. Ele imaginou a influência causada por uma carga elétrica sobre outra, ou de um magneto sobre outro, como uma perturbação mensurável no espaço entre eles. Ou seja, imaginou *linhas de força* emanando de uma carga elétrica ou de um magneto, que influenciavam outra carga ou magneto posicionados a uma certa distância. As linhas de força de Faraday me fazem recordar as palavras da Raposa na belíssima fábula de Saint-Exupéry, *O Pequeno Príncipe*: "O essencial é invisível aos olhos".

Quanto mais perto as linhas de força estão umas das outras, mais forte o efeito da força elétrica ou magnética (ver a figura

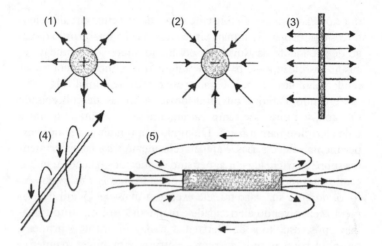

Figura 6.5: Alguns exemplos das linhas de campo criadas por Faraday: 1) uma carga positiva; 2) uma carga negativa; 3) parte de uma placa muito longa e plana, positivamente carregada; 4) campo magnético em torno de um fio retilíneo que carrega uma corrente elétrica; 5) campo magnético em torno de uma barra magnética. As setas nos dois últimos diagramas indicam a direção da força sentida pelo polo norte de um pequeno magneto colocado a uma pequena distância das diversas fontes.

6.5). Se você tem dois daqueles magnetos usados para pendurar recados nas portas de refrigeradores, você pode sentir suas "linhas de força" forçando um contra o outro em ângulos diferentes. Essa técnica de visualização é a precursora do conceito de *campo*, de importância fundamental em física. Para a visualização do campo, as linhas de força são dotadas de direção, representadas por setas, como na figura 6.5.

A presença de uma carga perturba o espaço a sua volta de tal modo que outra carga posta em sua vizinhança sente o efeito de uma força elétrica. O mesmo acontece com dois magnetos ou com duas massas atraídas gravitacionalmente. Portanto, o campo elétrico de um objeto carregado é medido por seu efeito sobre outros objetos eletricamente carregados que respondem à presença do campo ao serem atraídos ou repelidos. A todo corpo eletricamente carregado está associado um campo elétrico. A todo magneto está associado um campo magnético. E a toda massa está associado um campo gravitacional.

Faraday sabia que o campo magnético criado por uma corrente elétrica fluindo em um fio tem a forma de círculos concêntricos centrados no fio (ver a figura 6.5). Foi um campo magnético como esse que moveu a agulha da bússola de Oersted. Mas como um campo magnético poderia gerar uma corrente elétrica? Após várias tentativas, no dia 29 de agosto de 1831, Faraday finalmente obteve sucesso. A resposta era mais complicada do que ele esperava: de modo a gerar uma corrente elétrica, o campo magnético tinha que variar no tempo! Um campo magnético constante, como, por exemplo, aquele criado por um ímã em repouso, não produzia nenhum efeito.

Um experimento simples pode demonstrar esse fato. (Se você não puder executá-lo, simplesmente acredite em mim.) Molde um fio longo em forma circular e conecte um galvanômetro às suas duas extremidades. (Um galvanômetro é um instrumento que pode detectar a passagem de uma corrente elétrica através do fio.) Usando um movimento rítmico, mova um magneto em forma de barra para dentro e para fora do centro do círculo. O galvanômetro indicará a passagem de uma corrente elétrica pelo fio. Se você tivesse simplesmente posicionado a barra no centro do fio, mantendo-a em repouso na mesma posição, o galvanômetro não acusaria a passagem de uma corrente. Um magneto em movimento significa um campo magnético em movimento, ou seja, um campo magnético variando no tempo. Com isso, a interpretação do experimento é incontestável: um campo magnético variando no tempo cria um campo elétrico que, por sua vez, induz uma corrente elétrica no fio. Afinal, uma corrente elétrica é feita de cargas em movimento, o qual, por sua vez, é causado por forças elétricas, como no caso de uma bateria. A conclusão é simples, mas de significado muito profundo: *eletricidade e magnetismo são unificados pelo movimento*. E assim nasceu o eletromagnetismo! A crença de Faraday na profunda unidade da Natureza fora finalmente demonstrada:

Há muito que sou da opinião, na verdade mais uma convicção, compartilhada, acredito, por muitos outros estudiosos da Natureza, de que as várias formas pelas quais as forças materiais se manifestam têm uma origem comum; ou, em outras palavras, que essas forças são tão diretamente relacionadas e mutuamente dependentes que elas podem ser convertidas, por assim dizer, umas nas outras, e possuem potência equivalente quando em ação.[29]

A convicção de Faraday é uma clara expressão da crença em um nível mais profundo de conhecimento, no qual fenômenos que numa análise mais superficial podem parecer completamente independentes são, na verdade, consequência de uma única causa ou "origem". Eletromagnetismo faz muito mais sentido do que eletricidade e magnetismo; considerar ambos como fenômenos independentes leva a uma descrição fragmentada, incompleta, do mundo natural. Faraday revelou, em toda sua beleza, a unidade sutil por trás dos fenômenos eletromagnéticos. Não é, portanto, surpreendente que Faraday seja ainda hoje um ícone para muitos dos cientistas que buscam uma descrição mais unificada da Natureza. Se ao menos ela nos desse algumas pistas extras de vez em quando...

A descoberta da *indução* eletromagnética por Faraday teve grandes consequências tecnológicas: o dínamo, usado para converter energia de uma máquina a vapor ou de uma queda-d'água em energia elétrica; o transformador, usado para mudar o valor da voltagem de uma corrente alternada para melhorar a eficiência da transmissão de energia; e o motor elétrico, capaz de transformar eletricidade em movimento. Quando o ministro das Finanças perguntou-lhe: "Qual a utilidade disso tudo?", Faraday respondeu: "Não sei, mas um dia Sua Excelência irá coletar impostos por causa dessas invenções!".[30] E de fato, cinquenta anos mais tarde, a Grã-Bretanha começou a cobrar impostos sobre o uso da energia elétrica.

Mesmo que suas descobertas tenham sido de importância fundamental, algo ainda faltava na descrição de Faraday dos fenômenos eletromagnéticos. Para tornar as coisas mais complicadas, fora as várias descobertas de Faraday, por volta de 1850 muitos outros resultados e fatos sobre fenômenos eletromagnéticos haviam sido descobertos por outros físicos, alguns descritos em termos de expressões matemáticas, enquanto outros apenas descritos qualitativamente. Alguma forma mais organizada de apresentar essa enorme quantidade de fatos era urgentemente necessária. Experimentos estavam à procura de uma teoria. É aqui que James Clerk Maxwell (1831-1879), que encontramos durante nossa discussão sobre termodinâmica, entra em cena. É interessante, mas apenas isso, saber que Maxwell nasceu no mesmo ano em que Faraday descobriu a indução eletromagnética, e que ele morreu no ano em que Einstein nasceu.

A situação encontrada por Faraday durante seus anos de formação tem alguns paralelos com a situação encontrada por Newton quando este iniciou seus estudos em Cambridge. Galileu havia acumulado uma enorme quantidade de dados e proposto leis explorando a física do movimento e da queda livre, Kepler tinha proposto leis empíricas para descrever os movimentos planetários, mas não existia uma síntese juntando todas as peças do quebra-cabeça. Newton não só integrou as partes em um todo coerente, mas foi muito mais além, construindo uma sólida fundação conceitual para as ciências da mecânica e da gravitação. Maxwell fez algo muito semelhante para o eletromagnetismo; ele não só integrou as partes em um todo coerente como também foi muito mais além, estabelecendo uma sólida fundação conceitual e matemática para a ciência do eletromagnetismo e revelando, como bônus, a natureza física da luz.

Maxwell era um prodígio em matemática. Aos treze anos, ele submeteu um manuscrito à Royal Society de Edimburgo. Influenciado pelo amor de seu pai por objetos mecânicos, ele combinou sua habilidade matemática com uma excelente destreza no laboratório. Suas experiências no laboratório serviram para que Maxwell apreciasse o gênio de Faraday, a quem reverenciou por toda sua carreira científica. Ele se tornou membro do Trinity College aos 24 anos, posto que deixou para tornar-se chefe do departamento de filosofia natural do Marischal College, em Aberdeen. Em 1857, Maxwell produziu um manuscrito sobre a estrutura dos anéis de Saturno, demonstrando, corretamente, que os anéis só poderiam permanecer em órbitas estáveis se fossem constituídos de pequenas partículas. Esse trabalho lhe rendeu o prêmio Adams e uma sólida reputação, despertando também seu interesse pelo estudo do movimento de sistemas contendo um grande número de partículas, que levou às suas descobertas fundamentais em teoria cinética de gases.

Em 1860, o Marischal College foi incorporado pela Universidade de Aberdeen, e a posição de Maxwell foi extinta. Ele conseguiu uma posição como professor no King's College da Universidade de Londres, onde passou os cinco anos seguintes desenvolvendo sua teoria eletromagnética. O King's College foi para Maxwell o que o Trinity College foi para Newton; pelo menos isso foi o que me disseram quando eu era estudante de doutorado lá.

O primeiro grande feito de Maxwell foi obter uma formulação "local" das leis do eletromagnetismo. Faraday havia descoberto como linhas de força estendendo-se pelo espaço podiam descrever os efeitos da "ação à distância". Se linhas de força eram boas representações para campos, então a cada ponto do espaço deveria estar associado um valor do campo. Alternativamente, podemos dizer que um campo tem um certo valor em cada ponto do espaço. Isso é o que entendemos por leis em forma local: cada ponto do espaço é associado a um determinado valor do campo.

Imagine que você esteja segurando, protegido por um fio isolante, uma pequena esfera carregada positivamente, a qual você lentamente aproxima de uma esfera bem maior, carregada negativamente. As duas esferas irão se atrair, e o farão mais intensamente quanto mais perto elas estiverem uma da outra. Hipoteticamente, se você não segurar bem o fio, a pequena esfera irá se chocar com a grande. (Isso é o que acontece quando você está segurando um objeto pesado, lutando contra o campo gravitacional da Terra!) O ponto importante é que você não precisa saber que existe uma esfera grande carregada negativamente atraindo a esfera pequena. A presença da esfera grande é irrelevante. Tudo o que você sente se deve ao campo produzido pela esfera. Você poderia substituir a esfera pelo seu campo (usando uma outra fonte) e tudo permaneceria como antes. O campo tem uma existência real.

Embutida na formulação do eletromagnetismo encontramos uma profunda mudança no modo como a realidade física é descrita. Na física newtoniana, a realidade física é descrita em termos de partículas e forças, mas, com Faraday e Maxwell, a entidade importante na descrição da realidade física passa a ser o campo. Após a introdução do conceito de campo, a física jamais seria a mesma. Conforme Einstein comentou em seu discurso comemorativo do centenário do nascimento de Maxwell, "essa mudança na concepção da realidade foi a mais profunda e frutífera que ocorreu em física desde Newton".[31] A realidade física pode ser descrita localmente nos termos dos valores que os campos têm no espaço, sem referência explícita às suas fontes.

Maxwell organizou toda a informação acumulada em milhares de experimentos eletromagnéticos em quatro equações. Contudo, quando checou suas equações, ele percebeu que algo estava errado. A carga elétrica não era conservada! Para "ajeitar as coisas", ele adicionou um termo extra a uma das equações, conhecido como "corrente de deslocamento". Esse termo explicava não só como correntes (como no caso da descoberta de Oersted) mas também variações temporais no valor de um campo elétrico podiam gerar campos magnéticos, de modo semelhante à descoberta de Faraday de que a variação temporal de campos magnéticos podia gerar campos elétricos. Desse modo, Maxwell obteve uma belíssima simetria entre os dois campos. A variação temporal de um campo elétrico gerava um campo magnético e vice-versa. Esse foi seu segundo grande feito. Nas palavras de Sheldon Glashow, "essa pequena mudança numa das quatro equações básicas do eletromagnetismo representa o maior feito da física teórica do século XIX".[32]

No entanto, as equações de Maxwell ainda escondiam outra joia. Como elas descreviam o modo como o campo eletromagnético mudava no espaço e no tempo, possuíam informação sobre a velocidade com que esses campos se propagavam através do espaço. Para surpresa de Maxwell, ele calculou que a velocidade de propagação de distúrbios no campo eletromagnético através do espaço vazio era de 300 mil quilômetros por segundo. Ou seja, Maxwell descobriu que o campo eletromagnético se propaga com a velocidade da luz! Mais ainda, nessa época se sabia que a teoria corpuscular da luz proposta por Newton não podia explicar uma série de resultados observados no laboratório. As propriedades físicas da luz eram descritas de modo mais satisfatório pela teoria ondulatória, mesmo que as ondas luminosas tivessem um caráter muito peculiar.

A velocidade de uma onda é dada pelo produto de dois números, seu *comprimento de onda* — a distância entre duas cristas sucessivas — e sua *frequência* — o número de cristas passando a cada segundo por um ponto fixo. Uma das razões que levaram Newton a propor uma teoria corpuscular da luz é a excelente definição da sombra de um objeto. Se a luz é uma onda, como ela poderia gerar sombras tão bem definidas? A resposta está no comprimento de onda. Para pequenos comprimentos de onda, sombras podem ser extremamente bem definidas. Embora uma onda de som típica possa ter comprimentos de onda medidos em centímetros, a luz visível tem em torno de 20 mil comprimentos de onda em um centímetro. Sombras bem definidas não são um problema. A luz é uma onda. Mas que tipo de onda?

As equações de Maxwell descrevem campos eletromagnéticos como ondas se propagando com a velocidade da luz. A conclusão é clara: as equações de Maxwell descrevem a luz! A luz é uma onda eletromagnética. Vamos fazer uma pausa para contemplarmos a enorme importância dessa descoberta. Considere uma pequena esfera carregada. Sabemos que ela tem um campo elétrico associado. Agora movimente a esfera ritmicamente para cima e para baixo. À medida que a esfera oscila, seu campo elétrico muda no tempo. Mas sabemos que um campo elétrico que muda no tempo gera um campo magnético e vice-versa. Portanto, cargas em movimento geram um campo eletromagnético.

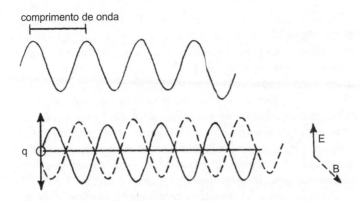

Figura 6.6: O comprimento de onda é a distância entre duas cristas consecutivas. Uma carga *q* em movimento oscilatório cria um campo elétrico oscilatório (E), que por sua vez cria um campo magnético oscilatório (B) perpendicular à sua direção, que por sua vez cria um campo elétrico etc. O resultado desse mecanismo de geração alternada de campos elétricos e magnéticos é um campo eletromagnético que se propaga através do espaço.

Quando a carga oscila, seu campo eletromagnético também oscila. Essas oscilações se propagam através do espaço com a velocidade da luz, de modo análogo às ondas concêntricas criadas por uma pedra jogada sobre um lago. Se o comprimento de onda dessas oscilações estiver dentro dos valores associados à luz visível, você pode "ver" a carga oscilando por meio da luz que ela emite. A luz é criada por cargas em movimento. A luz é uma forma de *radiação eletromagnética*! A energia cinética das cargas aceleradas age como fonte de energia para a radiação eletromagnética que observamos.

Existem também várias formas de radiação eletromagnética "invisível". Essas ondas eletromagnéticas são exatamente como a luz, mas possuem comprimentos de onda que não podem ser percebidos pelo olho humano. Na região de comprimentos de onda maiores que o comprimento da luz visível, encontramos a radiação infravermelha, as ondas de rádio e as micro-ondas. Em comprimentos de onda menores do que o da luz visível, encontramos a radiação ultravioleta, os raios X e os raios gama. O fato de só "vermos" uma pequena parte dos vários tipos de radiação eletromagnética mostra o quanto a nossa percepção sensorial do mundo à nossa volta é limitada. Porém, visível ou invisível, a radiação eletromagnética está relacionada com cargas elétricas em movimento. Hoje em dia, na tentativa de melhorar nossa visão limitada do Universo, os astrônomos "olham" para os céus por intermédio de diversos tipos de radiação eletromagnética (fora a visível, claro), de ondas de rádio e infravermelho até raios X e raios gama. E as imagens reveladas por esses outros tipos de radiação invisível são magníficas.[33]

Não havia dúvida de que a teoria de Maxwell representava uma síntese de uma enorme quantidade de fenômenos elétricos e magnéticos. Mas será que ela era a teoria correta? Ela previa que a luz é uma onda eletromagnética e que deveriam existir vários outros tipos invisíveis de radiação eletromagnética. Infelizmente, Maxwell não viveu o bastante para presenciar o grande triunfo de sua teoria. O período de tempo entre as previsões teóricas e as confirmações experimentais estava começando a aumentar.

Através de uma série de experimentos notáveis iniciados em 1886, o físico alemão Heinrich Hertz (1857-1894) conseguiu gerar, pela primeira vez, ondas de rádio no laboratório. Ele mostrou que faíscas geradas num circuito (o transmissor) podiam induzir faíscas em um outro circuito (o receptor) situado a dois metros de distância. Guglielmo Marconi, com um bom faro para negócios, melhorou a demonstração original de Hertz, enviando ondas de rádio a dez, trinta e 3 mil metros de distância, e, por fim, cruzando o canal da Inglaterra. Em 1901, Marconi enviou a primeira mensagem telegráfica a cruzar o Atlântico, a letra *s* em código Morse (*dit-dit-dit*), usando ondas de rádio com 200 mil vibrações por segundo (200 mil hertz ou Hz) e comprimento de onda de mais de um quilômetro.

Mas nem tudo estava assim tão claro. Uma onda, como todos sabemos, propaga-se através de um meio material. Uma onda de água em água, uma onda de som no ar (explosões barulhentas no espaço interplanetário não existem, ao contrário do que é comu-

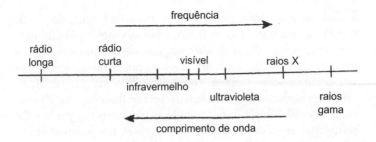

Figura 6.7: O espectro eletromagnético: a porção coberta pela luz visível é apenas uma pequena banda do espectro. A frequência das ondas cresce para a direita, enquanto o comprimento de onda cresce para a esquerda. Por exemplo, raios gama são um tipo de radiação eletromagnética de alta frequência e curto comprimento de onda.

mente mostrado em filmes de ficção científica); de fato, um modo mais preciso de descrevermos as ondas é dizer que é o meio material que ondula, transmitindo a energia causada por algum distúrbio (por exemplo, a pedra no lago). E as ondas eletromagnéticas? Qual o meio que está ondulando de modo que possamos perceber ondas de rádio ou luz? Antes de Maxwell, acreditava-se na existência de um meio hipotético, o *éter*, cuja única função era sustentar a propagação de ondas eletromagnéticas. Maxwell, como todos os outros cientistas de seu tempo, ainda acreditava na existência do éter. Ele propôs uma série de modelos altamente artificiais, baseados em objetos como polias e bastões ligados a bolas e giroscópios por complicados mecanismos, que tentavam explicar a natureza do éter e como ele funcionava de suporte para a propagação de ondas eletromagnéticas. Parece estranho? Pois era.

Essas tentativas de construir um modelo mecânico do éter são, de certa forma, parecidas com o esforço ptolomaico de "salvar os fenômenos", que resultou em modelos cada vez mais elaborados do sistema solar, envolvendo epiciclos e equantes. Os gregos e seus sucessores não acreditavam na existência física dos epiciclos, mas assim mesmo eles os usaram (e deles abusaram) para poder descrever as posições dos objetos celestes. Os físicos do século XIX só acreditavam ter compreendido um determinado fenômeno se ele fosse descrito nos termos da linguagem mecanicista newtoniana. (Daí os bastões, polias e bolas.) O fato de o éter ter propriedades realmente mágicas (do mesmo modo que a "quinta essência" aristotélica), preenchendo todo o espaço, mas sendo imponderável, rígido como um sólido mas jamais oferecendo resistência ao movimento da Terra e dos planetas, não parecia incomodá-los. Gradualmente, as tentativas de "explicar" o éter tornavam-se cada vez mais desesperadas. Escondendo-se por trás do mistério do éter, uma nova física estava por nascer.

Durante o século XIX, a física clássica atravessou um período de grande expansão. A visão de mundo newtoniana gozava de extraordinário sucesso, tornando-se símbolo do racionalismo aplicado à Natureza. A hipótese nebular de Laplace, a previsão da existência de Netuno com base em irregularidades na órbita de Urano, efetuada em 1846 por John Adams e Urbain Le Verrier, assim como vários outros exemplos, confirmaram o poder das leis de Newton para descrever uma enorme quantidade de fenômenos naturais. Por outro lado, a termodinâmica e o estudo das propriedades físicas do calor, o desenvolvimento do eletromagnetismo e sua aplicação ao estudo da luz abriram as portas para uma física completamente nova, de grande impacto tecnológico. Ao final do século, o mundo se transformava a passos cada vez mais rápidos.

Nesse mundo apressado, até o deus dos deístas havia sido quase esquecido. A ciência se tornou uma profissão, e o estudo da Natureza, uma atividade completamente independente de aspectos religiosos ou teológicos. As pesquisas de Darwin sobre a evolução e a seleção natural haviam aumentado ainda mais a separação entre Igreja e ciência, "condenando" os humanos a serem descendentes diretos de macacos. A divisão entre ciência e religião havia se tornado oficial e permanente. Trabalhos científicos não deveriam fazer nenhuma menção à palavra *Deus*, focando suas atenções exclusivamente na ciência. Não existia mais a necessidade de atribuir um caráter divino à Natureza como justificativa para a devoção à ciência, conforme Newton havia feito dois séculos antes. Em contrapartida, encontramos uma crença na "unidade" dos fenômenos naturais, expressa através de uma profunda admiração pela beleza que emerge como consequência dessa unidade, funcionando como inspiração para a criatividade científica. Unidade, beleza e simplicidade tornaram-se ícones justificando a devoção à pesquisa em ciência pura (em contraste com a ciência aplicada). Note que essas palavras têm um significado universal; independentemente de qualquer afiliação religiosa, seu uso sugere um contexto religioso de caráter mais geral. Mas cabe a cada cientista, na privacidade de seu escritório ou laboratório, decidir o quanto essas palavras investem sua própria pesquisa de um conteúdo religioso.

Muito já havia sido esclarecido. O Sol e as estrelas eram feitos dos mesmos elementos químicos que encontramos aqui na Terra. A luz emitida por nebulosas distantes era vista como radiação eletromagnética produzida por cargas elétricas em movimento acelerado. Por sua vez, o movimento das cargas podia ser interpretado como uma medida da temperatura do meio em que elas estavam imersas, conforme explicava a teoria cinética de Maxwell e Boltzmann. A luz e o calor trabalhavam juntos para produzir os mais belos espetáculos que observamos nos céus. Não obstante todo esse progresso, havia tanto ainda para ser explicado. Se os gases e os objetos a altas temperaturas emitem luz devido ao movimento de cargas elétricas, o que eram essas cargas em movimento? Será que os átomos realmente existiam? Por que diferentes elementos químicos emitem luz de cores diferentes? E o éter? Existia ou não?

Durante as primeiras décadas do século XX, a física passou por um período de profunda transformação. A partir de vários resultados experimentais, ficou claro que a física clássica era apenas uma representação incompleta da realidade física, e que novas ideias eram necessárias para acomodar esses resultados experimentais. Dois desses resultados tiveram um papel fundamental no desenvolvimento da nova física: *a*) a descoberta de que o éter não existe, e *b*) o problema conhecido como "radiação de corpo negro", ou, em termos mais comuns, por que um metal aquecido a altas temperaturas emite luz num forte tom vermelho? Dos heroicos esforços dos físicos que se dedicaram ao estudo dessas questões nasceram a teoria da relatividade e a mecânica quântica. Como veremos a seguir, essas teorias provocaram uma profunda reinterpretação da realidade física, que transformou radicalmente nossa compreensão dos fenômenos naturais, desde seus menores constituintes até a estrutura do Universo como um todo.

Parte 4
TEMPOS MODERNOS

7. O MUNDO DO MUITO VELOZ

*A mais profunda emoção que podemos experimentar
é inspirada pelo senso de mistério.*

Albert Einstein

O ESTUDO DA FÍSICA MODERNA pode ser bem frustrante. Quando estudantes são introduzidos pela primeira vez às ideias da teoria da relatividade e da mecânica quântica, sua perplexidade é quase sempre acompanhada por um grande ceticismo. Essas teorias têm algo de absurdo, algo que parece contradizer nosso bom-senso. Como um pequeno aperitivo do que iremos discutir adiante, eis aqui sete consequências "estranhas" da nova física: 1) um objeto em movimento sofre uma contração de seu comprimento na mesma direção em que ele se move; 2) um relógio em movimento bate mais devagar; 3) massa e energia podem ser convertidas entre si; 4) não podemos determinar se os constituintes fundamentais da matéria são ondas ou partículas, a famosa "dualidade onda-partícula"; 5) ao observarmos um sistema físico influenciamos seu comportamento; não existe mais uma separação clara entre observador e observado; 6) a presença de matéria deforma a geometria do espaço e altera o fluxo do tempo; 7) não podemos determinar a localização de um objeto — apenas afirmar a probabilidade de ele estar aqui ou ali. Ou seja, devemos abandonar uma descrição estritamente determinista dos fenômenos naturais, pelo menos na escala atômica. E assim por diante.

Infelizmente, bom-senso não nos ajuda muito a lidar com esses fenômenos. Isso torna as coisas difíceis, porque tendemos a nos basear no bom-senso quando nos relacionamos com o mundo à nossa volta. Talvez as palavras de Einstein possam nos dar alguma direção: "Bom-senso é o conjunto de todos os preconceitos que adquirimos durante nossos primeiros dezoito anos de vida".[1] O dicionário Webster define bom-senso como "as opiniões de homens comuns", ou "julgamentos sólidos e prudentes mas, em geral, não muito sofisticados".[2] Alternativamente, podemos dizer que o bom-senso resulta do contato repetido com certas situações, sejam elas no nível emocional ou físico. De modo geral, a física clássica lida com situações que estão dentro da nossa experiência sensorial direta. Mesmo que certos resultados básicos da física clássica, como, por exemplo, a lei da inércia (primeira lei de Newton) ou as observações de Galileu sobre o movimento de corpos em queda livre, sejam um pouco contraintuitivos (afinal, até o próprio Aristóteles se enganou), eles lidam com situações palpáveis; com um pouco de esforço, não é tão difícil compreendermos que esses resultados fazem sentido.

No entanto, as coisas não são assim com a física moderna. À primeira vista, fenômenos relativísticos ou quânticos parecem bizarros porque estão muito além de nossa realidade imediata, inacessíveis aos nossos sentidos; eles não fazem parte dos fenômenos abarcados pelo nosso "bom-senso".[3] De fato, apenas a velocidades comparáveis com a velocidade da luz é que efeitos como o encolher de objetos em movimento ou alterações no fluxo do tempo são mensuráveis; a dualidade onda-partícula é apenas relevante para objetos na escala atômica; os efeitos da matéria sobre a geometria do espaço ou sobre o fluxo do tempo são desprezíveis para objetos mais leves do que estrelas. Já que ordinariamente lidamos com objetos lentos (se comparados à velocidade da luz), grandes (quando confrontados com as dimensões de um átomo) e leves (em comparação com as a estrelas), nossa percepção do mundo natural é bastante limitada. A física moderna torna bastante claro que não devemos projetar expectativas baseadas em nosso bom-senso sobre um domínio que está além de nossas experiências diárias. Fenômenos relativísticos ou quânticos são bizarros apenas se vistos por nossa percepção limitada da realidade. Com mentes abertas, o que antes parecia não fazer sentido torna-se fascinante.

Sem dúvida, é fácil eu dizer isso agora, digitando confortavelmente em meu computador, muito tempo após as dramáticas descobertas que ocorreram durante as três primeiras décadas deste século terem sido digeridas por várias gerações de físicos; mas, para

243

os atores que participaram desse drama, esses trinta anos foram cheios de angústia e desespero. Em várias ocasiões, físicos tiveram que propor explicações que iam contra tudo em que acreditavam. Max Planck, por exemplo, o primeiro físico a propor que a energia se manifesta em pacotes discretos (quanta), escreveu em carta não publicada:

> Você expressou recentemente [...] o desejo de que eu descrevesse os aspectos psicológicos que me levaram a propor a hipótese da quantização da energia [...] Resumidamente, posso descrever minha atitude como um *ato de desespero*, já que por natureza sou uma pessoa pacífica e contrária a aventuras irresponsáveis. Mas, desde 1894, passei anos lutando com o problema do equilíbrio entre matéria e radiação, sem nenhum sucesso; eu sabia que esse problema era de importância fundamental para a física [...] portanto, uma explicação teórica *tinha* de ser encontrada a todo custo. A física clássica não era suficiente, isso era claro para mim [...] Essa [hipótese quântica] foi uma suposição puramente formal, e não refleti muito sobre ela exceto pelo seguinte: quaisquer que fossem as circunstâncias, qualquer que fosse o preço a ser pago, eu tinha que obter um resultado positivo (grifos meus).[4]

Em outras palavras, a hipótese quântica de Planck nasceu de uma tentativa desesperada de entender resultados experimentais que não podiam ser explicados pela física clássica. Albert Michelson, cujo brilhante experimento, executado com Edward Morley em 1887, foi fundamental para que se estabelecesse a não existência do éter, jamais aceitou seus próprios resultados. O que supostamente deveria ter sido um mero teste para confirmar a existência do éter transformou-se num pesadelo. Em 1903, ainda convencido de que o éter existia mas que ele havia falhado em sua detecção, Michelson escreveu: " [...] a invenção do interferômetro [uma parte crucial do aparato experimental] mais do que compensou o resultado negativo obtido nesse experimento".[5] Michelson continuou a acreditar na existência do éter até o fim de sua vida, mesmo após a teoria da relatividade de Einstein ter elegantemente demonstrado que esse meio era completamente desnecessário. Em 1927, em seu último manuscrito publicado, Michelson referiu-se ao éter com palavras carregadas de nostalgia: "No que concerne ao amado éter (que agora está abandonado, mesmo que eu pessoalmente ainda o considere uma possibilidade) [...]".[6]

Mudança, para melhor ou para pior, sempre demanda coragem. Abandonar velhas ideias, que em geral nos trazem uma confortável sensação de segurança e controle, não é nada fácil. Mas, quando nos deparamos com as obras de Galileu, Kepler, Newton, Faraday, Maxwell, Boltzmann e tantos outros que encontramos até aqui, fica claro que uma das características mais importantes dos grandes cientistas (e, diga-se de passagem, dos artistas também) é sua independência intelectual. Essa independência produz uma flexibilidade que permite, com a ajuda dessa elusiva característica chamada *gênio*, que esses indivíduos encontrem novas e inesperadas conexões onde outros encontram apenas becos sem saída. Apenas encontrar novas conexões, porém, não é o suficiente; para que um cientista possa explorar novos territórios é necessário que tenha a coragem de enfrentar os antigos. É necessário que ele *acredite* em suas próprias ideias.

Mais uma vez, Planck fornece um excelente exemplo dessa coragem intelectual. Durante suas tentativas semidesesperadas de elucidar o mistério da radiação do corpo negro ele escreveu: "Eu estava pronto para sacrificar as minhas convicções científicas". Vários experimentos não só mostraram os limites da visão de mundo clássica, como também forçaram os cientistas a propor novos conceitos de natureza muitas vezes contraintuitiva, de modo a compreendê-los. Chocado com os resultados "negativos" do experimento de Michelson, o grande físico holandês Hendrik Lorentz escreveu para lorde Rayleigh em 1892:

> Estou totalmente perdido, incapaz de entender essa contradição. Mesmo assim, acho que, se abandonássemos a teoria de Fresnel [do éter], ficaríamos sem uma teoria adequada [...] Será que não existe algum detalhe na teoria relacionada

com o experimento do senhor Michelson que foi omitido até agora?[7]

Alguns anos mais tarde, Lorentz propôs uma "correção" capaz de reconciliar a existência do éter com os resultados do experimento de Michelson e Morley. A correção corajosamente assumia que objetos em movimento encolhem na mesma direção de seu movimento. O preço pago por Lorentz para "salvar" o éter foi criar essa suposição. Ironicamente sua ideia estava correta, mesmo que por razões equívocas. Apesar de brilhante, sua suposição não era calcada numa base conceitual sólida. Contudo, o importante, aqui, é que Lorentz acreditava em suas ideias. Como Einstein mais tarde escreveu em seu trabalho pioneiro de 1905, "demonstrar-se-á que a introdução de um 'éter luminífero' é supérflua". Em física, nem todas as ideias brilhantes são úteis.

O resultado final dessa combinação de resultados experimentais surpreendentes, angústia, desespero, coragem e gênio foi uma profunda reformulação da visão de mundo inspirada pela física clássica. E, como já sabemos, sempre que surgem novas ideias em física, também surgem novas ideias em cosmologia; à medida que a compreensão do mundo à nossa volta se transforma, nossa concepção do Universo como um todo também se transforma. De modo que possamos compreender os novos modelos do Universo que surgiram durante o século XX, devemos primeiro examinar algumas das ideias revolucionárias que foram propostas para explicar as propriedades de objetos muito rápidos ou muito pequenos. Com isso em mente, nos próximos dois capítulos iremos investigar alguns dos aspectos mais fascinantes da física moderna.

EINSTEIN EM COPACABANA

Qual o único nome que pode ser comparado ao de Newton na galeria dos gigantes da ciência? Todos temos nossas opiniões, mas defendo até o fim que o outro nome deve ser Albert Einstein. Sim, confesso que sou fã de Einstein. Eu e a grande maioria dos físicos. E, se você ainda não for sócio do fã-clube, tenho certeza de que após terminar este livro você estará enviando sua inscrição.[8]

O que será que inspira todo esse fascínio por Einstein? As razões são muitas. Vamos esquecer por alguns instantes sua imagem popular como o velho sábio com a vasta cabeleira branca, língua de fora e doces olhos negros (que até inspiraram a personagem criada por Steven Spielberg no filme *E. T., o Extraterrestre*), uma espécie de híbrido entre um avô excêntrico e um profeta. Suas contribuições científicas são absolutamente fantásticas, tanto em profundidade como em diversidade. Tal como Newton, Einstein desenvolveu uma nova fundação conceitual para a física, que influenciou profundamente o modo como várias gerações de físicos, inclusive a minha, passou a compreender o mundo. Tal como Newton, Einstein não limitou suas contribuições a uma pequena área da física mas, de fato, foi pioneiro em diversas áreas. Contrariamente a Newton, ele nunca se envolveu em amargas disputas sobre a originalidade de suas ideias ou se aproveitou da glória de seu sucesso. "O único modo de escapar da corrupção causada pelo sucesso é continuar a trabalhar", ele escreveu em uma ocasião. "É muito tentador pararmos para escutar os elogios embevecedores. Mas a única coisa a ser feita é dar as costas a isso tudo e continuar a trabalhar. Trabalho. Não existe mais nada".[9]

Ao contrário de Newton, Einstein gostava de discutir aspectos de seu trabalho com os colegas. Seus debates com o grande físico dinamarquês Niels Bohr foram cruciais para o desenvolvimento da mecânica quântica. Mas Einstein não se limitou apenas à ciência. Ele era um dedicado pacifista, que renunciou duas vezes a sua nacionalidade alemã como protesto contra o militarismo na Alemanha. Sempre que podia, manifestava julgar um ultraje viver num mundo sacudido por duas guerras tão violentas. Uma trágica ironia é que Einstein, apesar de ter lutado tanto pela paz mundial, com medo de que os nazistas estivessem construindo armas atômicas, escreveu em 1939 ao presidente Franklin Delano Roosevelt, encorajando os Estados Unidos a iniciar uma pesquisa sobre os possíveis usos militares da energia atômica. Em 1954, ele disse ao químico Linus Pauling: "Cometi um grande erro em minha vida quando assinei a carta ao presidente Roosevelt recomendando a construção de bombas atômicas; mas alguma justificativa eu tinha — a possibilidade de elas serem construídas pelos alemães".[10] Agora sabemos que o Projeto Manhattan teria sido iniciado com ou sem a carta de Einstein.

O pacifismo de Einstein também encontrou expressão em seu apoio à causa sionista. Mesmo que sua visão liberal do conflito entre árabes e judeus fosse em geral contrária à dos líderes do movimento sionista, ele estava sempre disposto a ceder seu nome ou tempo para promover a necessidade de um Estado judeu independente. O clímax do envolvimento de Einstein com a causa sionista foi o convite que ele recebeu em 1952 para suceder a Chaim Weizmann como presidente de Israel. Embora a ideia seja mesmo bastante peculiar, o fato de Einstein ter sido escolhido para ocupar a posição (mais simbólica do que politicamente efetiva) nos dá uma medida de sua enorme popularidade. Polidamente, mas com firmeza, Einstein recusou o convite, dizendo ao primeiro-ministro David Ben Gurio: "Eu conheço um pouco sobre a Natureza, mas quase nada sobre o Homem".[11]

Einstein é o único cientista cujo pôster é mostrado lado a lado com o dos Beatles ou de Pelé em lojas especializadas. A reação quase que alucinada da imprensa após o astrônomo inglês sir Arthur Eddington ter confirmado, em 1919, uma das previsões da teoria da relatividade geral transformou Einstein, praticamente da noite para o dia, num homem famoso em todo o mundo. Para sua enorme surpresa, ele se tornou uma figura pública, um símbolo de como um gênio supostamente é e se comporta, o mais famoso cientista do mundo, talvez da História. Sem dúvida, a misteriosa natureza de suas ideias sobre espaço e tempo contribuiu para a criação do mito, conforme argumentou recentemente Abraham Pais, físico e famoso biógrafo de Einstein.[12] Ele parecia ter contato direto com Deus, assim como os santos e profetas de outrora.

Lembro-me de ter sido fascinado por Einstein quando ainda bem menino. Assim que os adultos descobriam que eu gostava de brincar com jogos de química e de ler livros sobre história natural, eles me contavam histórias sobre esse grande gênio, que "magicamente" desvendou tantos mistérios sobre o Universo. Meu pai gostava de resumir as ideias de Einstein em frases como "Tudo é relativo" ou "Matéria e energia podem ser convertidas entre si porque $E = mc^2$". E, ainda por cima, Einstein não só era um cientista judeu como também sionista, algo que certamente era importante para a minha família.

Porém, acho que meu fascínio atingiu proporções míticas quando a mãe de minha madrasta, dona Ruth Kohn, me deu uma foto de Einstein *autografada*! Como uma foto autografada por Einstein foi parar num apartamento em Copacabana é uma história bem curiosa. Após Einstein ter se tornado uma figura pública, ele viajou pelo mundo visitando reis e presidentes, expondo sua teoria da relatividade. Também participou de várias atividades de caridade organizadas pelas comunidades judias locais, para levantar fundos para a causa sionista. Em maio de 1925, como parte de seu roteiro pela América do Sul, Einstein veio ao Rio. A comunidade judia local estava, claro, muito emocionada de poder conhecer o judeu mais famoso do mundo. Após muita discussão, ficou decidido que Einstein teria dois anfitriões principais, um da comunidade sefardita (judeus do Norte da África ou de origem ibérica) e outro da comunidade ashkenazi (judeus de origem alemã ou do Leste europeu).

Um dos membros mais ativos da comunidade ashkenazi era Jacob Schneider, meu avô materno. O representante da comunidade sefardita era Isidoro Kohn, que também seria o guia principal de Einstein pela cidade. Mas a vida, às vezes, é mais criativa do que nossa imaginação. Quando meu pai voltou a casar-se em 1968, sua esposa era uma das sobrinhas de Isidoro, Léa. Portanto, minha vida estava ligada duas vezes ao grande homem, através de minha mãe e de minha madrasta. Pelo menos foi assim que minha imaginação de adolescente percebeu a situação.

Parece que Einstein se afeiçoou a Isidoro e sua família. Antes de ele deixar o Rio, Einstein e Isidoro decidiram posar para

Figura 7.1: Albert Einstein com Isidoro Kohn durante sua visita ao Rio de Janeiro em 1925.

uma fotografia que ambos assinaram. Como sinal de sua gratidão, Einstein deu a gravata que estava usando quando tirou a fotografia para Isidoro.[13] Antes de falecer, Isidoro deu a gravata para sua sobrinha como presente de casamento. Infelizmente, pelo menos para mim, ele presenteou a sobrinha "errada", Lenita, irmã de Léa. Entretanto, a fotografia autografada foi cuidadosamente guardada no apartamento de Léa durante muito tempo, até que, quando fiz treze anos, ela me considerou o justo herdeiro da preciosa relíquia. Eu mal podia acreditar em meus próprios olhos. Embora exposta durante anos à alta umidade tropical, a assinatura ainda era legível, numa caligrafia surpreendentemente clara e arredondada. Até hoje ainda estou tentando conseguir a famosa gravata.

Você pode imaginar que, para um adolescente altamente impressionável, interessado em ciência e à procura de heróis, Einstein se transformou num ser quase sobrenatural. Quanto mais eu aprendia sobre sua obra e ideias, mais percebia o quanto ele realmente merecia toda a sua fama. No entanto, também aprendi algo de muito importante sobre Einstein, fora sua obra científica ou sua devoção a causas sociais: o que tanto me influenciou então, e que me influencia até hoje, foi sua crença na ciência como um caminho alternativo àquele oferecido pela religião organizada ao confrontarmos os "mistérios" do Universo e da vida. Em sua autobiografia, Einstein descreveu sua conversão, aos doze anos, de uma profunda religiosidade a uma profunda fé no poder redentor da ciência:

> Quando eu era um jovem razoavelmente precoce, entendi a futilidade das expectativas e lutas que determinam a vida de tantos homens [...] Devido à existência de seu estômago todos estão condenados a participar dessas lutas [...] Como primeira saída existe a religião, implantada na mente de todas as crianças através da máquina educacional tradicional. Daí eu tornar-me — mesmo filho de pais completamente irreligiosos (judeus) — profundamente religioso, até que minha fé sofreu uma abrupta interrupção quando eu tinha doze anos. Através da leitura de livros de divulgação científica eu me convenci de que a maioria das histórias relatadas na Bíblia não podia ser verdadeira.

Com sua fé na religião organizada destruída, Einstein encontrou um novo foco para sua enorme necessidade de liberdade espiritual no estudo científico da Natureza:

> Era bastante claro para mim que o paraíso religioso da juventude, agora perdido, era uma primeira tentativa para que eu pudesse me libertar do "meramente pessoal", de uma existência dominada por vontades, expectativas e desejos primitivos. Lá fora está esse mundo imenso, existindo independentemente de nós, seres humanos, enorme e eterno enigma, ao menos parcialmente acessível à nossa razão. Eu entendi que a contemplação desse mundo era uma nova forma de liberação [...] A possibilidade de compreendermos esse mundo impes-

soal de modo racional tornou-se para mim, consciente ou inconscientemente, o objetivo supremo [...] Talvez o caminho para esse paraíso não fosse tão confortável e seguro como o caminho para o paraíso religioso; mas ele provou ser confiável, e eu nunca me arrependi de minha escolha.[14]

Raramente cientistas escrevem de maneira tão apaixonada sobre sua devoção à ciência. O "mundo impessoal" se apresenta como um enigma eterno, indiferente a nós, seres humanos, mas ao menos parcialmente acessível através da razão. A dedicação à ciência era, para Einstein, o objetivo supremo, o caminho para a transcendência do ser. Essa visão da ciência era diferente de tudo que eu havia visto antes. As palavras de Einstein me seduziram com a força de um encanto mágico.

Albert Einstein nasceu no dia 14 de março de 1879 em Ulm, Alemanha, a mesma cidade que Kepler visitara dois séculos antes, procurando desesperadamente um editor para suas Tabelas Rudolfinas. Seus pais, Hermann e Pauline Koch, eram como a maioria dos judeus da Bavária na época: bem assimilados e basicamente irreligiosos, mesmo que mantendo certas tradições, como, por exemplo, casar-se dentro da fé. No início, o desenvolvimento de Einstein foi um pouco lento. Ele só aprendeu a falar aos três anos, e ao que parece apenas aos nove anos tornou-se completamente fluente.[15] Entretanto, mais do que uma indicação de um problema mental, parece que ele era uma criança muito independente, perfeitamente feliz dentro de seu próprio mundo de fantasias. De fato, ele nunca perdeu sua habilidade de passar do mundo real para o mundo mental. Conforme escreveu Pais, "ele não tinha de fazer nenhum esforço para afastar-se da realidade do dia a dia. Ele simplesmente entrava e saía dela quando bem entendia".[16]

Outro mito bem popular é que Einstein era um estudante medíocre. Muito pelo contrário, suas notas eram em geral bem altas, frequentemente as mais altas de sua classe.[17] De qualquer modo, é com certeza verdade que ele tinha um profundo desprezo pela rígida e autoritária estrutura do sistema educacional alemão. De fato, ele desprezava qualquer tipo de autoridade, fosse ela em escolas, governos ou religiões. Esse desprezo talvez não o tenha ajudado a conseguir o apoio de seus professores, mas deu-lhe a coragem de duvidar, de questionar ideias e noções aceitas pela maioria. É muito provável que, sem essa coragem, muito de sua criatividade teria sido sufocada. Felizmente, Einstein não era do tipo de esconder suas ideias no sótão.

Seu romance com a ciência começou quando ele tinha cinco anos de idade. Em sua autobiografia, escreveu sobre a profunda emoção que sentiu quando, doente em sua cama, seu pai mostrou-lhe uma bússola para distraí-lo: "Eu ainda me lembro — ou acredito que me lembro — que essa experiência causou um profundo efeito em mim. Algo de fundamental tinha de estar escondido por trás das coisas".[18]

A emoção sentida por Einstein deve ter sido semelhante à que levou Tales, no século VI a.C., a propor que magnetos eram possuídos por almas (ver capítulo 2). Seu fascínio cresceu ainda mais quando, aos doze anos, ele encontrou um livro sobre geometria euclidiana. O que mais o impressionou foi o poder do raciocínio de provar proposições complicadas envolvendo curvas, triângulos, círculos e suas várias propriedades. Dali em diante, ele usou todo seu tempo livre para ler livros sobre matemática e física, com apetite insaciável. E assim foi que, aos dezesseis anos, um precoce Einstein formulou a pergunta que o levaria a reavaliar a concepção newtoniana de espaço e tempo absolutos.

A LUZ ESTÁ SEMPRE EM MOVIMENTO

No final de sua vida, Einstein recordou-se da ideia (ou visão) que o levara à teoria da relatividade especial:

Se eu viajar lado a lado com um raio de luz com a velocidade c (a velocidade da luz no vácuo), eu deveria observar esse raio como um campo eletromagnético em repouso, oscilando espacialmente [como uma corda de violão]. Entretanto, tal fenômeno é impossível, tanto de acordo com os experimentos como de acordo com as equações de Maxwell.[19]

Essa situação parecia bastante paradoxal para o jovem Einstein. Afinal, de acordo com a física newtoniana, para alcançarmos uma onda que se move com uma dada velocidade, tudo que devemos fazer é nos movermos um pouco mais rapidamente do que a onda. Mais ainda, se nos movermos com a mesma velocidade da onda, ela parecerá estar em repouso, como todo surfista sabe. O mesmo deveria ser verdade para uma onda eletromagnética, já que na física newtoniana a velocidade da luz não tem nada de especial, fora o fato de ser muito, muito alta. Mas, segundo a teoria de Maxwell, isso seria impossível; uma onda eletromagnética em repouso simplesmente não existe: a luz está sempre em movimento. Algo tinha de ceder, seja o conceito newtoniano de movimento relativo (você e a onda), seja a teoria de Maxwell descrevendo os campos eletromagnéticos. No final, foi a ideia de que a velocidade da luz é como qualquer outra velocidade que teve de ser abandonada.

Vamos refletir um pouco mais sobre isso. Considere um trem se movendo para o leste (→) com velocidade constante V em relação a um observador de pé na estação, como mostra a figura 7.2. A primeira coisa que percebemos é que, para um passageiro sentado no trem, é a estação que se move para o oeste (←). Quando dizemos que um objeto está em movimento, sempre nos referimos a algo que não está se movendo com esse objeto, seja nós próprios, uma árvore ou uma estação de trem. Em outras palavras, o movimento existe sempre em relação a algum ponto de referência.

Agora imagine a seguinte situação (um experimento mental): um passageiro no trem está se movendo em direção ao vagão-restaurante com velocidade v, indo para o leste (→) em relação ao passageiro sentado no trem (ver a figura 7.2). Para a pessoa na estação, o passageiro está viajando para o leste com velocidade $V + v$ (→). É claro também que, se o passageiro estivesse andando na direção oeste (←), a pessoa na estação mediria sua veloci-

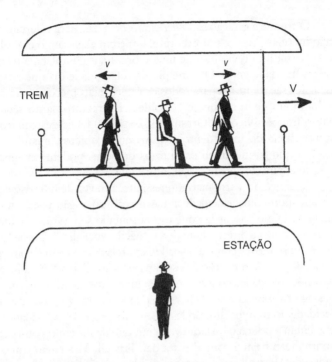

Figura 7.2: Uma pessoa de pé numa estação observa um trem viajando para o leste com velocidade V. Dentro do trem, passageiros estão ou sentados ou se movendo para o leste ou oeste com velocidade v.

dade como sendo V - v. Isso tudo faz sentido de acordo com nosso bom-senso e com a física newtoniana. O movimento do passageiro andando no trem pode ser igualmente estudado tanto pelo passageiro sentado no trem como pela pessoa na estação. Esse resultado é resumido no *princípio da relatividade*, que diz que as leis da física são idênticas para passageiros se movendo com velocidades relativas constantes. Por exemplo, a energia é conservada para ambos os observadores. Se eles conhecem suas velocidades relativas, podem comparar suas medidas e mostrar que seus resultados são equivalentes. (Não exatamente mas com grande precisão, conforme veremos em breve.)

O trem e a estação são *referenciais inerciais*. Para referenciais não inerciais, como, por exemplo, um trem acelerando em relação à estação, precisamos de uma teoria mais completa, a teoria da relatividade geral. O princípio da relatividade diz que as leis da física são idênticas para todos os referenciais inerciais, um resultado em geral atribuído a Galileu. Entretanto, já no século XIV o francês Nicole d'Oresme (1325-1382) havia descoberto a importância do movimento relativo entre objetos, quando escreveu que os movimentos diurnos dos céus podem ser igualmente explicados pela rotação diurna da Terra.

Agora vem a parte mais interessante. Em vez de um passageiro andando com velocidade v na direção do vagão-restaurante, imagine que o passageiro que estava sentado se levanta e aponta uma lanterna na direção leste (→). "Fácil", você diz, "a luz da lanterna irá se mover com velocidade c em relação ao trem e com velocidade $V + c$ em relação à pessoa na estação. Certo?" Errado! Se isso fosse verdade, poderíamos imaginar uma situação em que o passageiro apontaria sua lanterna na direção oeste (←) e, se a velocidade do trem na direção leste (→) fosse igual à velocidade da luz, então a pessoa na estação veria um raio de luz em repouso, em contradição frontal com a teoria de Maxwell. Mas então como a teoria de Maxwell pode ser reconciliada com o princípio da relatividade?

Como solução, Einstein sugeriu que a velocidade da luz no vácuo (espaço vazio) não é como qualquer outra velocidade, mas é especial; a velocidade da luz é a velocidade limite de processos causais na Natureza, a velocidade mais alta com que a informação pode viajar. Mais do que isso, a velocidade da luz é independente da velocidade de sua fonte. O passageiro segurando a lanterna mede a velocidade das ondas de luz produzidas pela lanterna como sendo c, assim como a pessoa que está de pé na estação. Com essa hipótese, a teoria de Maxwell pode ser reconciliada com o princípio da relatividade.

Em 1905, Einstein escreveu um manuscrito notável intitulado *Sobre a eletrodinâmica dos corpos em movimento*, no qual justifica a importância da velocidade da luz. Ele finalmente encontrou a solução à pergunta que fizera dez anos antes. A essa altura, Einstein trabalhava no escritório de patentes de Berna, na Suíça, após ter falhado em sua busca de uma posição como professor universitário. Sua constante ausência das aulas e sua dedicação quase que exclusiva a tópicos de seu interesse não o tornaram muito popular perante seus professores. Contudo, o trabalho no escritório de patentes não incomodava a Einstein. Ele sempre se referiu aos anos passados em Berna como os mais felizes de sua vida. Seu trabalho deixava bastante tempo livre para sua pesquisa em física, e sua vida pessoal também estava andando muito bem. Ele se casou com Mileva Maric em 1903, sua antiga colega de turma no Instituto Politécnico de Zurique (ETH). Em 1904 eles tiveram o primeiro de seus dois (talvez três) filhos, Hans Albert.

Em seu brilhante manuscrito, Einstein construiu a fundação conceitual da teoria da relatividade especial a partir de dois postulados: 1) as leis da física são as mesmas para observadores movendo-se com velocidade relativa constante; 2) a velocidade da luz no espaço vazio é independente do movimento de sua fonte ou do movimento do observador. O primeiro postulado é o conhecido princípio da relatividade. As leis da física são idênticas para todos os referenciais inerciais. Observadores podem comparar de forma metódica seus resultados.

Mas o segundo postulado é novo. A luz está sempre em movimento, e com a mesma velocidade. Mesmo que esse postulado possa soar um pouco inocente, ele tem consequências muito sérias para nossas noções newtonianas de espaço e tempo. A ideia genial de Einstein foi tornar o princípio da relatividade compatível com a constância da velocidade da luz. De fato, ao impor esses dois postulados, Einstein estava garantindo que a constância da velocidade da luz era uma das leis que deveriam ser as mesmas para todos os observadores inerciais.

TRENS, RELÓGIOS E BASTÕES

De modo a apreciarmos algumas das incríveis consequências da teoria da relatividade especial, devemos antes definir o que é um *evento*. Um evento é algo que acontece, uma ocorrência em algum local do espaço e em algum momento no tempo, como, por exemplo, uma bola batendo no chão. O segundo postulado de Einstein leva ao seguinte resultado surpreendente: *a simultaneidade é relativa*. Dois eventos que são simultâneos para o observador A, como duas bolas batendo no chão ao mesmo tempo, não serão simultâneos para um observador B movendo-se com velocidade constante em relação ao observador A.

Você não acredita em mim? Pois bem, vamos voltar ao exemplo do trem em movimento. O observador de pé na estação será o observador A.[20] Como antes, o trem está se movendo em direção ao leste (→) com velocidade V em relação ao observador A. Sentado exatamente no meio do trem está o observador B. De repente, algo assustador acontece. O observador A vê dois relâmpagos atingirem a frente e a traseira do trem exatamente ao mesmo tempo. (Não se preocupe, ninguém se machuca num experimento mental.) O observador A sabe que os relâmpagos atingiram o trem ao mesmo tempo porque sua luz demora exatamente o mesmo tempo para viajar até a metade da distância entre eles, M (ver figura 7.3). Portanto, os dois eventos são simultâneos para o observador A. Será que eles são simultâneos para o observador B? Bem, B está se movendo para o leste com velocidade V. Ele está se dirigindo em direção ao relâmpago que atingiu a frente do trem e se distanciando daquele que atingiu a traseira do trem. Ele verá a luz do relâmpago que atingiu a frente do trem *antes* de ver a luz do relâmpago que atingiu a traseira do trem. Portanto, para o observador B, os dois eventos não são simultâneos. O que é simultâneo para um observador não é simultâneo para outro. Cada observador tem seu tempo particular; dois observadores só podem comparar suas medidas se eles conhecerem sua velocidade relativa. Tempo absoluto simplesmente não existe!

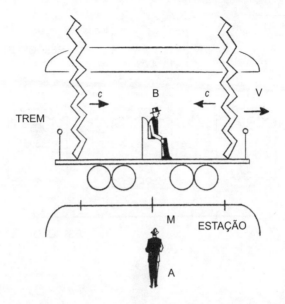

Figura 7.3: Um observador vê dois relâmpagos atingirem a frente e a traseira de um trem viajando para o leste com velocidade V. Ele conclui que os dois eventos são simultâneos, já que a luz demora o mesmo tempo para viajar metade da distância entre os dois pontos, assinalada pela letra M. O observador B, no trem, não concorda com o observador A, já que ele vê a luz proveniente dos relâmpagos em instantes diferentes.

Existem duas outras consequências do segundo postulado de Einstein que contradizem o nosso bom-senso. Elas são conhecidas, respectivamente, como *dilatação temporal* e *contração espacial*. Basicamente, afirmam que um relógio em movimento bate mais lentamente do que um relógio em repouso, e que um bastão encolhe na direção de seu movimento. No limite em que o relógio e o bastão se movem com a velocidade da luz, o tempo para (o intervalo entre um "tique" e um "taque" se torna infinitamente longo) e o bastão desaparece. Perplexo? Na verdade, esses resultados não são tão estranhos quanto parecem. Primeiro, irei tentar convencê-lo de que relógios em movimento realmente batem mais devagar.

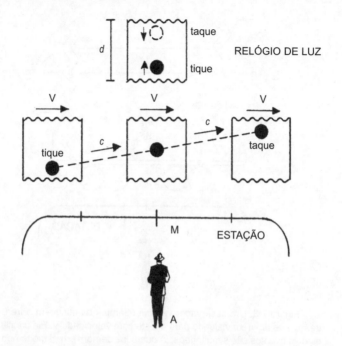

Figura 7.4: Dilatação temporal: um relógio de luz com altura *d* bate cada vez que o pulso de luz atinge o espelho inferior ("tique") ou o espelho superior ("taque"). Para o observador A, em repouso na estação, o relógio bate mais devagar quando em movimento, já que o pulso de luz tem de percorrer um percurso mais longo do que *d*, a distância vertical entre os dois espelhos.

Vamos voltar ao trem, que está parado na estação. Um instrumento chamado "relógio de luz" foi posto no trem, conforme ilustrado na figura 7.4. O relógio de luz consiste em uma caixa transparente com dois espelhos idênticos postos frente a frente, um no chão e outro no teto. De algum modo (lembre-se de que esse é um experimento mental!), é possível fazer com que um pulso de luz viaje continuamente entre os dois espelhos, sendo refletido de cima para baixo e de baixo para cima. Quando o pulso de luz bate no espelho inferior, ouvimos um "tique", e, quando o pulso bate no espelho superior, ouvimos um "taque". Antes de o relógio de luz ter sido posto no trem, o observador A mediu o intervalo de tempo entre um "tique" e um "taque", chamando-o T_0. Esse é o intervalo de tempo quando o relógio de luz está em repouso. O trem inicia sua viagem, passando pelo observador A com uma velocidade constante V. O observador A ouve um "tique" seguido de um "taque". Ele chama o intervalo de tempo entre os dois de T_V. Quando ele compara as duas medidas, percebe que T_V é maior do que T_0: o intervalo de tempo entre um "tique" e um "taque" é maior para o relógio em movimento!

Uma vez que o observador A se recupera de seu choque inicial ele conclui que, de fato, seu resultado não poderia ter sido diferente. Vamos analisar seu raciocínio. Como podemos ver na figura, para um observador em repouso na estação, o trajeto percorrido pelo pulso de luz entre os dois espelhos é mais longo quando o relógio de luz está em movimento do que quando ele está em repouso. (Compare a parte superior — relógio em repouso — com a parte inferior — relógio em movimento — da figura 7.4.) *Como a luz viaja sempre com a mesma velocidade* (segundo postulado), o observador A conclui que, quando em movimento, um relógio bate mais devagar! O pulso de luz terá uma distância maior para percorrer. Note que esse efeito é medido apenas pelo observador A. Para o observador B, sentado no trem em repouso em relação ao relógio, o intervalo entre um "tique" e um "taque" é exatamente T_0, o mesmo intervalo medido pelo observador A quando o relógio estava na estação. A dilatação temporal é um fenômeno que depende do movimento *relativo* entre dois referenciais inerciais, no nosso caso, o trem e a estação.

Esse resultado não depende do tipo de relógio que usamos em nosso experimento. Caso tivéssemos usado nosso coração para marcar a passagem do tempo, os resultados teriam sido idênticos. Quando em movimento, o tempo biológico, ou qualquer outro tempo, passa mais devagar se comparado ao tempo medido por um observador em repouso.

Finalmente, temos a contração espacial. Vamos repetir o experimento com o relógio de luz, mas agora com o relógio posicionado horizontalmente, de modo que os espelhos estejam na vertical, como indicado na figura 7.5. O observador A, na estação, mede o intervalo de tempo entre um "tique" e um "taque" quando o relógio está em movimento com o trem. Já que a orientação espacial do relógio não pode alterar seu funcionamento (nem mesmo em relatividade!), o observador A mede o mesmo tempo que antes, T_V. Entretanto, na presente situação, o pulso de luz tem de viajar uma distância bem mais longa, já que ele não só deve cobrir a distância entre os dois espelhos, mas também deve "alcançar" o espelho, que está se movendo para o leste (→). *Como a luz viaja sempre com a mesma velocidade*, a única explicação para o intervalo de tempo ser o mesmo que antes é que a distância entre os dois espelhos encolheu, ou seja, *d'* é menor do que *d* (ver a figura 7.5). Os objetos se contraem na direção de seu movimento!

"Espere um momento", você exclama, "se Einstein está certo, por que nunca observamos objetos em movimento se contraindo, relógios em movimento se atrasando, ou a relatividade da simultaneidade?" A razão é que a velocidade da luz é tão maior do que as velocidades ordinárias de nosso dia a dia que para nós esses efeitos relativísticos são *completamente* desprezíveis. Se você passar o resto de sua vida correndo desesperadamente, não serão os efeitos da relatividade que o irão rejuvenescer. Por exemplo, para que um relógio em movimento diminua seu ritmo em 40%, ele terá que se mover a 80% da velocidade da luz, em torno de 240 mil quilômetros por segundo! Por isso a física newtoniana funciona tão bem para nós. Pois um mundo em que os movimentos são lentos em relação à velocidade da luz é muito bem descrito pela física clássica. "Mas então", você insiste, "se esse efeitos são desprezíveis na vida do dia a dia, como posso ter certeza de que as ideias de Einstein estão corretas? E por que devo me interessar por elas?" Ambas são excelentes perguntas.

Sabemos que a teoria da relatividade especial de Einstein está correta porque, mesmo que não possamos (ainda) viajar com velo-

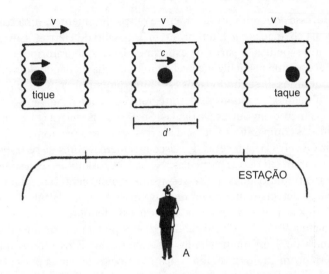

Figura 7.5: Contração espacial: o relógio de luz é posicionado horizontalmente no trem viajando para o leste. O pulso de luz tem de alcançar o espelho à sua frente. Como o observador A mede o mesmo intervalo de tempo entre um "tique" e um "taque" do que quando o relógio está posicionado verticalmente — T_V —, ele conclui que a distância entre os dois espelhos deve ter diminuído; ou seja, o observador A conclui que d' é menor que d.

cidades comparáveis à velocidade da luz, outros objetos na Natureza podem. Alguns desses objetos que se movem a velocidades incríveis podem ser encontrados em *raios cósmicos*. Raios cósmicos são "chuveiros" de pequenas partículas de matéria que atravessam nossa atmosfera, provenientes do espaço. Enquanto você está lendo essas linhas, você está sendo bombardeado por essas partículas. Mesmo que ainda não saibamos ao certo de onde elas se originam, suspeitamos que sejam produzidas durante eventos astrofísicos de extrema violência, como, por exemplo, explosões estelares do tipo supernova, que ocorrem durante os últimos estágios de evolução de certas estrelas mais maciças que o Sol.

Quando os raios cósmicos (na maioria prótons) atingem os átomos nas camadas superiores de nossa atmosfera, eles iniciam processos que irão produzir, entre outros fragmentos, uma partícula chamada *múon*, um primo mais pesado do elétron. Entretanto, sabemos, a partir de experimentos em laboratório, que o múon é uma partícula instável, com uma vida média de dois milionésimos de segundo; após esse intervalo minúsculo de tempo (em média), os múons se desintegram e se transformam espontaneamente em outras partículas. Se os múons viajam com velocidades comparáveis à velocidade da luz, a física newtoniana nos diz que eles viajam cerca de seiscentos metros antes de se transformarem em outras partículas. Nesse caso, os múons se desintegrariam muito antes de atravessar toda a atmosfera. No entanto, físicos detectam múons no nível do mar! A teoria da relatividade especial pode facilmente explicar esse fenômeno: se múons viajam a 99% da velocidade da luz, eles podem cobrir uma distância de 4 mil metros antes de desintegrar. E os múons que pertencem a raios cósmicos viajam a velocidades ainda mais elevadas, explicando por que os observamos no nível do mar. Os múons que se movem a altas velocidades "vivem" por muito mais tempo do que os múons lentos; eles podem até atravessar toda a atmosfera antes de se desintegrarem!

Assim como com os múons, existem muitas outras situações em que é possível observar as consequências da contração espacial e da dilatação temporal, em perfeita concordância com as previsões da relatividade especial. Partículas viajando com velocidades próximas à velocidade da luz são estudadas diariamente em enormes máquinas chamadas aceleradores de partículas, como a que se encontra no Fermilab, a sessenta quilômetros de Chicago. Algumas partículas vivem por tão pouco tempo que, se não fosse pela dilatação temporal, simplesmente não teríamos a chance de observá-las.

Isso nos leva à segunda questão: "Por que devemos nos interessar por esses problemas?". Existem várias razões. A mais óbvia é que, se basearmos nossa compreensão da Natureza exclusivamente em nossa limitada percepção sensorial do mundo à nossa volta, o resultado final será certamente incompleto e distorcido. A ciência tem o poder de expandir nossa percepção do mundo, permitindo-nos explorar mundos invisíveis e fascinantes, sejam eles células, átomos ou mesmo estrelas ou galáxias distantes. Esse é, provavelmente, um dos motivos que inspiram tantas pessoas a dedicarem suas vidas ao estudo da Natureza. De vez em quando elas se deparam com algo de novo, um mundo previamente invisível, que irá expandir nossos horizontes intelectuais, desafiando nossa imaginação. E, às vezes, esse mundo novo será também importante sob um ponto de vista mais prático. Sem o conhecimento da célula ou do átomo, muitos dos nossos avanços na área médica ou tecnológica simplesmente seriam impossíveis. É muito difícil para nós imaginar um mundo sem penicilina ou sem computadores e televisão.

Infelizmente, existem dois lados para tudo, inclusive para as descobertas científicas. Como disse Sidarta Gautama, o Buda, "onde existe luz, existe sombra". O conhecimento pode gerar poder, e o poder é muito sedutor. A ciência pode curar, mas também pode matar. Contudo, a alternativa, certamente, não é desprezar a importância crucial da ciência para a sociedade. Essa atitude seria uma viagem sem escalas para o obscurantismo, forçando nossa qualidade de vida a regredir aos padrões miseráveis de um passado não muito distante.[21] O conhecimento não representa necessariamente sabedoria, mas com certeza a ignorância nunca é uma opção razoável.

Agora podemos voltar ao experimento de Michelson e Morley, que falhou ao tentar provar a existência do éter. A razão pela qual introduzi as ideias de Einstein sem me referir ao famoso experimento é que todas as evidências indicam que Einstein não conhecia os resultados do experimento quando formulou os conceitos básicos da teoria da relatividade especial.[22] Ou, se estava a par dos resultados, eles não tiveram um papel importante no seu processo criativo. O que motivou Einstein foi a incompatibilidade do princípio da relatividade com o eletromagnetismo de Maxwell.

É aqui que a posição de Einstein difere da de seus colegas. Lorentz e, antes dele, o físico irlandês George Fitzgerald (1851--1901) propuseram a contração espacial para reconciliar a existência do éter com o resultado "negativo" do experimento de

Michelson e Morley. Eles queriam salvar o éter a qualquer preço, mesmo que isso os forçasse a inventar essa bizarra contração de objetos na direção de seu movimento. Sua proposta não possuía uma fundação conceitual sólida o suficiente. Em contrapartida, para Einstein, o éter era completamente desnecessário. A contração espacial postulada por Lorentz e Fitzgerald é uma consequência automática da invariância da velocidade da luz sob o princípio da relatividade. Esse não foi um mero "truque", mas uma profunda revolução conceitual na física. A existência do éter é inconsistente com os dois postulados de Einstein. Nas palavras de Gerald Holton,

> o trabalho de Lorentz pode ser visto como o ato de um valente e competente capitão tentando salvar um navio que está se chocando contra os recifes dos fatos experimentais, enquanto o trabalho de Einstein, longe de ter sido uma resposta teórica a resultados experimentais inesperados, é um ato criativo simbolizando o desencanto com o próprio meio de transporte — a construção de um veículo completamente diferente.[23]

A teoria da relatividade especial de Einstein mostrou como observadores em movimento relativo com velocidade constante podem comparar suas medidas de fenômenos físicos. Após uma belíssima formulação matemática desenvolvida pelo matemático lituano Hermann Minkowski, ficou claro que a teoria da relatividade especial relacionava o espaço e o tempo de tal modo que é mais conveniente pensarmos neles como sendo fundidos em um novo tipo de espaço quadridimensional, o *espaço-tempo*. (Uma dimensão para o tempo e três para o espaço.) Uma "distância" nesse espaço-tempo engloba tanto distâncias espaciais como intervalos temporais. Os dois postulados da teoria garantem que as distâncias no espaço-tempo são preservadas sob movimento relativo. De certo modo, relatividade não é um nome muito apropriado para essa teoria, já que ela é construída em termos de quantidades que permanecem constantes para observadores inerciais.

Efeitos aparentemente estranhos, como a contração espacial ou a dilatação temporal, surgem ao olharmos para a realidade física com as lentes distorcidas do espaço e tempo sensoriais da física newtoniana.

A verdadeira arena em que os fenômenos físicos ocorrem é o espaço-tempo quadridimensional da relatividade especial, onde as distâncias são as mesmas para todos os observadores inerciais. A teoria da relatividade especial é uma teoria de absolutos, mesmo que ela tenha sido (e ainda seja) interpretada como uma teoria de relativos nas suas muitas encarnações fora da física, de jantares em família a círculos mais acadêmicos.

As três consequências da teoria discutidas acima são complementadas por mais uma, apresentada por Einstein num segundo manuscrito, também publicado em 1905. A massa é uma forma de energia, a famosa equação $E = mc^2$. Mesmo que um objeto esteja em repouso, ele tem energia "armazenada" em sua massa, m. O que acontece, porém, quando o objeto está em movimento? Ele deve ter mais energia do que quando está em repouso. De modo a acomodar esse fato óbvio, Einstein propôs que a massa de um objeto aumenta com a sua velocidade, tendendo a um valor infinito à medida que ele se aproxima da velocidade da luz; desse modo, para acelerarmos um objeto até a velocidade da luz, precisaríamos de uma quantidade infinita de energia. Em outras palavras, nenhum objeto com extensão espacial e com massa pode atingir a velocidade da luz. Ela é, mesmo que as histórias de ficção científica insistam em afirmar o contrário, a velocidade mais alta da Natureza. Apenas a genial imaginação poética de um adolescente precoce podia viajar tão rápido.

8. O MUNDO DO MUITO PEQUENO

> *Qual será o absurdo de hoje que será a verdade de amanhã?*
> Alfred North Whitehead (1925)

A LUZ, OU, MAIS PRECISAMENTE, as ondas eletromagnéticas, criou outros desafios para a física clássica. Vimos como a luz emitida e absorvida por elementos químicos e analisada em espectroscópios permitiu que os físicos estudassem a composição química do Sol e de nebulosas distantes. No entanto, até o início do século XX ninguém sabia por que cada elemento químico tem seu próprio espectro, ou mesmo por que existem espectros. Para piorar ainda mais as coisas, ninguém sabia por que certos objetos, como, por exemplo, uma barra de metal ou filamentos usados em lâmpadas, emitem luz de cores diferentes quando aquecidos a temperaturas diferentes. Nenhum cientista da época poderia ter imaginado que a resposta a essa pergunta, aparentemente tão inocente, causaria uma profunda revolução na física. Vale a pena contar essa história, não só devido ao impacto fundamental da física quântica sobre a nossa compreensão do Universo, tanto no nível microscópico como no nível macroscópico, mas também porque ela ilustra de modo extremamente claro como o progresso em física com frequência se dá por caminhos muitas vezes bem tortuosos.

A COR DO CALOR

Sabemos que, quando uma barra metálica é aquecida a temperaturas suficientemente elevadas, ela se torna incandescente, emitindo luz num tom vermelho-alaranjado. Um laboratório excelente para estudar metais incandescentes é um fogão elétrico; à medida que você gira o controle, o calor invisível (radiação infravermelha) emanando da espiral metálica aos poucos se torna visível, até chegar a um forte tom vermelho-alaranjado. Num

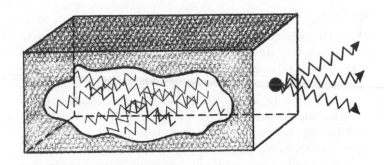

Figura 8.1: Um forno é aquecido a uma temperatura T. A radiação de corpo negro escapa através de um pequeno orifício numa das paredes.

forno realmente potente, a barra metálica se tornaria cada vez mais amarelada, até que, a temperaturas extremamente altas, ela emitiria uma luz azulada. (Na verdade, isso vai depender do tipo de material; o ferro, por exemplo, derrete antes de emitir luz azul.) A física clássica podia explicar esse fenômeno combinando argumentos da termodinâmica e do eletromagnetismo de Maxwell. Se a barra metálica é feita de cargas elétricas que podem vibrar (ainda não existia um modelo do átomo!), quanto mais quente a barra, mais rapidamente as cargas vibram, emitindo radiação de frequência cada vez mais alta. Já que a cor azul tem maior frequência do que a vermelha, quanto mais quente a barra metálica, mais azulado seu brilho. Até aqui tudo bem.

Sempre curiosos, os físicos queriam saber mais. À medida que perguntas mais detalhadas foram sendo feitas, a física clássica começou a fraquejar. Em breve, ficou claro que ela simplesmente não podia explicar os vários fenômenos que estavam sendo observados no laboratório. Novas ideias eram desesperadamente necessárias, mas ninguém sabia por onde começar. A barra metálica incandescente, de modo tão inesperado quanto o experimento de Michelson e Morley, se transformou num pesadelo.

O estudo das propriedades térmicas da luz emitida por objetos aquecidos é extremamente complicado. Por exemplo, objetos feitos de materiais diferentes ou de formas diferentes têm propriedades térmicas diferentes. Como os físicos gostam de obter leis de caráter mais geral, alguma simplificação era necessária. Durante o final da década de 1850, no mesmo período em que estudava a composição química do Sol (outro objeto a altas temperaturas que emite luz!), Gustav Kirchhoff propôs um método que podia ser usado para estudar as propriedades da radiação emitida por objetos aquecidos, independentemente de sua composição ou geometria. Ele jamais poderia imaginar a revolução que se escondia por trás de sua brilhante ideia.

Kirchhoff sugeriu estudar as propriedades térmicas de uma cavidade fechada, como o interior de um forno, que ele podia aquecer a uma certa temperatura T. Já que o calor induz movimento, os átomos que compõem as paredes da cavidade começam a vibrar e colidir, emitindo radiação eletromagnética para o interior da cavidade. Ao mesmo tempo, a radiação no interior da cavidade é reabsorvida pelas suas paredes, numa dança de equilíbrio entre radiação emitida e radiação absorvida. Kirchhoff mostrou que, como emissão e absorção se "cancelavam", o espectro no interior da cavidade não poderia ter linhas espectrais (todas as "impressões digitais" eram apagadas) e, portanto, não poderia depender do material ou geometria da cavidade. Já que uma superfície perfeitamente absorvente é negra, enquanto uma superfície perfeitamente refletora é branca, a cavidade de Kirchhoff, que absorvia todo o calor que recebia mas não emitia nenhum, foi chamada de *corpo negro*.

De modo a estudar as propriedades da radiação no interior da cavidade, Kirchhoff fez um pequeno orifício numa de suas paredes, permitindo que um pouco de radiação "vazasse" para o exterior. O espectro dessa radiação, conhecido como *espectro de corpo negro*, possui radiação eletromagnética de todas as frequências (visíveis e invisíveis!), cada uma carregando uma certa quantidade de energia. O único fator determinante da quantidade de energia que cada frequência possui é a temperatura. Tudo que irradia — de um filamento de tungstênio numa lâmpada comum (visível) até os corpos humanos (invisível — infravermelho) — produz um espectro, do qual, com precisão variável, um espectro de corpo negro pode oferecer uma aproximação.[1] O fato de a temperatura ser o único parâmetro que determina a quantidade de energia que cada frequência da radiação de corpo negro emite é precisamente o tipo de comportamento universal tão apreciado pelos físicos. Conforme Planck escreveu em sua *Autobiografia científica*: "esse [resultado de Kirchhoff] representa algo de absoluto, e, já que sempre considerei a busca do absoluto o objetivo mais nobre da pesquisa científica, imediatamente me pus a trabalhar".[2]

Desde os pré-socráticos até nossos dias, a busca do absoluto é uma inspiração constante para a criatividade científica. Planck estava procurando uma teoria que pudesse explicar a dependência exata que existe entre o espectro de corpo negro e a temperatura, ou seja, dada a temperatura, a teoria deveria ser capaz de prever quanta energia seria emitida numa certa frequência de amarelo, quanta numa certa frequência de azul etc. Os físicos experimentais haviam percebido que a potência (energia por segundo) emitida por um corpo negro cresce com a frequência, atingindo um valor máximo antes de começar a diminuir, no caso das frequências mais altas. Eles também haviam demonstrado que a frequência que brilhava com maior intensidade mudava com a temperatura, passando do vermelho ao azul à medida que a temperatura aumentava. (É por isso que notamos a mudança de cor na espiral do fogão elétrico ao aumentarmos sua temperatura.) Portanto, a tarefa do físico teórico era encontrar uma relação matemática simples capaz de explicar esses resultados experimentais, usando uma combinação de ideias da termodinâmica e do eletromagnetismo.

Infelizmente, o espectro de corpo negro previsto pela física clássica era completamente diferente daquele medido no laboratório. Em vez de prever que a potência (ou intensidade) emitida aumenta com a frequência até atingir um valor máximo, antes de começar a diminuir, a física clássica previa que a potência emitida sempre crescia com a frequência. Aproximadamente, a física clássica previa que a barra metálica vermelho-alaranjada deveria emitir luz azul. Foi um desastre completo.

Após várias tentativas frustradas, no dia 19 de outubro de 1900, Planck anunciou à Sociedade Berlinense de Física que havia encontrado uma fórmula capaz de descrever acuradamente os resultados dos experimentos. No entanto, apenas uma fórmula não era o suficiente. Para que possamos de fato compreender a física por trás de um fenômeno, é necessário bem mais do que uma boa fórmula, é necessária uma base conceitual que justifique a existência da fórmula. Naturalmente, Planck sabia muito bem disso. Anos mais tarde, ele escreveu: "No mesmo dia em que formulei essa lei, comecei a me dedicar à tarefa de encontrar seu verdadeiro significado físico".[3]

De modo a desvendar a física por trás de sua fórmula, Planck foi levado a propor uma ideia radical: os átomos não liberam radiação de modo contínuo, mas o fazem em "múltiplos discretos", ou pequenos pacotes, de uma quantidade fundamental. Portanto, os átomos lidam com a energia do mesmo modo que lidamos com o dinheiro, em múltiplos de uma quantidade básica. Para cada frequência existe um "centavo" mínimo de energia, proporcional à frequência; quanto maior a frequência, maior o "centavo".[4] Portanto, a radiação de uma determinada frequência só pode aparecer em múltiplos de seu "centavo" fundamental, mais tarde chamado de *quantum* por Planck, uma palavra que em latim significa uma porção de algo. Como o grande físico russo-americano George Gamow comentou, a hipótese do quantum, desenvolvida por Planck, criou um mundo no qual você pode beber ou um litro inteiro de cerveja ou absolutamente nada; qualquer quantidade intermediária é impossível. Felizmente, você pode também beber vários litros.

Planck não ficou nada satisfeito com as consequências de sua hipótese quântica. De fato, ele passou anos tentando "explicar" a existência do quantum de energia usando a física clássica. Ele foi um revolucionário relutante que se viu forçado a propor uma ideia que ele só aceitava por falta de qualquer alternativa. Como ele escreveu em sua autobiografia,

> Minhas tentativas frustradas para acomodar o [...] quantum [...] de algum modo dentro da física clássica continuaram por alguns anos, e custaram-me um enorme esforço. Muitos de

meus colegas consideraram minha insistência quase que trágica. Mas eu vejo as coisas de modo diferente [...] Agora sei que o [...] quantum [...] tem um papel na física muito mais importante do que eu suspeitava originalmente, e esse fato fez com que eu aceitasse o uso de métodos de análise e de dedução completamente novos no tratamento de problemas atômicos.[5]

Planck estava certo. A teoria quântica que ele ajudou a desenvolver provou ser uma revisão ainda mais profunda da "velha" física do que a teoria da relatividade especial de Einstein. A física clássica é baseada em processos contínuos, como, por exemplo, planetas orbitando em torno do Sol, ou ondas propagando-se na água. A nossa percepção do mundo é baseada em fenômenos que evoluem continuamente no espaço e no tempo. O mundo submicroscópico, no entanto, é muito diferente: um mundo de processos descontínuos, um mundo que exibe comportamentos que contrariam frontalmente nosso amado bom-senso. Somos protegidos dessa realidade "chocante" pela nossa própria cegueira sensorial; do mesmo modo que não percebemos as consequências da relatividade porque as velocidades de nosso dia a dia são muito mais baixas do que a velocidade da luz, as energias que ditam o comportamento de fenômenos acessíveis à nossa percepção sensorial contêm um número tão gigantesco de quanta de energia (pacotes de energia) que seu caráter "granular" é perfeitamente desprezível. É como se vivêssemos num mundo de bilionários, onde um centavo é uma quantidade desprezível de dinheiro. No mundo do muito pequeno, porém, o quantum é soberano absoluto.

A relutância de Planck em aceitar o fracasso da física clássica em explicar sua hipótese quântica está em contraste direto com certas ideias vindas de um escritório de patentes em Berna. Novamente em 1905, o mesmo ano em que ele escreveu seus dois manuscritos sobre relatividade, Einstein produziu dois outros manuscritos, cada um brilhante o suficiente para lhe garantir um lugar na galeria dos imortais da ciência. Um deles lidava com um fenômeno conhecido como movimento browniano, no qual grãos de dimensões pequenas (como, por exemplo, o pólen) flutuando num líquido exibem um complexo movimento de zigue-zague. Em 1827, o botânico inglês Robert Brown descobriu esse comportamento enquanto observava, através de um microscópio, grãos de pólen flutuando em gotas de água. Inicialmente, ele pensou que o movimento era causado por uma obscura "força vital" que existia dentro dos grãos de pólen. Entretanto, ele mostrou que qualquer partícula suficientemente pequena, orgânica ou inorgânica, exibe o mesmo movimento aleatório dos grãos de pólen: não eram obscuras "forças vitais" que estavam causando o movimento. Einstein (e, independentemente, o físico polonês Marian Smoluchowski [1872--1917]) mostrou que o movimento aleatório era causado por colisões entre as partículas e as moléculas do líquido. Essa conclusão ofereceu apoio à hipótese atomística da matéria, usada previamente por Boltzmann em sua formulação da mecânica estatística.

O quarto grande trabalho, de 1905 (na verdade o primeiro a ser publicado), tratava do *efeito fotoelétrico*, descoberto por Hertz em 1887. Nesse efeito, a radiação eletromagnética atingindo uma amostra de metal eletricamente neutra faz com que o metal adquira uma carga positiva. Esse curioso fenômeno não podia ser explicado pelo eletromagnetismo de Maxwell. Por exemplo, ninguém podia entender por que a luz amarela não eletrizava o metal, enquanto a luz violeta (ou ultravioleta) o fazia facilmente. Era claro que o efeito poderia ser explicado se, de alguma forma, a luz pudesse expulsar elétrons da superfície do metal; já que elétrons possuem carga negativa, uma amostra de metal com um déficit de elétrons teria uma carga positiva. A física clássica, contudo, não era capaz de explicar por que o efeito varia com a cor e não com a intensidade da luz. Mais uma vez, novas ideias eram necessárias.

De modo a resolver o mistério, Einstein, num ato de extrema coragem intelectual, propôs estender a hipótese de Planck, de que os átomos radiavam energia em pequenos pacotes, *à própria luz*! Nas palavras do grande historiador da ciência I. Bernard Cohen, "[...] basicamente, foi esse trabalho de março de

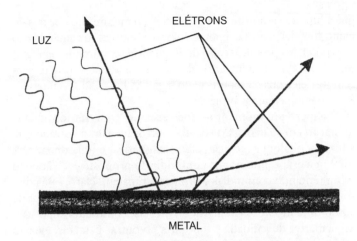

Figura 8.2: O efeito fotoelétrico: uma luz de frequência suficientemente alta atinge uma amostra de metal eletricamente neutra, removendo elétrons da superfície e fazendo com que a amostra adquira uma carga elétrica positiva.

1905 que marcou a transformação da ideia de Planck, potencialmente revolucionária, numa ideia realmente revolucionária.[6]

De modo análogo aos quanta de energia de Planck, Einstein sugeriu que a luz de uma determinada frequência ocorria em múltiplos de pequenos pacotes, cada um com energia proporcional à frequência (E = hf). Einstein imaginou a radiação no interior de uma cavidade de corpo negro como um "gás" de partículas de luz com energias proporcionais às várias frequências presentes na cavidade. Uma analogia bem aproximada seria imaginar a radiação no interior da cavidade como sendo um gás feito de bolas de bilhar de "cores" diferentes (visíveis e invisíveis!), cada cor associada a uma frequência. Os átomos podem "comer" uma ou mais bolas de bilhar de mesma frequência e devolvê-las à cavidade, mas sempre bolas inteiras, nunca "pedaços" de bolas. Einstein, portanto, efetivamente estendeu o tratamento atomístico da matéria de Boltzmann à própria luz. Esses "átomos de luz" foram chamados de *fótons* em 1926 pelo físico americano Gilbert Lewis. Uma vez que a hipótese atomística da luz é aceita, o mecanismo por trás do efeito fotoelétrico é facilmente compreendido. A luz amarela não causa o efeito porque, sendo de frequência (e, portanto, energia) mais baixa do que a luz azul, ela não tem energia suficiente para remover elétrons da superfície do metal. A luz colide com os elétrons como pequenos projéteis!

"Espere um momento", você exclama com um tom de indignação em sua voz, "Maxwell e outros haviam mostrado que a luz, ou qualquer radiação eletromagnética, é uma onda, certo? Você está tentando me confundir de propósito?" Não, não estou tentando confundi-lo. Prometo. Einstein, claro, sabia disso muito bem, e simplesmente sugeriu que a luz é quantizada como uma hipótese "heurística", ou seja, como uma suposição especulativa de validade temporária.[7] Noutras palavras, ele não sabia por que sua ideia funcionava, mas sabia que ela funcionava. Você pode imaginar que, se a maioria dos físicos estava tendo sérios problemas com as ideias da teoria da relatividade especial, as ideias de Einstein sobre a natureza quântica do efeito fotoelétrico não foram recebidas com grandes sorrisos e abraços. Qual era afinal a natureza física da luz? Partícula ou onda? E quem era esse sujeito do escritório de patentes de Berna?

Einstein não parecia muito preocupado com as repercussões de suas ideias. Ele estava bem feliz com sua promoção em 1906 a especialista técnico de "segunda classe", que veio acompanhada de um bom aumento de salário. Entretanto, em 1908, Einstein decidiu que já era hora de avançar em sua carreira acadêmica. Ele obteve o título de *venia docendi*, que lhe dava o direito de ensinar, e passou a procurar uma posição de tempo parcial que lhe permitisse manter seu emprego no escritório de patentes. Para termos noção da dificuldade da comunidade acadêmica em aceitar as ideias de Einstein, basta citar que apenas em 1909 ele recebeu sua primeira oferta como professor universitário. De fato, as primeiras reações à teoria da relatividade especial foram resultados experimentais que tentaram (erroneamente) refutá-la. As previsões de Einstein sobre os vários detalhes do efeito fotoelétrico foram confirmadas, embora relutantemente, pelo físico americano Robert Millikan, em 1915. Bem mais tarde, em 1948, Millikan escreveu:

> Passei dez anos de minha vida testando aquela equação proposta por Einstein em 1905. Contrariando todas as minhas expectativas, e embora ela seja completamente sem sentido, em 1915 me vi forçado a considerá-la inequivocamente comprovada, mesmo que ela parecesse violar tudo que conhecíamos sobre a interferência da luz [uma propriedade ondulatória].[8]

Mesmo que no início suas ideias fossem encaradas com certa desconfiança, alguns físicos, incluindo Planck e Lorentz, perceberam o gênio de Einstein. Sua reputação começou lentamente a difundir-se por toda a Europa.

Sua primeira posição foi como professor associado de física na Universidade de Zurique. A proposta examinada pelo comitê de professores afirmava que "hoje [1909] Einstein está entre os físicos teóricos mais importantes, como consequência de seu trabalho sobre o princípio da relatividade, que lhe rendeu grande reconhecimento na comunidade científica".[9] Daí em diante, a reputação de Einstein decolou quase que com a velocidade da luz. No mesmo ano, ele recebeu o título de doutor honorário da Universidade de Genebra, junto com Marie Curie e Wilhelm Ostwald. Em 1910, ele se mudou para Praga como professor titular e com um alto salário, para retornar a Zurique apenas dois anos mais tarde. Em 1914, Einstein aceitou a posição de diretor do prestigioso Instituto Kaiser Wilhelm, em Berlim. Embora ele não gostasse de viver na Alemanha, era difícil resistir à tentação de trabalhar no instituto de pesquisas mais importante da Europa, ao lado de estrelas como Planck e Nernst, e recebendo um alto salário. Mileva não ficou assim tão empolgada com a ideia e resolveu voltar para a Suíça com seus dois filhos.[10] A essa altura, Einstein e Mileva estavam tendo sérios problemas matrimoniais.

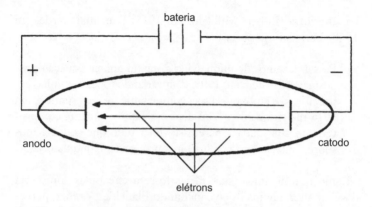

Figura 8.3: Um tubo catódico simplificado: elétrons viajam do catodo para o anodo quando o tubo é ligado a uma bateria.

A VALSA QUÂNTICA

Enquanto os físicos estavam tentando lidar com os estranhos conceitos da teoria da relatividade especial e da hipótese quântica, uma série de novos experimentos produziu resultados ainda mais estranhos e misteriosos. No período relativamente curto de dezesseis anos, a física passou de uma fase em que os átomos eram uma entidade fictícia, de realidade duvidosa, à descoberta dos raios X, da radioatividade, dos elétrons e do núcleo atômico.

Primeiro veio a descoberta dos raios X por Wilhelm Röntgen, em 1895. Tal como com a descoberta do espectro solar por Fraunhoffer, esse foi um dos raros episódios em que o acaso ajuda aqueles que estão bem preparados. Nessa época, vários físicos estavam estudando as propriedades fascinantes dos chamados tubos catódicos, ampolas de vidro com duas placas de metal em seu interior, conectadas aos dois polos de uma bateria (ver a figura 8.3). Röntgen estava investigando as propriedades das descargas elétricas produzidas entre as duas placas metálicas (o catodo e o anodo) quando ele se deparou com um efeito inesperado: mesmo após cobrir o tubo com um papel-cartão negro bem espesso, observou que uma tela pintada com material fluorescente posta a dois metros do tubo brilhava em meio à escuridão cada vez que ocorria uma descarga entre as duas placas metálicas.

Algo emanando do tubo catódico estava irradiando a tela fluorescente.[11] (Gostaria de saber quem pôs a tela fluorescente tão perto do tubo catódico...)

Empolgado com sua descoberta, Röntgen se enfurnou em seu laboratório por duas semanas, explorando as várias propriedades físicas dessa forma desconhecida de radiação, que chamou de raios "X". Ele mostrou que os raios não tinham carga elétrica, já que um campo magnético não os defletia. Para sua surpresa, descobriu que os raios atravessavam a madeira ou a pele, expondo metais dentro de caixas de madeira ou os ossos da mão de sua esposa, deixando sua impressão em placas fotográficas. Os raios X tornaram-se uma sensação imediata. O mundo inteiro ficou fascinado por esses misteriosos raios que podiam atravessar materiais que refletiam a luz visível. Quando um jornalista perguntou a Röntgen: "O que você pensou durante sua descoberta?", ele respondeu: "Eu não pensei; eu investiguei". A uma segunda pergunta: "Mas então o que são esses raios?", Röntgen confessou: "Eu não sei!".[12]

Em 1912, Max von Laue, um pupilo de Planck que nesse mesmo ano escreveu o primeiro livro de texto sobre a teoria da relatividade especial, provou que os raios X eram simplesmente radiação eletromagnética invisível de frequência muito alta (pequeno comprimento de onda). A radiação era produzida quando os elétrons da descarga elétrica colidiam com o anodo ou com a parede de vidro do tubo catódico.[13] Fazendo com que os raios X colidissem com materiais cristalinos, Laue mostrou que os raios se comportavam exatamente como outras formas de radiação eletromagnética forçadas a passar por pequenas aberturas ou orifícios; eles se difratavam, criando, assim, um padrão de manchas escuras e claras que se alternavam regularmente sobre uma placa fotográfica.

Logo após a descoberta de Laue, o físico inglês W. H. Bragg (1862-1942) mostrou como a distância entre as manchas escuras e claras no padrão de difração do raio X podia ser usada para estudar a estrutura geométrica do próprio cristal. Mais recentemente, biofísicos usaram raios X para revelar a estrutura helicoidal da molécula de DNA. Astrônomos estudam o Universo através dos raios X emitidos por galáxias e outras fontes astrofísicas distantes. A pesquisa, que foi iniciada sem a menor intenção de ser "útil", inspirada apenas pela curiosidade de explorar as propriedades da radiação eletromagnética, transformou-se numa ferramenta fundamental em medicina e na indústria. Como comentou Glashow, "as descobertas de hoje serão as ferramentas de amanhã".[14] Nada menos do que cinco prêmios Nobel foram dados para pesquisas relacionadas com raios X, incluindo, claro, os de Röntgen (o primeiro prêmio Nobel), Laue e Bragg.

Um ano após a descoberta de Röntgen, o físico francês Henri Becquerel resolveu investigar se a luz do Sol podia fazer com que certos materiais se tornassem fosforescentes. Sua intenção era mostrar que existia uma relação entre fosforescência e raios X. Para isso, Becquerel pôs um material fosforescente sobre uma placa fotográfica embrulhada num papel preto. O Sol faria com que o material emitisse raios X que iriam, então, sensibilizar a placa fotográfica.[15] Quando Becquerel revelou a placa fotográfica, ele ficou satisfeito em confirmar que ela havia sido sensibilizada. Ele concluiu, naturalmente, que materiais fosforescentes não só emitem luz visível, mas também raios X.

Alguns dias mais tarde, tentando aumentar o impacto de sua demonstração, Becquerel colocou uma cruz de cobre entre o mineral fosforescente e a placa fotográfica. Como o Sol de inverno de Paris recusou-se a colaborar com seu experimento, Becquerel pôs o mineral, a cruz de cobre e a placa fotográfica embrulhada numa gaveta de sua escrivaninha. Por alguma misteriosa razão[16] uma semana mais tarde Becquerel resolveu revelar o filme que havia guardado na gaveta. Ele mal pôde acreditar em seus próprios olhos quando viu a marca da cruz impressa sobre a placa fotográfica! A conclusão era clara: qualquer que fosse a natureza dos raios emitidos pelo mineral, eles independiam da luz do Sol. Suas conclusões iniciais tinham de ser abandonadas. Becquerel então mostrou que esses "raios" emitidos pelo mineral não eram os raios X de Röntgen. Já que a amostra do mineral possuía o elemento químico urânio, Becquerel chamou seus raios de "raios urânicos". A radioatividade foi oficialmente descoberta!

Dois anos após a descoberta de Becquerel, Pierre e Marie Curie mostraram que vários outros minerais que não continham urânio mas continham tório e rádio emitiam raios semelhantes. Rapidamente ficou claro que esses elementos químicos podiam emitir três tipos diferentes de raios, que foram chamados de raios alfa, beta e gama. O próximo passo era determinar qual a natureza desses raios, ou seja, de que eram compostos.

Durante os últimos cinco anos do século XIX, físicos alemães e franceses descobriram vários fenômenos completamente inesperados e surpreendentes. Agora era a vez de a Inglaterra dar sua contribuição. Em janeiro de 1896, Ernest Rutherford, um jovem neozelandês trabalhando com Joseph John Thomson (J. J. para seus alunos) no famoso Laboratório Cavendish, em Cambridge, escreveu para sua noiva:

> O professor [J. J. Thomson] tem estado muito ocupado ultimamente investigando o novo método fotográfico descoberto pelo professor Röntgen. [Thomson] está tentando descobrir a causa e a natureza das ondas, sendo que seu objetivo final é ser o primeiro a descobrir a teoria da matéria, antes de todos os demais professores da Europa.[17]

A pesquisa em física havia se tornado muito competitiva. Thomson estava tentando provar que os raios catódicos eram eletricamente carregados. Vários cientistas tinham descartado essa possibilidade após terem falhado em provar que os raios podiam ser defletidos por um campo elétrico. Como as cargas elétricas são afetadas por campos elétricos, os raios catódicos também deveriam ser, se eles fossem constituídos de partículas eletricamente carregadas. É aqui que vemos a marca do grande cientista. Thomson entendeu que, a menos que o ar (ou gás) no interior do tubo fosse eficientemente evacuado, nenhum efeito seria detectado: o gás agia como uma espécie de escudo, rapidamente neutralizando a ação do campo elétrico aplicado. Quando Thomson conseguiu criar um "bom vácuo", ele observou que campos elétricos podiam de fato defletir os raios catódicos. Combinando as deflexões causadas por campos elétricos e magnéticos, Thomson mostrou que os raios catódicos eram constituídos por partículas elétricas de carga negativa.

Thomson continuou suas investigações dos "corpúsculos", mostrando que eles apareciam em vários materiais diferentes com propriedades exatamente iguais: eles faziam parte da matéria. Ele concluiu que os átomos não eram indivisíveis, já que liberavam partículas negativamente carregadas quando sujeitos a forças elétricas. A busca dos constituintes fundamentais da matéria estava avançando a passos rápidos. Thomson também mostrou que suas partículas eram, pelo menos, mil vezes mais leves do que o átomo mais leve, o hidrogênio. No dia 29 de abril de 1897, Thomson anunciou suas descobertas para a Royal Institution. A primeira partícula elementar, o *elétron*, havia sido descoberta.

Se os elétrons faziam parte dos átomos, e a matéria bruta é eletricamente neutra, então os átomos deveriam ter também um componente com carga positiva. Os físicos começaram a investigar seriamente a estrutura dos átomos. Era claro que, se o elétron era tão leve, o componente positivo deveria ser bem pesado, correspondendo à maior parte da massa do átomo. Os primeiros modelos atômicos supunham que a carga positiva ocupava a maior parte do volume do átomo. Hantaro Nagaoka, de Tóquio, propôs um modelo do átomo em forma de "Saturno", no qual elétrons com carga negativa orbitavam em torno de uma grande esfera de carga positiva, como Saturno e seus anéis. Thomson propôs o "modelo do pudim de ameixas" (uma ideia bem britânica), em que a carga positiva estava distribuída por todo o volume do átomo, enquanto os elétrons pareciam pequenas ameixas decorando sua superfície. Ambos os modelos estavam errados. A carga positiva está concentrada num minúsculo *núcleo*, que, de fato, carrega a maior parte da massa do átomo. Os elétrons orbitam em torno do núcleo a grandes distâncias (em relação ao tamanho do núcleo), fazendo com que o átomo seja basicamente um espaço vazio. De fato, se inflássemos um núcleo atômico até que ele atingisse o tamanho de uma bola de tênis, os elétrons seriam encontrados a duzentos metros de distância!

Essa foi a grande descoberta do ex-aluno de Thomson, o neozeolandês Rutherford, que, após uma série de experimentos brilhantes realizados em 1911 em Manchester, na Inglaterra, revelou a estrutura do átomo como é aceita hoje. Ele também mostrou que os raios alfa eram núcleos de átomos de hélio (com duas unidades de carga positiva), enquanto os raios beta eram feitos de elétrons. A radioatividade era uma forma de transmutação espontânea entre os átomos pesados: quando um átomo radioativo se desintegra, ele se transforma num átomo de um elemento químico diferente. Mais ainda, a radioatividade é um processo ditado completamente pelo acaso. É impossível prever quando, por exemplo, uma partícula alfa será emitida por um núcleo radioativo: tudo que podemos determinar é a probabilidade de que esse evento ocorra num determinado intervalo de tempo. As probabilidades usadas por Boltzmann para descrever o comportamento coletivo de grupos de átomos descrevem também o comportamento individual dos próprios átomos.

Em 1911, um jovem físico dinamarquês chamado Niels Bohr viajou até Manchester para trabalhar com Rutherford. Ao ouvir as novas sobre o modelo atômico proposto por Rutherford, Bohr imediatamente se pôs a trabalhar, tentando explorar seus mínimos detalhes. Quanto mais ele refletia sobre o problema, mais ele se convencia de que a física clássica jamais poderia explicar as propriedades do modelo atômico de Rutherford. Primeiro, aplicar as leis de Newton para descrever a órbita do elétron ao redor do pequeno núcleo, como um planeta em torno do Sol, era insuficiente para determinar o raio da órbita, ou seja, o tamanho do átomo. Segundo, a teoria de Maxwell determinava que uma carga em movimento orbital deveria emitir radiação com frequências cada vez mais altas, perdendo cada vez mais energia, até colidir com o núcleo. Em outras palavras, o eletromagnetismo clássico prevê que o átomo é instável!

Assim como Einstein antes dele, Bohr usou de forma brilhante a hipótese quântica de Planck. Ele propôs um modelo híbrido para o átomo, combinando elementos da física clássica com a natureza intrinsecamente descontínua do mundo quântico. Sua ideia era típica de um período de transição, uma espécie de oráculo da nova revolução que estava prestes a acontecer na física. Como um compromisso entre o sistema solar em miniatura e a natureza discreta da radiação eletromagnética, Bohr sugeriu que o átomo mais simples, o hidrogênio, é composto de um núcleo positivo e de um elétron negativo movendo-se à sua volta em órbitas circulares; mas — e esse era um grande *mas* — nem todas as órbitas eram permitidas. O elétron só podia ser encontrado a certas distâncias do núcleo, as órbitas possíveis sendo círculos concêntricos de raios diferentes. A órbita mais próxima do núcleo, a mais interna, é chamada de *estado fundamental* do átomo de hidrogênio. Bohr corajosamente supôs que o elétron simplesmente não podia se aproximar mais do núcleo; por alguma razão desconhecida, a natureza quântica da física do muito pequeno garantia a estabilidade do átomo, em contraste direto com a previsão da física clássica.

Bohr adicionou um ingrediente ainda mais estranho ao seu peculiar modelo do átomo. Ele sabia que, quanto mais perto o elétron estava do núcleo, mais forte seria a atração elétrica entre os dois. Portanto, o elétron no estado fundamental precisa de energia extra para mover-se até uma órbita mais elevada (um "estado excitado"), mais distante do núcleo. Já um elétron numa órbita elevada libera energia ao mover-se para uma órbita mais baixa, mais próxima do núcleo. Como Bohr sabia calcular a distância entre cada órbita e o núcleo, ele também podia calcular a energia de cada órbita. Ele supôs que, de modo a saltar para uma órbita mais elevada, o elétron tinha de *absorver* um fóton com energia exatamente igual à diferença de energia entre as duas órbitas. A energia do fóton era dada pela mesma fórmula que Einstein usara em relação ao efeito fotoelétrico ($E = hf$). Por outro lado, um elétron, ao saltar para uma órbita inferior, *emite* um fóton com precisamente a mesma energia que a diferença de energia entre as duas órbitas. No entanto, fótons são radiação eletromagnética. Bohr mostrou que, ao "relaxarem" e voltarem ao seu estado fundamental, os átomos excitados emitem radiação eletromagnética, enquanto os átomos no seu estado fundamental absorvem radiação eletromagnética atingindo um de seus estados excitados (ver a figura 8.4). Fótons e elétrons são parceiros na valsa quântica.

Sem dúvida, a ideia de Bohr era extremamente audaciosa, parecendo quase absurda. No entanto, essa ideia tinha algo de muito positivo a seu favor: as previsões de Bohr eram extremamente eficientes quando comparadas com experimentos. Em particular, Bohr podia calcular o espectro eletromagnético do hidrogênio, ou seja, ele podia prever as frequências das linhas de emissão em concordância com o espectro observado. Finalmente, o mistério por trás dos espectros dos elementos fora desvendado! Linhas de emissão de frequências específicas eram simplesmente fótons emitidos por átomos excitados ao passarem para órbitas inferiores. Linhas de absorção eram causadas pelos elétrons quando eles "comiam" os fótons ao saltarem para órbitas mais elevadas, mais distantes do núcleo atômico.

Cada órbita é rotulada com um número inteiro n, começando com n = 1 para o estado fundamental. No mundo do muito pequeno, o estrato contínuo da física clássica tem de ser substituído pela descontinuidade inerente ao quantum. Números inteiros novamente aparecem em ciência, de mãos dadas com a física do átomo. As ideias pitagóricas, nunca esquecidas por completo, reemergem com uma força surpreendente. Nas palavras inspiradas de um dos arquitetos da física quântica, Arnold Sommerfeld,

> o que estamos ouvindo da linguagem dos espectros é a verdadeira "música das esferas" revelada nos acordes inteiros da estrutura atômica, uma ordem e harmonia que se torna ainda mais perfeita quando comparada à tamanha variedade de comportamentos observados.[18]

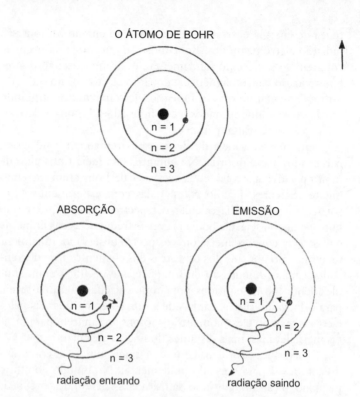

Figura 8.4: O modelo atômico de Bohr: os elétrons movem-se em torno do núcleo em órbitas circulares discretas. Ao absorver um fóton, o elétron poderá "saltar" para uma órbita mais elevada. Ao "relaxar", passando de uma órbita mais elevada para uma mais próxima do estado fundamental, o elétron emitirá um fóton. Em ambos os casos, a energia do fóton é idêntica à diferença de energia entre as duas órbitas.

Imagine a felicidade de Kepler se ele fosse vivo nessa época! A dança do Universo estende-se do muito pequeno ao muito grande.

Apesar de seu sucesso inicial, o modelo de Bohr tinha várias limitações, como, por exemplo, a incapacidade de explicar até mesmo o comportamento do átomo seguinte na tabela periódica, o átomo de hélio, com seus dois elétrons. Mesmo assim, era claro que algo das ideias de Bohr deveria estar presente em teorias futuras, poderosas o suficiente para descrever (ao menos aproximadamente) o comportamento de átomos mais complicados. O que sobreviveu da ideia original de Bohr foi seu componente mais revolucionário, a quantização das órbitas eletrônicas, sua ênfase em números inteiros. Todo o resto, os componentes clássicos de seu modelo atômico, como a idealização do elétron e do núcleo como pequenas bolas de bilhar em um sistema solar em miniatura, teve de ser abandonado.

ONDAS DE MATÉRIA

Em 1921, Einstein (finalmente!) ganhou o prêmio Nobel. Mesmo que a essa altura já existisse uma quantidade considerável de evidência experimental em favor de sua teoria da relatividade, ele recebeu o prêmio por seu modelo do efeito fotoelétrico, que usava o fóton como "partícula de luz". Surpreendente ou não, o próprio Einstein gostava de dizer que a introdução do fóton foi sua ideia mais revolucionária. Os experimentos de Millikan provaram de modo convincente que a hipótese "heurística" — que descrevia a interação da luz com os elétrons de uma superfície metálica como uma colisão entre partículas — funcionava muito bem. Em 1923, um experimento crucial executado pelo físico americano Arthur Compton (1892-1962) mostrou claramente que os raios X interagiam com elétrons como se fossem partículas e não como ondas. A natureza dual da luz, às vezes onda, às vezes partícula, era um resultado experimental irrecusável.[19]

Mas como isso é possível? Uma partícula é um objeto pequeno, bem localizado no espaço, enquanto uma onda é algo que se dispersa pelo espaço; partícula e onda são descrições incompatíveis, antitéticas, usadas para representar objetos com extensão espacial. Essa é a famosa *dualidade onda-partícula* da luz; a luz pode se comportar como onda ou como partícula, dependendo da natureza do experimento. Se o experimento testar suas propriedades ondulatórias, como padrões de interferência, a luz se manifestará como onda; e se o experimento testar suas propriedades de partícula, como colisões com outras partículas, a luz se comportará como partícula. Portanto, a luz não é partícula *ou* onda, mas, de certa forma, ambas! Tudo depende de como *nós* decidimos investigar suas propriedades.

Da discussão acima emergem dois aspectos fundamentais da realidade física do mundo quântico, radicalmente diferentes do mundo clássico à nossa volta. Primeiro, fica claro que as imagens que construímos em nossas mentes na tentativa de visualizar a natureza física da luz não são apropriadas. Mais ainda, a linguagem, que representa uma verbalização dessas imagens, é, desse modo, igualmente limitada para descrever a realidade quântica. Como o grande físico alemão Werner Heisenberg (1901-1976) escreveu, "gostaríamos de poder falar sobre a estrutura dos átomos, mas nós não podemos falar sobre átomos usando uma linguagem ordinária".[20] Nossa linguagem é limitada pela nossa percepção bipolar do mundo, algo que encontramos anteriormente neste livro, quando discutimos como os mitos de criação tentam representar o Absoluto, que transcende essa polarização.

O segundo aspecto radicalmente novo que emerge do estudo da realidade quântica prescreve um papel surpreendente para o observador de fenômenos físicos: no mundo do muito pequeno, o observador não tem um papel passivo na descrição dos fenômenos naturais; se a luz se comporta como onda ou partícula dependendo do experimento, então não podemos mais separar o observador do observado. Em outras palavras, no mundo quântico, o observador tem um papel fundamental na determinação da natureza física do que está sendo observado. A noção de que uma realidade objetiva existe independentemente da presença de um observador, parte fundamental da descrição clássica da Natureza, tem de ser abandonada. De certo modo, a realidade física observada (e apenas essa!), ao menos dentro do mundo do muito pequeno, é resultado de nossa escolha.

Não é difícil prever que essa nova física perturbou muita gente. A situação piorou em 1924, quando o príncipe francês Louis de Broglie, então um novato nos meios acadêmicos, sugeriu em sua tese de doutoramento que a dualidade onda-partícula não era uma peculiaridade da luz, mas sim de toda a matéria! Elétrons e prótons também eram tanto onda como partícula, dependendo de como decidimos testar suas propriedades. Elétrons, portanto, interagem em colisões com outras partículas como "pequenas bolas de bilhar", mas também podem exibir padrões de interferência qualitativamente idênticos aos produzidos por ondas eletromagnéticas após atingirem um cristal. Assim, matéria e luz não podem ser descritas em termos clássicos. Nas palavras de Feynman,

> coisas em escalas muito pequenas se comportam de modo completamente diferente de tudo aquilo de que você tem experiência direta no seu dia a dia. Elas não se comportam como ondas, elas não se comportam como partículas, elas não se comportam como nuvens ou bolas de bilhar, ou pesos ligados a molas, ou qualquer outra coisa que você tenha visto em sua vida.[21]

Dada a natureza bizarra do mundo quântico, o progresso no estudo de suas propriedades só poderia ser obtido com ideias bastante radicais. No intervalo de dois anos, uma teoria quântica completamente nova foi proposta, a chamada mecânica quântica, capaz de descrever o comportamento dos átomos e suas transições sem invocar imagens clássicas como bolas de bilhar ou sistemas solares em miniatura. Em 1925, Heisenberg apresentou sua notável "mecânica matricial". Ela não incluía partículas ou órbitas, apenas números descrevendo transições de elétrons em átomos. A mecânica de Heisenberg representava um modo completamente novo de descrever os fenômenos físicos, uma brilhante liberação das limitações impostas por imagens inspiradas pelo mundo clássico. O único problema era que o método de Heisenberg era difícil de ser aplicado em situações de interesse, mesmo para o átomo mais simples, o hidrogênio. Felizmente, outro jovem físico brilhante (o meio acadêmico da época estava cheio de jovens físicos brilhantes, todos entre vinte e trinta anos de idade), o austríaco Wolfgang Pauli (1900-1958), mostrou que a mecânica matricial podia ser usada para obter os mesmos resultados do modelo de Bohr para o átomo de hidrogênio. Em 1926, um método aparentemente diferente de se estudar o comportamento dos átomos apareceu, a chamada "mecânica ondulatória", proposta pelo austríaco Erwin Schrödinger (1887-1961). A natureza bizarra do mundo quântico estava começando a ser desvendada.

Seguindo o espírito do eletromagnetismo de Maxwell, que descreve a luz em termos de campos elétricos e magnéticos ondulando através do espaço, Schrödinger queria obter uma mecânica ondulatória capaz de descrever as ondas de matéria propostas por De Broglie. Usando a ideia de que elétrons são ondas, De Broglie podia explicar por que apenas algumas órbitas discretas eram acessíveis aos elétrons. Para vermos como isso é possível, imaginemos uma corda cujas extremidades estejam sendo puxadas por duas pessoas, A e B. Se A executa um movimento vertical brusco, uma onda irá propagar-se através da corda em direção a B. Se B executar o mesmo movimento, uma onda irá se propagar em direção a A. Se A e B sincronizarem seus movimentos, a superposição das duas ondas propagando-se em sentidos opostos poderá formar uma *onda estacionária*, que não se move em nenhuma direção e que exibe um ponto fixo, chamado nó (ver a figura 8.5). Se A e B moverem suas mãos mais rapidamente, eles formarão novas ondas estacionárias com dois nós, três nós etc. Você também pode gerar ondas estacionárias com um ou mais nós nas cordas de um violão.

De Broglie imaginou o elétron como sendo uma onda estacionária ao redor do núcleo atômico. Tal como acontece com uma corda de violão, apenas certos padrões vibratórios estacionários podem ser acomodados numa órbita circular fechada, sendo cada padrão caracterizado pelo seu número (inteiro) de nós. As órbitas acessíveis são identificadas pelo número de nós da "onda eletrônica", cada uma com sua energia específica. A

ONDAS ESTACIONÁRIAS

nós

ONDAS DE DE BROGLIE EM TORNO DO NÚCLEO

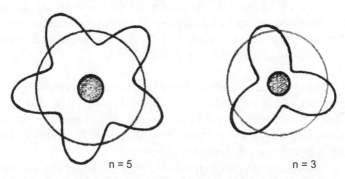

n = 5   n = 3

Figura 8.5: Ondas estacionárias são caracterizadas pelo seu número inteiro de nós. De Broglie imaginou o elétron como sendo uma onda estacionária ao redor do núcleo. A energia da órbita eletrônica tem uma correspondência unívoca com o número de nós da onda estacionária: quanto maior o número de nós, maior a distância entre a órbita e o núcleo.

mecânica ondulatória de Schrödinger não só explicou concretamente por que a descrição de De Broglie — que identificava o elétron a uma onda estacionária ao redor do núcleo — era acurada, mas foi muito mais além, estendendo essa imagem intuitiva a padrões existindo em três dimensões espaciais.

Schrödinger formulou sua nova mecânica numa série de seis manuscritos brilhantes, nos quais a aplicou com sucesso ao átomo de hidrogênio, desenvolveu métodos de aproximação úteis no estudo de sistemas quânticos mais complexos e provou a compatibilidade de sua mecânica com a de Heisenberg. Ao que parece, essa fúria criativa teve início durante duas semanas de férias nos Alpes suíços com uma misteriosa amante:

> Erwin convidou "uma antiga namorada de Viena" para viajar com ele para Arosa, enquanto Annie [sua esposa] ficou em Zurique. Todas as tentativas para revelar a identidade dessa mulher até agora fracassaram [...] Como a sombria dama que inspirou os sonetos de Shakespeare, a dama de Arosa permanecerá para sempre um mistério [...] Seja lá quem foi a fonte de sua inspiração, o aumento nos poderes criativos de Erwin foi dramático. As duas semanas em Arosa marcaram o início de um período de doze meses de criatividade sem paralelo na história da física.[22]

Mesmo que a última sentença seja um pouco exagerada — a produção de Newton durante os "anos da peste" e os trabalhos que Einstein realizou em 1905 logo nos vêm à mente —, é certamente verdade que a fonte de inspiração de Schrödinger foi bem diferente da de Newton ou Einstein.

A solução da equação proposta por Schrödinger em sua mecânica ondulatória é conhecida como "função de onda". Inicialmente, ele pensou que ela era a expressão matemática que descrevia a onda associada ao próprio elétron. Isso estava de acordo com as noções clássicas de como as ondas (e tudo o mais) evoluem no tempo; se conhecemos sua posição e velocidade iniciais, podemos usar suas equações de movimento para prever seu comportamento futuro. Esse fato era motivo de orgulho para Schrödinger, de ele haver conseguido restaurar um certo senso de ordem na confusão causada pela física atômica. Ele nunca aceitou a ideia de que o elétron "saltasse" entre órbitas discretas. No entanto, rapidamente ficou claro que essa interpretação da função de onda não podia estar correta. Heisenberg havia recentemente mostrado que a física quântica obedece a um princípio fundamental que expõe claramente as profundas diferenças entre o mundo clássico e o mundo quântico. Esse é o famoso *princípio de incerteza*, que, em sua forma mais popular, afirma que é impossível conhecermos com precisão absoluta tanto a posição como a velocidade (na verdade, a quantidade de movimento) de uma partícula.

"Um momento!", você exclama com indignação, "como isso pode ser possível? Certamente, com instrumentos mais precisos sempre poderei melhorar a precisão de minhas medidas da posição e da velocidade de uma partícula. Certo?" Errado! A raiz do problema é que o próprio ato de medir afeta o que está sendo medido. Por exemplo, para visualizarmos um objeto, temos de projetar luz sobre ele. Quanto mais detalhada a imagem que desejamos, menor o comprimento de onda da luz que devemos usar; se desejarmos visualizar um objeto de dimensões minúsculas, deveremos usar luz de comprimento de onda muito pequeno. O problema é que a luz, como qualquer outra onda, transporta energia. E, como sabemos, quanto menor o comprimento de onda, mais energia é transportada pela onda. Portanto, ao projetarmos luz sobre um objeto de dimensões minúsculas, obrigatoriamente mudamos sua posição; a luz, ao refletir-se sobre um objeto, não só o ilumina como também o empurra, assim como uma onda nos empurra na praia. Quanto maior a precisão com que tentamos medir a posição do objeto, mais forte será o empurrão dado pela luz. O ato de medir interfere com o que está sendo medido.

Se não podemos, então, especificar exatamente a posição e a velocidade dos objetos, logo também não podemos prever sua evolução com total precisão. No mundo do muito pequeno, o próprio conceito de trajetória se torna vago. Essa consequência direta do princípio de incerteza foi um grande choque para Schrödinger. E para Einstein. E para Planck. E até para De Broglie. Uma das ocasiões em que a frustração de Schrödinger se manifestou foi durante uma visita a Bohr em Copenhague:

SCHRÖDINGER: Se ainda vamos ter de lidar com esses malditos saltos quânticos, então eu lamento profundamente ter me envolvido com a teoria quântica.
BOHR: Mas nós todos estamos muito agradecidos, já que sua mecânica ondulatória, com sua clareza e simplicidade mate-

mática, representa um progresso gigantesco com relação às versões mais antigas da mecânica quântica.[23]

A tensão causada por essas discussões fez até Schrödinger adoecer. E, mesmo com o pobre Erwin de cama, Bohr continuou seu bombardeio argumentando a favor da realidade dos saltos quânticos. Apenas a senhora Bohr mostrou alguma compaixão, servindo chá e biscoitos durante as raras tréguas da batalha.

Se a função de onda não descrevia o movimento do elétron, o *que* então estava descrevendo? Novamente, os físicos estavam perdidos. Como a dualidade onda-partícula e o princípio de incerteza de Heisenberg poderiam ser reconciliados com a belíssima (e contínua) mecânica ondulatória de Schrödinger? Novamente uma ideia radical era necessária. Dessa vez o salvador foi Max Born, que tem a distinção de ser não só um dos arquitetos da mecânica quântica mas também avô de Olivia Newton-John, uma cantora muito popular nos anos 70.

A mecânica ondulatória de Schrödinger não descreve a evolução do elétron *per se*, mas a *probabilidade* de o elétron ser encontrado numa certa posição. Ao resolver a equação de Schrödinger, os físicos podem calcular como essa probabilidade evolui no tempo. Não podemos prever exatamente se o elétron vai estar aqui ou ali, mas apenas calcular a probabilidade de ele ser encontrado aqui ou ali. Em mecânica quântica, a probabilidade evolve de modo predeterminado, mas não o próprio elétron! O mesmo experimento, repetido várias vezes sob as mesmas condições, dará resultados diferentes. O que podemos prever com a mecânica quântica é a probabilidade de obter um determinado resultado.

Você deve estar se perguntando como uma teoria probabilística pode ser útil na descrição de fenômenos naturais. A mecânica quântica é extremamente eficiente na descrição dos resultados de inúmeros experimentos que testam fenômenos em escalas atômicas e subatômicas. De fato, ela é a teoria científica mais eficiente em toda a história da ciência. É devido ao seu fantástico sucesso que um número enorme de maravilhas tecnológicas foi criado durante este século, de transistores e computadores até discos laser e televisão digital. "As descobertas de hoje serão as ferramentas de amanhã."

O DEMÔNIO DE EINSTEIN

A interpretação de Born funcionou como mágica; encantou os "jovens" e desesperou os mais "idosos". Ela demoliu por completo a noção clássica de uma descrição determinista da Natureza. A supermente de Laplace estava morta. No mundo do muito pequeno, o observador tem um papel fundamental na determinação da natureza física do que está sendo observado. Mais ainda, os resultados de experimentos só podem ser dados em termos de probabilidades. A certeza é substituída pela incerteza, o determinismo, pelas probabilidades, os processos contínuos, pelos saltos quânticos.

Como você pode imaginar, diferenças de opinião e mesmo de filosofia provocaram vários debates entre os físicos, nem sempre muito amistosos. A discussão entre Bohr e Schrödinger foi seguida de muitas outras, o mundo clássico em colisão com o mundo quântico. Bohr elaborou sua posição no *princípio de complementaridade*, que afirma que onda e partícula são duas versões igualmente possíveis e complementares, embora mutuamente incompatíveis, de como objetos quânticos (como elétrons ou átomos) irão se revelar a um observador. Onda e partícula são duas formas complementares de existência, que se manifestam apenas após o objeto quântico ter entrado em contato com o observador. Antes desse contato, o objeto quântico não é nem partícula nem onda. De fato, antes do contato, não podemos nem mesmo dizer se o objeto existe ou não. Esses dois princípios, de incerteza e de complementaridade, formam a chamada "Interpretação de Copenhague da mecânica quântica", desenvolvida principalmente por Bohr, como parte de seus esforços para elucidar a fundação conceitual da mecânica quântica.

Dado o sucesso da teoria quântica, os físicos foram obrigados a escolher como lidar com seus novos conceitos e com a bizarra realidade do mundo atômico. Será que a mecânica quântica descreve concretamente a realidade física do mundo atômico e subatômico? Ou será que ela é apenas uma teoria temporária, esperando por uma nova teoria, mais profunda, e mais determinista? As opiniões diferiam bastante. Mas logo a geração de físicos mais jovens adotou a filosofia de Bohr, em que incertezas, dualidades e complementaridades não eram apenas representativas de nossa ignorância: elas representavam como a Natureza realmente é, fundamentalmente incerta, fundamentalmente dual. Parafraseando o psicólogo William James, que foi uma fonte de inspiração para Bohr: "É impossível acendermos a luz rápido o suficiente para 'vermos' a escuridão".[24]

Não é uma coincidência que em 1947, quando Bohr foi condecorado com a Ordem do Elefante da Coroa dinamarquesa, ele tenha escolhido o símbolo taoísta do Yin e Yang como seu brasão de armas, com a seguinte inscrição em latim "*Contraria sunt complementa*", "Os opostos se complementam". Born, Heisenberg, Pauli e outros adotaram a filosofia de Bohr. No entanto, talvez seja nos escritos de J. Robert Oppenheimer, famoso (infelizmente) por ter sido o líder do Projeto Manhattan, durante a Segunda Guerra Mundial, que encontramos uma das expressões mais poéticas da universalidade do conceito de complementaridade:

> A riqueza e diversidade da física, a ainda maior riqueza e diversidade das ciências naturais como um todo, a mais familiar, embora estranha e muito mais ampla, vida do espírito humano, enriquecida por caminhos incompatíveis, irredutíveis uns aos outros, atingem uma profunda harmonia através de sua complementaridade. Estes são os elementos tanto das aflições como do esplendor do homem, de sua fraqueza e de seu poder, de sua morte, de sua passagem pela vida e de seus feitos imortais.[25]

Sabemos que Schrödinger não gostava do caráter discreto inerente à realidade quântica, mas foi Einstein quem se tornou seu oponente mais radical. Em dezembro de 1926, ele escreveu para Born:

> A mecânica quântica demanda séria atenção. No entanto, uma voz interna me diz que esse não é o verdadeiro Jacó. A teoria é sem dúvida muito bem-sucedida, mas ela não nos aproxima dos segredos do Velho Sábio. De qualquer forma, estou convencido de que Ele não joga dados.[26]

Para Einstein, a descrição probabilista dos fenômenos naturais não podia ser a palavra final. Lá fora existia uma realidade objetiva, independente do observador. Ele jamais aceitou a "conexão" intrínseca entre observador e observado, típica da teoria quântica, embora não escondesse sua admiração pelo sucesso da teoria na descrição de fenômenos atômicos. Sua admiração, contudo, parava aqui. Ele acreditava na existência de uma formulação mais profunda da física, que por fim iria substituir a "incompleta" teoria quântica. Seus resultados seriam de alguma forma incorporados a essa nova teoria, mas a teoria quântica não poderia ser usada como base. Einstein acreditava que, ao aceitarem a realidade física do princípio de complementaridade, os físicos estavam aceitando sua derrota intelectual.

Ele tentou encontrar falhas conceituais na formulação da mecânica quântica, desafiando Bohr e seus companheiros a explicar vários experimentos mentais, que testavam profundamente a lógica por trás da teoria. Em todas as ocasiões, mesmo após ter conseguido algumas vezes causar horas de pânico a Bohr e seus companheiros, acabou-se provando que os argumentos de Einstein contra a estrutura conceitual da mecânica quântica estavam errados.[27] A partir de 1935, Einstein isolou-se mais ainda em sua oposição à teoria quântica. Conforme escreveu Pais, o quantum era seu demônio. Nas palavras de Einstein,

> ainda estou inclinado a pensar que os físicos, a longo prazo, não irão se contentar com esse tipo de descrição indireta da realidade [...] [1931].[28]

Ainda acredito na possibilidade de construirmos um modelo da realidade — ou seja, de construirmos uma teoria que represente as coisas como elas são e não apenas as probabilidades de sua ocorrência [1933].[29]

Acredito que a teoria [quântica] poderá nos levar a erros em nossa busca de uma base uniforme para a física, porque, em minha opinião, ela oferece uma representação incompleta das coisas reais [...] É essa representação incompleta que necessariamente leva à natureza estatística [incompleta] de suas leis [1936].[30]

O debate entre Einstein e Bohr só foi interrompido devido à morte de Einstein, em 1955. Essas discussões serviram para revelar de modo bem claro as profundas diferenças em seus pontos de vista; no final, nenhum convenceu o outro. Em minha opinião, porém, o debate envolveu muito mais do que diferenças de interpretação quanto à validade da mecânica quântica como descrição da Natureza. Por trás do debate entre Einstein e Bohr encontramos suas diferentes *crenças* em qual é o propósito fundamental da física e quais são os objetivos básicos do cientista interessado em construir teorias físicas da Natureza. O debate pode ser interpretado como uma "guerra religiosa" entre as duas grandes mentes, alimentada por visões de mundo profundamente distintas (e não complementares!).

Para Bohr, o sucesso da teoria quântica era uma prova concreta da existência de uma profunda complementaridade na Natureza, que se manifesta através de fenômenos físicos. Para Einstein, o sucesso da teoria quântica simplesmente indicava que ela possuía algum elemento de verdade que, por fim, faria parte de uma teoria mais completa. Para ele, não existia nenhuma razão para pararmos nesse ponto: os físicos deveriam continuar procurando uma "base mais uniforme" para a física. A posição de Einstein era consequência da "religiosidade" que inspirava sua criatividade científica, do seu misticismo racional. Em suas próprias palavras, a mais profunda emoção que podemos experimentar é inspirada pelo senso do mistério. Essa é a emoção fundamental que inspira a verdadeira arte e a verdadeira ciência. Quem despreza esse fato, e não é mais capaz de se questionar ou de se maravilhar, está mais morto do que vivo, sua visão, comprometida. Foi o senso do mistério — mesmo se misturado com o medo — que gerou a religião.

A existência de algo que nós não podemos penetrar, a percepção da mais profunda razão e da beleza mais radiante no mundo à nossa volta, que apenas em suas formas mais primitivas são acessíveis às nossas mentes — é esse conhecimento e emoção que constituem a verdadeira religiosidade; nesse sentido, e nesse sentido apenas, eu sou um homem profundamente religioso.[31]

Einstein chamou essa inspiração religiosa da criatividade científica de "sentimento cósmico-religioso". Ele se referiu a esse sentimento como "a fonte de inspiração mais poderosa e nobre da pesquisa científica", fruto de uma "profunda convicção na racionalidade do Universo", que se expressa através de uma "extasiante perplexidade perante a harmonia da lei natural".[32] Essas são as palavras de uma pessoa que acreditava profundamente num senso de causalidade operando na Natureza, uma crença que ia contra tudo o que a mecânica quântica dizia.

Dadas suas posições incompatíveis em relação à missão da ciência, não é nenhuma surpresa que Einstein e Bohr jamais tenham conseguido chegar a um acordo. De qualquer modo, esse famoso debate serve para ilustrar o ponto que enfatizei antes, em relação ao papel da subjetividade no processo criativo científico. As crenças pessoais de um cientista em geral dão forma e direção à sua pesquisa: a ciência carrega a marca de seu criador. Mesmo no caso em que pesquisas na mesma área e tópico estejam sendo desenvolvidas independentemente por dois cientistas, a apresentação e o enfoque do discurso científico são sempre únicos. Como exemplo, considere a mecânica matricial de Heisenberg e a mecânica ondulatória de Schrödinger, tão diferentes em estrutura, mas perfeitamente equivalentes em conteúdo. A raiz de toda essa curiosidade, de todo esse esforço, é o "mistério", para Bohr manifesto na dualidade e na indeterminação fundamental dos processos naturais, para Einstein na unidade e ordem fundamental da Natureza, o "sentimento cósmico-religioso" que tanto o inspirou.

A luz, essa amiga do medo, carrega consigo os segredos da teoria da relatividade e da mecânica quântica. É divertido analisarmos o que acontece no nível quântico durante o simples gesto de acendermos a luz. Dentro de nossa limitada percepção macroscópica, a luz aparece como mágica, subitamente inundando o ambiente com seu brilho perfeitamente homogêneo e confortável. Na realidade, cada vez que acendemos a luz, elétrons e fótons iniciam sua valsa quântica. Ao acendermos a luz, uma corrente elétrica passa pelo filamento de tungstênio da lâmpada. A corrente é feita de elétrons que colidem com os átomos do filamento, fazendo com que eles vibrem em incontáveis modos. A energia das vibrações é dissipada em fótons de diversas frequências, que se manifestam como calor (radiação infravermelha) e luz (visível) provenientes do filamento. As coisas que tomamos como triviais em nosso dia a dia!

Os mundos do muito veloz e do muito pequeno desafiaram e expandiram a imaginação científica além de qualquer expectativa. Imagine o que Maxwell ou Faraday não haveriam pensado da contração espacial, da dilatação temporal, da radioatividade, da mecânica ondulatória, e de elétrons "saltando" de órbita em órbita, emitindo e absorvendo fótons? Em retrospecto, é realmente incrível o quanto a física se transformou durante as três primeiras décadas do século XX. É verdade que mais gente e mais dinheiro estavam disponíveis para a pesquisa científica, e novas tecnologias permitiram o desenvolvimento de inúmeras técnicas de laboratório. Mesmo assim, o desenvolvimento da mecânica quântica foi relativamente lento e tortuoso, imposto aos físicos de fora para dentro, uma revolução inspirada pelo laboratório. Alguma coisa tinha de ser feita para explicar os resultados desses experimentos, que tanto contrariavam as explicações baseadas em argumentos clássicos. A revolução quântica foi produto de muitas ideias, propostas por muitas pessoas, uma colcha de retalhos construída depois de muitas tentativas, às vezes frustradas e às vezes até desesperadas.

A teoria da relatividade especial foi trabalho de um homem, aparentemente não motivado por experimentos, de dentro para fora, desenvolvida a partir de puro raciocínio. As contribuições de Einstein, contudo, não param aí. Longe disso. Logo após ter concluído sua teoria da relatividade especial, ele começou a pensar em como generalizá-la, estendendo-a a situações que envolviam o movimento acelerado. Como resultado de outra inspiração brilhante, Einstein compreendeu que gravidade e aceleração estão intimamente relacionadas. Os resultados de seus esforços apareceram em 1915, com a teoria da relatividade geral, que revisou profundamente a outra grande contribuição dada por Newton à física, sua teoria da gravitação universal. Uma nova era no estudo da cosmologia estava para começar, inicialmente de dentro para fora, mas em breve, a partir das descobertas do grande astrônomo americano Edwin Hubble, também de fora para dentro. O Universo estava prestes a se tornar um lugar verdadeiramente dinâmico. E imenso.

Parte 5
MODELANDO O UNIVERSO

9. INVENTANDO UNIVERSOS

> *Eu vi uma Roda altíssima, que não estava nem em frente aos meus olhos, nem atrás, nem ao meu lado, mas em todos os lugares ao mesmo tempo. Essa Roda era feita de água, mas também de fogo, e era (mesmo que eu pudesse ver sua borda) infinita.*
>
> Jorge Luis Borges

JUNTAMENTE COM A REVOLUÇÃO na nossa compreensão da física do muito veloz e do muito pequeno, as três primeiras décadas do século XX presenciaram uma outra revolução: uma nova física da gravidade e do Universo como um todo; ou seja, uma nova física do muito grande. Mais uma vez o estímulo intelectual crucial veio da mente de Einstein. Logo após ter completado seu trabalho em relatividade especial, Einstein se perguntou como seria possível incluir também observadores movendo-se com velocidades variáveis.

Numa visão que ele mais tarde considerou "o pensamento mais fortuito de toda minha vida", Einstein descobriu uma profunda conexão entre movimento acelerado e gravidade: uma teoria "geral" da relatividade, capaz de incorporar movimentos acelerados, necessariamente implicava uma nova teoria da gravidade. Tal como a visão que lhe inspirara a relatividade especial — como uma onda de luz apareceria para um observador movendo-se à velocidade da luz? —, a visão que o inspirou a desenvolver a relatividade geral também foi extremamente simples: como uma pessoa em queda livre (mergulhando do alto de um trampolim numa piscina, por exemplo) caracterizaria a força gravitacional à sua volta?

Do mesmo modo que a relatividade especial revelara as limitações da mecânica newtoniana na descrição de movimentos com velocidades comparáveis à velocidade da luz, a nova teoria da gravitação desenvolvida por Einstein revelou as limitações da teoria da gravitação newtoniana na descrição de situações envolvendo campos gravitacionais muito fortes. Tal como com o eletromagnetismo de Maxwell, os efeitos da gravidade também podiam ser representados por campos. Uma massa tem um campo gravitacional associado, "um distúrbio no espaço" que influenciará outras massas colocadas em sua vizinhança. Dizer, contudo, que Einstein simplesmente generalizou as ideias de Newton é uma injustiça. Para sua nova teoria da gravidade, ou teoria da relatividade geral, ele teve de desenvolver uma estrutura conceitual radicalmente diferente, que combinou de modo belíssimo conceitos físicos e matemáticos.

Ao invés do espaço e tempo absolutos da física newtoniana, ambos indiferentes à presença da matéria, na relatividade geral o espaço-tempo se torna plástico, deformável, respondendo à presença da matéria de modo talvez surpreendente: a presença da matéria (ou, devido à relatividade especial, energia) altera a geometria do espaço e o fluxo do tempo. Em contrapartida, massas presentes nesse espaço-tempo "encurvado" terão movimentos que irão desviar-se dos movimentos retilíneos a velocidades constantes descritos pela teoria da relatividade especial; elas terão movimentos acelerados. Na teoria da relatividade geral de Einstein, os efeitos da gravidade são interpretados como movimentos num espaço-tempo curvo.

Essa íntima relação entre a matéria e a geometria do espaço-tempo tem uma importância fundamental para a cosmologia. Como Einstein percebeu logo após o término de seu manuscrito principal sobre a teoria da relatividade geral no final de 1915, se fosse possível modelar a distribuição de toda a matéria no Universo, então, a nova teoria da gravidade poderia determinar sua geometria! Essa descoberta marca o despertar de uma nova era para a cosmologia, a própria estrutura geométrica do Universo podendo ser estudada por meio das equações da relatividade geral. Seguindo os esforços pioneiros de Einstein, novos modelos do Universo foram propostos, universos teóricos baseados tanto em diferentes suposições matemáticas como em preconceitos pessoais. Se um físico dominasse a matemática complicada da relatividade geral, ele poderia "criar" universos numa folha de papel: poderia brincar de Deus em plena tarde de terça-feira.

Como em outras ocasiões na história da física, o que faltava eram dados experimentais, alguma indicação da direção que a cosmologia deveria tomar. O problema poderia ter permanecido num nível puramente acadêmico, não fosse outra revolução, dessa vez em cosmologia observacional. Numa série de descobertas notáveis na década de 1920, o astrônomo americano Edwin Hubble não só mostrou que o Universo é povoado por inúmeras galáxias como a nossa Via Láctea (capítulo 6), como também descobriu algo de importância crucial em cosmologia, a expansão do Universo. No período de uma década, o Universo não só cresceu enormemente, povoado por inúmeras galáxias, cada qual com bilhões de estrelas, mas também tornou-se dinâmico, com galáxias distanciando-se continuamente umas das outras, em todas as direções do vasto espaço cósmico. Desse modo, os modelos matemáticos do Universo tinham de acomodar sua inexorável expansão.

As descobertas de Hubble e Einstein reacenderam uma curiosidade que havia muito estava em hibernação. Com novas ferramentas conceituais e práticas, físicos e astrônomos podiam mais uma vez estudar questões relativas à estrutura e evolução do Universo como um todo. A cosmologia, anteriormente objeto de especulações teológicas ou pseudocientíficas, tornou-se uma ciência.

Se o Universo está se expandindo, será que ele teve uma origem? Será que ele terá um fim? Qual é a sua idade? Qual é o seu tamanho? Será que seremos vítimas de um cataclismo cósmico de dimensões inimagináveis? Será que podemos compreender o "Início"? Examinamos questões semelhantes a essas no primeiro capítulo deste livro, quando discuti os mitos de criação. Embora as questões sejam as mesmas, os cientistas irão tentar respondê-las de formas muito diversas das dos feiticeiros ou sacerdotes de diferentes religiões. É importante que tenhamos em mente as diferenças fundamentais entre um enfoque religioso e um enfoque científico das questões cosmológicas. A linguagem é diferente, os símbolos são diferentes. As teorias científicas têm sempre de ser testadas por experimentos, ao contrário da relativa liberdade dos criadores de mitos; mas as questões são as mesmas, isso não podemos negar. Esse fato faz com que a cosmologia ocupe uma posição única entre as ciências físicas, pois nenhuma outra área da física se dedica a questões dessa natureza, que podem ser legitimamente indagadas fora do discurso científico.

Quanto à legitimidade das respostas, bem, falo como um cientista e defendo a racionalidade do método científico, embora também reconheça suas limitações. Em particular, quando lidamos com a questão da "Criação", nossa própria criatividade, científica ou não, colide com uma parede de concreto, e somos obrigados a nos recordar das palavras de Platão, para quem "todo conhecimento é apenas esquecimento". Os cientistas que trabalham nessa área, relativamente livres das imposições de dados experimentais, modelam o desconhecido com não muito mais do que consistência lógica e princípios físicos gerais como guias, enquanto os criadores de mitos tentam inventar imagens daquilo que não tem imagem. Os resultados revelam uma belíssima, mesmo que limitada, universalidade do pensamento humano em questões pertinentes à natureza do "Absoluto", como ele se tornou relativo, como o "Um" tornou-se muitos.

Modelos científicos de criação, ou modelos cosmogônicos, necessariamente repetem certas ideias presentes nos mitos de criação: ou o Universo existiu para sempre, ou ele apareceu num determinado momento do passado, a partir do Caos ou a partir do Nada, ou, quem sabe, é desde sempre criado e destruído numa dança de fogo e gelo. Existe apenas um número finito de respostas possíveis, que foram visitadas *independentemente* pela imaginação científica e pela religiosa. Talvez ainda mais importante do que as respostas sejam as perguntas, que revelam tão claramente o que significa ser humano. Conforme escreveu Milan Kundera no seu romance *A insustentável leveza do ser*:

> De fato, as únicas questões realmente sérias são aquelas que até uma criança pode formular. Apenas as questões mais inocentes são realmente sérias. Elas são as questões sem resposta. Uma questão sem resposta é uma barreira intransponível.

Em outras palavras, são as questões sem resposta que definem as limitações das possibilidades humanas, que descrevem as fronteiras da existência humana.[1]

QUEDA LIVRE

Em 1907, ainda trabalhando no escritório de patentes em Berna, Einstein recebeu um convite para escrever um artigo de revisão sobre a teoria da relatividade especial. De modo a tornar sua tarefa mais interessante, ele decidiu não só revisar a literatura corrente sobre relatividade, como também apresentar novas ideias expandindo seus resultados de 1905. Conforme discutimos no capítulo 7, a teoria da relatividade especial se baseava em dois postulados, o princípio da relatividade, que diz que as leis da física são idênticas para observadores movendo-se com velocidades constantes, e a constância da velocidade da luz, independentemente do movimento de sua fonte ou do observador. Logo, na teoria especial, a ênfase era dada aos movimentos com velocidade constante. Essa limitação incomodava Einstein, já que a maioria dos movimentos que presenciamos no nosso dia a dia tem velocidade variável. Claramente, o princípio da relatividade usado na teoria especial era muito restritivo: as leis da física não podem ser diferentes para observadores com movimentos relativos acelerados. A teoria da relatividade geral deveria incluir todos os tipos de movimento, acelerados ou não.

Como primeiro passo, Einstein começou a pensar em movimentos uniformemente acelerados, ou seja, movimentos cuja velocidade muda de modo constante. (Por exemplo, a cada segundo a velocidade aumenta em dez quilômetros por hora.) Um dos exemplos mais familiares de movimento uniformemente acelerado é o de objetos caindo devido à atração gravitacional, seja o objeto uma maçã caindo de uma árvore, ou um planeta em órbita em torno do Sol. Já que a força gravitacional produz movimento uniformemente acelerado, uma extensão do princípio da relatividade deveria incorporar de algum modo a gravidade.

Inicialmente, Einstein tentou modificar a gravitação newtoniana de modo que ela incluísse a relatividade especial, mas seus resultados não o deixaram muito satisfeito. Foi então que ele teve sua visão: "o pensamento mais fortuito de toda minha vida". Em suas palavras:

> Eu estava calmamente sentado numa cadeira no escritório de patentes de Berna quando, de repente, um pensamento me ocorreu: "Em queda livre, uma pessoa não sente seu próprio peso". Eu fiquei chocado. Esse simples pensamento causou uma profunda impressão em mim. Ele me conduziu em direção à [nova] teoria da gravitação.[2]

Para compreendermos a importância dessa visão, devemos voltar um pouco atrás. Uma das grandes descobertas de Galileu foi que todos os objetos caem com a mesma aceleração, independentemente de suas massas. Largadas da mesma altura, uma bala de canhão e uma pena (na ausência de ar!) tocarão o chão ao mesmo tempo. A força gravitacional é muito democrática.

Agora imagine um cientista perverso (uma personagem num filme americano, claro) querendo repetir o experimento de Galileu; mas, em vez de usar uma bala de canhão e uma pena, ele usa você e uma bala de canhão. O que você verá durante sua queda? Fora o chão que se aproxima rapidamente, você verá a bala de canhão caindo junto com você, lado a lado. De fato, se você não pudesse olhar para os lados (ou para baixo) e se não houvesse nenhuma resistência do ar, apenas olhando para a bala de canhão você não poderia dizer se você está ou não caindo; você não sentiria nem mesmo seu próprio peso! Você não acredita em mim? Talvez um experimento menos drástico possa convencê-lo. Imagine-se num elevador, descendo rapidamente de uma altura de cinquenta andares. Assim que o elevador começa a descer você se sente mais leve, seu estômago querendo sair pela boca. Quanto mais rapidamente o elevador descer, mais leve você se sentirá. Se o elevador simplesmente cair, você não sentirá mais seu próprio peso. Você e tudo o mais no elevador estarão em queda livre, flutuando livremente e tentando evitar colisões com os outros passageiros.[3]

Essa visão fez com que Einstein compreendesse que os efeitos da gravidade poderiam ser "cancelados" num sistema referencial adequado. Por exemplo, no interior do elevador em queda livre não existe gravidade, e, portanto, não existe aceleração; objetos que se movem com velocidade constante no elevador continuarão a mover-se com velocidade constante se o elevador estiver em queda livre. Se eles estavam inicialmente em repouso entre si, irão permanecer em repouso. Em outras palavras: dentro do elevador em queda livre, os princípios da relatividade especial são perfeitamente válidos. Note que se objetos caíssem com acelerações diferentes em campos gravitacionais essa conclusão estaria errada. "Queda livre para todos" só é possível devido à universalidade da força gravitacional.

A visão também disse algo mais a Einstein, igualmente importante: para um observador no interior de uma cabine (como um elevador, por exemplo), sem contato com o mundo exterior, seria impossível distinguir entre a aceleração causada pela gravidade e a aceleração causada por qualquer outra força. É fácil compreendermos esse fato, mesmo que isso demande certa dose de coragem. Imagine que você foi drogado e posto numa cabine fechada que subsequentemente foi lançada ao espaço interestelar. (Se você for claustrofóbico, respire fundo e vá em frente, mas não desista: lembre-se de que esse é mais um experimento mental!) A cabine está sendo puxada por um foguete que tem aceleração exatamente igual à aceleração da gravidade na superfície da Terra. Quando você recupera sua consciência, uma voz vinda de um alto-falante informa-lhe que você agora está participando de um experimento científico de grande importância. Você ameaça processar, mas "A Voz" no alto-falante explica que, enquanto drogado, você assinou um contrato concordando em participar do experimento. Sem outra opção, você resolve cooperar. A Voz ordena que você abra um armário e pegue duas bolas, uma feita de madeira e outra feita de aço. "Largue-as simultaneamente de uma altura de um metro", ordena a Voz. Irritado, você pergunta qual a relevância desse experimento tão simples. "Calma", diz a Voz, "sua paciência será bem recompensada." Ao largar as duas bolas, você observa que elas caem ao mesmo tempo, e anota o tempo de queda num pequeno livro. (Inexplicavelmente, você dispõe de equipamento de alta tecnologia para executar essas medidas.)

A Voz então pergunta: "Usando apenas seus dados, será que você pode me dizer onde você está?". Lembrando-se de sua física de vestibular, você sabe como calcular sua aceleração a partir de seus dados. Você obtém a mesma aceleração medida na superfície da Terra, respondendo à Voz: "É claro, como eu medi uma aceleração idêntica àquela medida na superfície da Terra, devo estar na Terra". "Ha, ha, ha", uma risada sinistra ecoa dentro da cabine. "Seu tolo! Vê aquele botão ali embaixo do armário? Puxe-o!" Ao puxar o botão, as paredes da cabine se retraem, revelando um outro sistema de paredes, feitas de um cristal transparente. Você vê o foguete acima da cabine. Vê estrelas, inúmeras, em todas as direções. E nada mais. Uma profunda solidão invade seu peito, saudade dos seus amigos, da sua família. Com uma ansiedade cada vez maior, você suplica, numa mistura de terror e fascínio: "Por favor, me leve para casa!". "Não se preocupe, você irá para casa em breve; mas antes você tem que me explicar o que está acontecendo", diz a Voz em seu tom implacável.

"O que está acontecendo é que, quem quer que você seja, não tem o direito de fazer isso comigo ou com qualquer outra pessoa. Que absurdo! Assim que eu puder eu vou..." "Blá, blá, blá", interrompe a Voz, "controle seu mau humor e comece a pensar." Sem alternativa, você resolve obedecer à Voz. Lembrando-se das suas experiências em elevadores, você raciocina que a aceleração do foguete pode simular os mesmos efeitos da força gravitacional.[4] Imagine um elevador subindo; a aceleração extra do elevador faz com que você se sinta mais "pesado", ou seja, ela aumenta a força gravitacional que você sente. O mesmo acontece com a espaçonave que está puxando a cabine. Essa é uma consequência da terceira lei do movimento de Newton, a lei da ação e reação. O chão do elevador empurra seus pés para cima e seus pés empurram o chão do elevador para baixo.

Você conclui que, na prática, é impossível distinguir uma aceleração para cima de uma força gravitacional para baixo. Esse resultado é conhecido como *princípio de equivalência*. Qualquer campo gravitacional pode ser simulado por um referencial acelerado. (No exemplo que estamos analisando, o referencial acelerado é o foguete e a cabine.) Agora podemos entender por que Einstein ficou tão empolgado com sua visão: uma teoria geral da relatividade capaz de incluir movimentos acelerados é necessariamente uma teoria do campo gravitacional. Mais ainda, escolhendo um referencial em queda livre, podemos "eliminar" os efeitos da gravidade; nesse referencial, a relatividade especial é válida. Sendo um amante da física, você se apressa em pedir desculpas à Voz, agradecendo-lhe profusamente por ter lhe ensinado tanto sobre a gravidade e, como bônus, por ter-lhe mostrado a magnífica beleza do espaço interestelar. Você jamais poderia imaginar que essa inesperada aventura foi apenas o começo...[5]

Você precisou de um bom tempo para se recuperar do choque causado pela sua "expedição científica". Mesmo sabendo que ninguém iria acreditar em sua história, você resolveu convidar alguns amigos para jantar em sua casa, a fim de contar-lhes suas incríveis aventuras. No meio de sua narrativa, quando contava aos seus incrédulos amigos como, ao puxar o botão embaixo do armário, as paredes se retraíram e você se descobrira em pleno espaço interestelar, o telefone tocou. Para sua surpresa e alegria, você imediatamente reconheceu a Voz do outro lado da linha. Mais um experimento estava sendo planejado, e a Voz precisava de voluntários. Dessa vez nenhuma droga foi necessária e ninguém ameaçou entrar com um processo contra a Voz: você e seus amigos imediatamente concordaram em participar do experimento seguinte.

Você e seus amigos iriam novamente viajar pelo espaço interestelar. Dessa vez, porém, os experimentos foram desenhados para estudar as propriedades da luz sob movimento acelerado. O plano era colocá-lo sozinho numa cabine e seus amigos em outra. Como antes, ambas as cabines eram transparentes e seriam puxadas lado a lado, cada uma por sua própria espaçonave.

ACELERAÇÃO UNIFORME SIMULA A GRAVIDADE

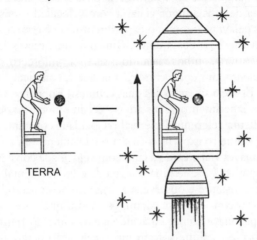

GRAVIDADE CANCELADA DURANTE A QUEDA LIVRE

Figura 9.1: O princípio de equivalência: (em cima) uma espaçonave com aceleração uniforme pode simular a aceleração causada pelo campo gravitacional da Terra; (embaixo) um observador em queda livre não sente a aceleração causada pela gravidade.

313

Porém, enquanto sua cabine seria puxada com aceleração constante, a de seus amigos viajaria com velocidade constante. Em outras palavras: durante o experimento, você estaria acelerando em relação aos seus amigos. (Imagine dois carros lado a lado numa estrada, ambos viajando a setenta quilômetros por hora. De repente, um deles começa a acelerar, com aceleração constante. Essa é a situação das duas cabines.) Enquanto você executava os experimentos, seus amigos iriam observá-lo do ponto de vista de um referencial inercial (velocidade constante).

O primeiro experimento era relativamente simples. As duas espaçonaves viajam lado a lado com velocidade constante. A Voz pede que você jogue uma bola na direção horizontal com velocidade constante e observe sua trajetória, comparando suas observações com as de seus amigos. Assim que você joga a bola, sua espaçonave começa a acelerar para cima. Portanto, mesmo que você e a cabine sofram uma aceleração para cima, a bola, que não estava mais em contato com você ou com a cabine, não sofre nenhuma aceleração. Enquanto seus amigos veem a bola viajar com velocidade constante em linha reta, você a vê percorrer uma trajetória curva, como um projétil na Terra, até que ela se choca contra a parede oposta da cabine. Quanto maior a velocidade horizontal da bola, menos ela se desvia da horizontal (ver a figura 9.2). Esses resultados não o surpreendem muito, já que você sabia que um referencial acelerado pode simular um campo gravitacional.

Para a segunda parte do experimento, em vez de jogar uma bola, você tem que disparar um raio laser, sempre na direção horizontal em relação ao chão da cabine. Para esse experimento, a espaçonave irá impor uma aceleração muito maior sobre a cabine, de modo a simular um campo gravitacional bem forte. Claro, graças a uma tecnologia ainda desconhecida, você permanecerá perfeitamente imune aos efeitos extremamente desconfortáveis causados por tais acelerações. (Como, por exemplo, transformá-lo numa panqueca.) Para tornar as coisas mais interessantes, a Voz encheu sua cabine com uma neblina bem densa, de modo que você possa enxergar a trajetória do raio laser. Tal como com a

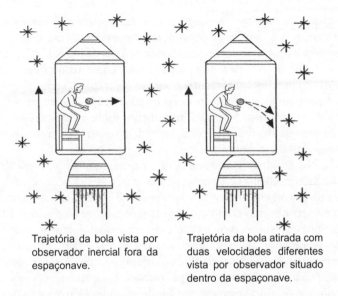

Trajetória da bola vista por observador inercial fora da espaçonave.

Trajetória da bola atirada com duas velocidades diferentes vista por observador situado dentro da espaçonave.

Figura 9.2: Trajetória da bola vista por observadores fora (esquerda) e dentro (direita) da cabine acelerada. Quanto maior a velocidade da bola, mais retilínea sua trajetória. Porém, até mesmo a trajetória de um raio luminoso é curvada pela aceleração da cabine, ou, de acordo com o princípio de equivalência, por um campo gravitacional.

bola, seus amigos veem o laser percorrer uma trajetória retilínea. E exatamente como a bola, você vê o raio laser curvar-se para baixo! Você mal pode acreditar em seus próprios olhos. A conclusão desse experimento é incrível; já que um referencial acelerado simula um campo gravitacional, um raio luminoso pode ser curvado por um campo gravitacional! Mais uma vez, você pode entender por que Einstein ficou tão empolgado com sua visão. Esse efeito, completamente inesperado, é uma consequência direta do princípio de equivalência.

Einstein não foi o primeiro a sugerir que a gravidade pode afetar a trajetória de um raio luminoso. Para Newton, como a luz era constituída por pequenos corpúsculos, ela seria defletida pela força da gravidade. Conforme ele escreveu em seu tratado sobre a luz, *Opticks*: "Será que corpos podem interagir com a luz à distância e, por meio dessa ação, encurvar seus raios? E não será essa ação mais forte quanto menor a sua distância?".[6] Laplace, seguindo um raciocínio semelhante, conjecturou que, para estrelas pesadas o suficiente, a força gravitacional seria tão forte que nem mesmo a luz poderia escapar; seus raios, encurvados sobre si próprios, "cairiam" novamente sobre a estrela. Com o advento da relatividade geral, essa ideia reapareceu com a possível existência de buracos negros.

No artigo de revisão de 1907, Einstein anunciou o princípio de equivalência e algumas de suas consequências. Fora o efeito da gravidade sobre raios luminosos, Einstein deduziu outro efeito, conhecido como *desvio gravitacional para o vermelho*. Ele propôs que, sob a ação de campos gravitacionais intensos, as fontes de radiação eletromagnética, isto é, cargas elétricas vibrando em algum material, teriam seus comprimentos de onda afetados; quanto mais forte o campo, maior o comprimento de onda, como se o campo estivesse esticando as ondas eletromagnéticas produzidas. Como o vermelho tem o maior comprimento de onda do espectro luminoso, esse efeito passou a ser chamado de desvio gravitacional para o vermelho. A luz emitida num campo gravitacional intenso tem sua cor desviada para o vermelho. (Mais acuradamente, as ondas eletromagnéticas têm seus comprimentos de onda amplificados na presença de um campo gravitacional.) Conforme Einstein escreveu em seu artigo de 1907, "portanto [...] a luz proveniente de uma fonte localizada na superfície solar [...] tem comprimento de onda maior do que a luz gerada na Terra a partir da mesma fonte".[7]

Outro modo de analisarmos esse efeito é imaginando que, na presença de campos gravitacionais intensos, os átomos vibram mais lentamente (menor frequência), consequentemente produzindo ondas de maior comprimento. Como as frequências vibracionais atômicas são extremamente regulares, podemos considerar os átomos como sendo pequenos relógios, batendo de modo furiosamente rápido. O desvio gravitacional para o vermelho é, portanto, equivalente a uma diminuição no ritmo dos relógios:

os campos gravitacionais afetam o fluxo do tempo, ou seja, quanto mais forte o campo, mais lento o fluxo!

Em contraste com seus artigos de 1905, todos impecáveis nas suas derivações matemáticas e argumentos físicos, os resultados do artigo de 1907 a respeito dos efeitos dos campos gravitacionais eram baseados em aproximações não muito acuradas, algumas até produzindo respostas quantitativamente incorretas, mesmo que os resultados gerais estivessem qualitativamente corretos. Einstein sabia que tinha um sério desafio pela frente. De fato, a formulação da teoria da relatividade geral ocupou-o, com algumas interrupções, durante os oito anos seguintes, até que Einstein chegasse à sua forma definitiva, no final de 1915. O caminho foi longo e tortuoso, com vários becos sem saída, mas a fé de Einstein em suas ideias permaneceu absolutamente firme durante todo esse tempo. Ele sabia que sua intuição estava correta; o problema era achar a formulação matemática adequada para suas ideias. Os físicos que usam principalmente sua intuição em sua pesquisa podem identificar-se com essa situação, muitas vezes frustrante, quando suas ideias estão muito à frente de sua matemática. Você sabe aonde quer chegar, ou pelo menos tem uma boa ideia da direção a ser tomada, mas se sente completamente paralisado. Representar ideias em equações não é nada fácil, mas nenhuma alternativa é viável. Se você não for capaz de formular sua teoria matematicamente, é provável que ninguém a leve a sério. Ideias são muito mais difíceis de serem compreendidas do que a matemática. Todavia, os esforços de Einstein foram amplamente recompensados: a teoria da relatividade geral é um dos maiores feitos do intelecto humano.

ESPAÇOS CURVOS

De dezembro de 1907 até junho de 1911, Einstein não escreveu uma só palavra sobre gravitação. Ao contrário do que muita gente pode imaginar, seu silêncio não foi causado por problemas encontrados na formulação da teoria. Einstein passou a maior parte desse tempo lutando contra seus eternos "demônios", a teoria quântica e a natureza dual da luz. Parcialmente derrotado, em 1911 ele retornou ao princípio de equivalência formulado em 1907. Propôs que a deflexão de um raio luminoso por um campo gravitacional intenso poderia, em princípio, ser observada se a luz de uma estrela distante passasse suficientemente próxima do Sol durante seu trajeto em direção à Terra. Como durante um eclipse solar a luz do Sol é temporariamente bloqueada, os astrônomos poderiam medir a posição da estrela e compará-la com medidas tomadas quando o Sol não está entre a estrela e a Terra. Se os astrônomos detectassem uma mudança na posição da estrela, a conclusão seria clara: a luz é de fato defletida por campos gravitacionais.

Em 1912, uma expedição ao Brasil foi organizada pelo astrônomo inglês Charles Davidson, mas o mau tempo impediu qualquer observação do eclipse previsto. Em 1914, uma expedição para a Crimeia foi financiada pelo magnata da indústria de armamentos Gustav Krupp para observar o eclipse de 11 de agosto.[8] Infelizmente, a Alemanha declarou guerra contra a Rússia apenas algumas semanas antes do eclipse, forçando as autoridades russas a confiscarem todo o equipamento e a prender (temporariamente) alguns dos astrônomos. A questão da influência do campo gravitacional sobre a trajetória de raios luminosos teve que esperar até o final da Primeira Guerra Mundial.

Entre 1911 e 1915, Einstein se dedicou à formulação matemática da relatividade geral. Seu problema era que a nova teoria demandava toda uma reformulação de como a presença de matéria pode influenciar a geometria do espaço-tempo. Podemos compreender esse fato se voltarmos ao experimento em que investigamos a deflexão do laser na cabine; quando dentro da cabine, você descobriu, para sua surpresa, que a aceleração causada pelo foguete defletia a trajetória do raio luminoso. Einstein notou que existe outro modo de interpretar esse fenômeno, sendo o ponto fundamental da nova teoria da gravidade: em vez de afirmarmos que o campo gravitacional defletiu a trajetória do raio luminoso, podemos igualmente afirmar que o raio luminoso seguiu uma trajetória curva porque o próprio espaço era curvo! A trajetória curva é o caminho mais curto possível nessa geometria deformada. E, como o matemático francês Fermat mostrou no século XVII, a luz sempre toma o caminho mais curto possível entre dois pontos.

Vamos refletir um pouco mais sobre isso. Quando dizemos que a luz sempre toma o caminho mais curto possível entre dois pontos, estamos baseando nossas observações no princípio de Fermat e no que chamamos de geometria euclidiana, ou geometria plana, que estudamos no ensino médio. Talvez a melhor arena para discutirmos geometria euclidiana seja a superfície de uma mesa. Como sabemos, a distância mais curta entre dois pontos na superfície da mesa é uma linha reta. Se projetarmos um raio laser paralelamente à superfície da mesa, sua trajetória será uma linha reta. Também podemos brincar com triângulos, quadrados e círculos, todos desenhados sobre a superfície da mesa. Os resultados de todas essas manipulações envolvendo figuras e linhas é o que chamamos de geometria euclidiana, que foi organizada (mas não inteiramente criada) por Euclides por volta de 300 a.C. Dentre seus vários resultados famosos, menciono apenas dois: 1) a soma dos ângulos internos de qualquer triângulo é 180 graus; 2) uma e apenas uma linha paralela pode passar por um ponto exterior a uma outra linha.

O espaço plano euclidiano não precisa ser bidimensional como a superfície de uma mesa. Ele pode ter qualquer número de dimensões, mesmo que seja impossível para nós visualizar mais do que duas. Sabemos que a superfície da mesa é plana porque podemos vê-la "de fora", ou seja, sob um ponto de vista tridimensional. Para vermos um espaço plano de três dimensões, precisaríamos existir num espaço de quatro dimensões. Todavia, o que os olhos não veem, a mente pode entender, e é relativamente fácil estudar as propriedades de espaços planos em qualquer número de dimensões explorando as técnicas da geometria euclidiana com lápis e papel.

O que acontece se a superfície da mesa não for plana? Bem, a primeira coisa que me vem à mente é que a distância mais curta entre dois pontos não será mais uma linha reta. Imagine uma superfície elástica bem grande, como as usadas em camas elásticas, que foi cuidadosamente esticada na forma de um quadrado perfeitamente plano. Coloque uma bola metálica pesada no centro da superfície. A deformação causada pela bola na forma da superfície é semelhante à deformação causada na geometria do espaço devido à presença de uma massa, embora devamos nos lembrar de que a banda elástica é um espaço bidimensional e não o espaço tridimensional em que vivemos. Mesmo assim, a analogia é bastante apropriada, contanto que na realidade a massa seja de dimensões estelares. (Por ora, vamos nos esquecer do que acontece com o tempo.)

Se jogarmos algumas bolinhas de gude sobre o elástico deformado, elas se moverão em trajetórias curvas. Perto da massa, as bolas de gude seguirão órbitas circulares ou elípticas, antes que a fricção as faça espiralar em direção ao "buraco" no centro. Se conhecemos a geometria do elástico deformado, podemos escrever equações descrevendo suas trajetórias curvas. Na ausência de fricção, e extrapolando para três dimensões, esses são os movimentos de pequenas massas na presença de uma massa maior, por exemplo, planetas ou cometas ao redor do Sol.[9] A teoria da relatividade geral de Einstein substitui a ação à distância de Newton por movimento em espaços curvos. Os efeitos da gravidade são substituídos pela curvatura do espaço. O que percebemos como movimento acelerado causado pela força gravitacional é simplesmente movimento em espaços curvos. Portanto, se a geometria do espaço-tempo for conhecida, podemos prever as trajetórias de objetos e de raios luminosos. Reciprocamente, a presença de objetos maciços deforma a geometria plana do espaço-tempo, gerando sua curvatura. Parafraseando o físico americano John Archibald Wheeler, "a matéria dita a geometria do espaço-tempo e o espaço-tempo dita o movimento da matéria".

Einstein pediu ao seu velho amigo Marcel Grossman que o ajudasse com a matemática. A geometria dos espaços curvos não era exatamente um tópico de estudo muito popular naqueles dias. E, sem entender a geometria dos espaços curvos, Einstein não podia formular matematicamente sua teoria da relatividade

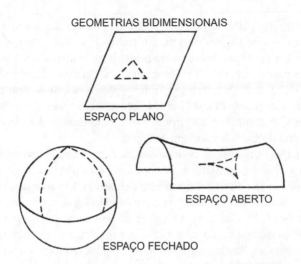

Figura 9.3: Geometrias não euclidianas bidimensionais: (no alto) Geometria plana com triângulo; (embaixo, à esquerda) Geometria fechada (curvatura positiva) com triângulo. A soma dos ângulos internos é maior que 180 graus; (embaixo, à direita) Geometria aberta (curvatura negativa) com triângulo. A soma dos ângulos internos é menor que 180 graus.

geral. Após as aproximações iniciais de 1907 e 1911, estava na hora de ser mais preciso. Felizmente, durante o século XIX, alguns matemáticos corajosos resolveram estudar a geometria dos espaços curvos em detalhe. Eles descobriram que os resultados da geometria euclidiana não eram válidos em espaços com geometria curva. Mais ainda, demonstraram que as geometrias *não euclidianas* mais simples são de dois tipos: espaços podem ter curvatura positiva, como a superfície (bidimensional) de uma bola, ou podem ter curvatura negativa, como a superfície (bidimensional) de uma sela de cavalo. Geometrias mais complicadas podem ser reconstruídas a partir de combinações desses dois tipos básicos.

Em ambos os tipos de espaços curvos, é evidente que a distância mais curta entre dois pontos não é uma linha reta. As diferenças entre as propriedades dos dois tipos de geometria curva e a geometria plana são bastante claras. Por exemplo, enquanto a soma dos ângulos internos de um triângulo é maior do que 180 graus para espaços de curvatura positiva, ela é menor do que 180 graus para espaços de curvatura negativa. Para visualizar esse resultado, desenhe um triângulo num globo, conectando dois pontos do Equador ao Polo Norte. Claramente, a soma dos três ângulos será maior que 180 graus. De fato, apenas os dois ângulos na linha do Equador somam 180 graus!

Espaços planos ou com curvatura negativa são chamados de espaços *abertos*; na maioria deles, se você caminhar na mesma direção, nunca voltará ao seu ponto de partida. Espaços de curvatura positiva são chamados de espaços *fechados*; se você caminhar na mesma direção, acabará voltando ao seu ponto de partida, como podemos facilmente visualizar investigando a superfície de um globo. Portanto, geometrias fechadas são finitas; elas têm volume finito. Mais ainda, elas não têm fronteiras. Talvez esse conceito soe um pouco estranho, porque estamos acostumados a pensar em espaços finitos como sendo precisamente aqueles que têm fronteiras, como, por exemplo, estados num mapa político de algum país ou a superfície de uma mesa. Como um espaço finito não tem fronteiras? Lembre-se de que um círculo (um espaço finito de uma dimensão) não tem começo ou fim. Um círculo não tem fronteiras e no entanto é finito. Agora imagine a superfície de uma esfera. Ela também é um espaço finito sem fronteiras. Se colocássemos formigas andando sobre a esfera, elas jamais encontrariam uma fronteira. Uma geometria fechada é finita e sem fronteiras.

Após dominar as sutilezas da geometria não euclidiana, Einstein ainda tinha pela frente um grande desafio: incorporar a geometria à física de tal modo que a teoria final fosse consistente tanto com o princípio de equivalência (na vizinhança de um referencial em queda livre, os resultados da relatividade especial são válidos) como com a lei mais sagrada da física, a lei da conservação de energia e quantidade de movimento. Após muitas tentativas fracassadas, no outono de 1915, Einstein obteve as equações da relatividade geral em sua forma final. Basicamente, a teoria se reduz a duas equações, uma relacionando a geometria do espaço-tempo e a distribuição de massa-energia ("Equação de Einstein") e a outra descrevendo movimentos numa geometria curva ("Equação da Geodésica"). Aplicando suas equações ao problema da precessão da órbita de Mercúrio, Einstein obteve um resultado em excelente acordo com as observações astronômicas. No caso da órbita de Mercúrio, a precessão se deve à sua proximidade com o Sol, cuja massa deforma a geometria em sua vizinhança imediata.

Das duas outras previsões de sua teoria, o desvio gravitacional para o vermelho e a deflexão de raios luminosos, apenas a última podia — na época — ser observada. Einstein apresentou um novo cálculo do ângulo pelo qual a luz de uma estrela é defletida ao passar perto do Sol. Em 1919, com o fim da Primeira Guerra Mundial, o astrofísico inglês Arthur Eddington organizou duas expedições, uma para Sobral, no Ceará, e outra para a ilha do Príncipe, na costa da Guiné Equatorial, para medir a posição de uma estrela durante um eclipse solar. Os resultados, embora inicialmente um pouco incertos, foram claros o suficiente para confirmar a previsão de Einstein: a luz é desviada por campos gravitacionais na quantidade prevista pela teoria da relatividade geral.

A confirmação espetacular das ideias de Einstein transformou-o, da noite para o dia, numa celebridade internacional, o cientista mais famoso do mundo. Os poucos físicos que inicialmente compreenderam a teoria ficaram fascinados pela sua beleza e elegância. Os físicos que não podiam compreendê-la, ou que não queriam aceitá-la, condenaram-na como produto de uma mente enferma (ou, às vezes, apenas "judia"). A imprensa publicou inúmeras matérias sobre espaços curvos, tempos relativos e outras peculiaridades da relatividade. O público respondeu à altura, maravilhado com essa nova teoria que sacudiu os alicerces da visão de mundo newtoniana. Einstein tornou-se uma espécie de criatura divina, o homem que, sozinho, entendeu a estrutura do Universo como ninguém antes dele. O cientista foi transformado em profeta.

UNIVERSOS DE ESCRIVANINHA

Logo após Einstein ter completado seu artigo de 1915, ele começou a pensar nas possíveis consequências de sua nova teoria para o estudo do Universo como um todo. Já que as equações da relatividade geral descrevem a curvatura do espaço-tempo causada pela presença de matéria (energia), se a distribuição de toda a massa no Universo fosse conhecida, as equações poderiam, em princípio, ser resolvidas para determinar a geometria do Universo. Mais uma vez, ele demonstrou sua grande coragem intelectual. Até então, as aplicações da relatividade geral haviam se restringido a fenômenos em nossa "vizinhança solar", ou seja, efeitos pertinentes à física do sistema solar, como a órbita de Mercúrio ou a deflexão de raios luminosos pelo Sol. Einstein, no entanto, queria estender o domínio de aplicação da relatividade geral a todo o Universo! A gravitação, o cimento cósmico, tornou-se também a artesã cósmica.

Einstein tinha plena consciência do quanto suas ideias eram controversas. Em uma carta a Paul Ehrenfest, escrita alguns dias antes da apresentação de seu modelo cosmológico para a Academia de Ciências da Prússia, no início de 1917, ele escreveu: "Mais uma vez [...] devido a uma nova aplicação da teoria da gravitação, corro o perigo de ser internado num sanatório".[10] O trabalho de Einstein inaugurou uma nova era no estudo da cosmologia, baseada nas aplicações da relatividade geral ao estudo do Universo como um todo, de modo a determinar sua estrutura e evolução. Depois de séculos de relativo silêncio, os cientistas mais uma vez se perguntariam sobre a estrutura, tamanho, idade e futuro do Universo. Novas ideias em física sempre inspiram novas cosmologias.

A transição do Universo aristotélico da teologia medieval, fechado e com a Terra ocupando o centro, para o Universo copernicano (e kepleriano e galileano!) da Renascença foi lenta e dolorosa. Argumentos como os de Giordano Bruno, tentando justificar a existência de um Universo infinito, povoado por um número infinito de mundos como o nosso, foram ou silenciados pela Igreja ou na maior parte ignorados. Newton transformou radicalmente essa situação ao propor um Universo infinito e aberto, balanceado pela ação conjunta da gravitação e da interferência divina. Mas um Universo infinito, povoado por um número infinito de estrelas, apresentava outras dificuldades. Como Halley argumentou numa reunião da Royal Society em 1721, e Kepler um século antes dele, um Universo infinito com um número infinito de estrelas distribuídas aleatoriamente estaria sempre inundado de luz, noite e dia. A solução newtoniana, invocando a interferência divina, não era mais muito popular, após os deístas terem limitado a influência divina ao processo de criação do Universo.

Então por que, num Universo infinito, o céu noturno é escuro? Esse paradoxo, reformulado em 1823 pelo médico alemão Heinrich Olbers, ficou conhecido como o *paradoxo de Olbers*. Na época, a maioria dos cientistas acreditava que a solução do paradoxo estava relacionada com a absorção interestelar: nuvens de gás espalhadas pelo Universo absorvem luz de estrelas distantes, "filtrando" a quantidade de luz que finalmente chega até nós. Infelizmente, como notou o filho de William Herschel, John, em 1848, absorção não poderia ser a resposta, já que nuvens de gás reemitem a luz absorvida, recriando o problema. Para embaraço dos cientistas da época, um dos fenômenos mais ordinários de nosso dia a dia, a escuridão do céu noturno, continuava a ser um mistério. A solução final para o paradoxo de Olbers teve de esperar pela descoberta de que o Universo teve um início e, portanto, tem uma idade finita. Antes, porém, que essa explicação pudesse ser contemplada, Einstein tentou sua própria solução, aplicando sua nova teoria ao estudo da geometria do Universo.

Como a maioria das pessoas em 1917, Einstein não via nenhuma razão para postular um Universo dinâmico, ou seja, um Universo que evolui temporalmente. Sem dúvida, ele estava a par da existência de movimentos em escalas astronômicas relativamente pequenas, como, por exemplo, o movimento local de estrelas. Mas esses movimentos não indicavam uma tendência global ou coletiva em escalas maiores, embora já em 1912 o astrônomo americano Vesto Slipher houvesse medido a velocidade radial de uma nebulosa espiral, ou seja, o componente da velocidade da nebulosa alinhado em nossa direção. Usando o efeito Doppler, que será discutido mais adiante, Slipher mostrou que Andrômeda está se aproximando do Sol com uma velocidade de trezentos quilômetros por segundo, uma velocidade extremamente alta (108000 mil quilômetros por hora!). Em 1917, Slipher havia medido as velocidades radiais de outras nebulosas, mostrando que a maioria está se afastando, e não se aproximando, do Sol. A maioria dos físicos europeus da época, incluindo Einstein, tinha, não obstante, muito pouco contato com a comunidade astronômica americana, que crescia cada vez mais. E, mesmo dentro da comunidade astronômica americana, as medidas de Slipher geraram bastante controvérsia. Um Universo estático ainda era uma hipótese perfeitamente aceitável.

Não só se acreditava que o Universo era estático, mas também que a maior parte de sua massa estava concentrada dentro e em torno da Via Láctea. Todos os objetos observados no céu noturno, de estrelas a "nebulosas", faziam parte da Via Láctea, cercada basicamente pela imensidão vazia do espaço infinito. O debate sobre a natureza das nebulosas, se elas eram ou não outros "universos-ilhas" como nossa própria galáxia, ainda estava em aberto, embora a opinião da maioria fosse contrária à ideia de um Universo povoado por várias galáxias como a nossa. Em apenas alguns anos, o Universo iria se tornar um lugar profundamente diferente.

Einstein não gostava da noção de um Universo infinito com uma quantidade finita de matéria. Ele acreditava que um Universo espacialmente finito era muito mais natural sob o ponto de vista da relatividade geral. E, já que a geometria do Universo é determinada pela sua massa total, ele propôs que o modelo mais simples para o Universo poderia ser obtido supondo que a sua massa seja, em média, distribuída igualmente por todo seu volume. De modo a formalizar suas ideias, Einstein formulou o *princípio cosmológico*, que afirma que, em média, todos os pontos do Universo são essencialmente indistinguíveis; ou seja, o Universo é homogêneo (o mesmo em todos os lugares) e isotrópico (o mesmo em todas as direções): não existe um ponto especial no Universo.

Uma vez adotado o princípio cosmológico, a tarefa de resolver as equações da relatividade geral torna-se muito mais simples: a geometria do Universo como um todo passa a ser determinada por um único parâmetro, seu *raio de curvatura*. *Em média* aqui é muito importante. Claro que Einstein sabia que certas regiões do Universo têm maiores concentrações de matéria do que outras, como, por exemplo, na vizinhança das galáxias; mas em média, para volumes suficientemente grandes, o Universo é essencialmente homogêneo; e, como Einstein também supôs que o Universo é estático, a distribuição de matéria não muda com o tempo. No Universo finito de Einstein, a densidade total de matéria, isto é, a razão entre a quantidade total de matéria e o volume total, é constante. Como consequência, a geometria, ou o raio de curvatura do Universo, também é constante.

Armado dessas hipóteses, Einstein obteve sua solução cosmológica. Seu modelo descrevia um Universo estático e finito, uma generalização tridimensional da superfície de uma esfera.[11] Seu raio era determinado pela massa total em seu volume. Em 1922, Einstein orgulhosamente anunciou, ao discutir a equação relacionando a curvatura do Universo à sua massa, que "a dependência completa das propriedades geométricas para com as propriedades físicas se torna extremamente clara a partir dessa equação".[12] Essa solução, contudo, apresentava alguns problemas. Devido à ação atrativa da gravidade, num Universo estático e finito, a matéria tem a tendência de implodir sobre si mesma. Um Universo estático e finito, com uma densidade de matéria constante, simplesmente não pode existir. Einstein criou um Universo instável.

De modo a manter seu Universo estático, Einstein arbitrariamente incluiu um termo extra nas equações da relatividade geral, que ele inicialmente chamou de "pressão negativa", apesar de seu nome mais popular ser *constante cosmológica*. Mesmo que esse termo fosse perfeitamente aceitável sob um ponto de vista matemático, ele não tinha nenhuma justificativa sob um ponto de vista físico, embora Einstein, Eddington e outros houvessem tentado arduamente encontrar uma. Esse novo termo comprometia em parte a beleza e simplicidade formal das equações de 1915, que obtiveram tantos resultados sem admitir a existência de novos termos. Basicamente, a constante cosmológica funciona como uma espécie de repulsão cósmica, escolhida para balancear exatamente a atração gravitacional da matéria, evitando seu colapso. Einstein não percebeu (ou não quis perceber) que, por trás da instabilidade encontrada em suas equações, escondia-se um Universo dinâmico. Até mesmo cientistas como Einstein podem deixar escapar oportunidades para grandes descobertas, no caso, a descoberta teórica da expansão do Universo.

Por volta da mesma época em que Einstein propôs seu modelo cosmológico, outro modelo apareceu na literatura científica, proposto pelo físico holandês Willem de Sitter (1871-1934). Desde que lera o artigo de Einstein de 1911, De Sitter ficou encantado com as novas ideias da relatividade geral. Ele imediatamente pôs-se a estudar a teoria, tentando em particular obter evidências a seu favor a partir de observações astronômicas. A solução cosmológica encontrada por De Sitter é, à primeira vista, bastante estranha. Ele mostrou que, fora a solução encontrada por Einstein, que incluía a matéria e a constante cosmológica, era possível também encontrar outra solução, apenas com a constante cosmológica. O Universo criado por De Sitter não tinha matéria. Claro, tal Universo é apenas uma aproximação grosseira da situação real; mas o Universo de Einstein, com matéria mas sem movimento, também era uma aproximação. Ambos os autores sabiam que seus modelos eram apenas representações grosseiras do Universo; porém tanto Einstein como De Sitter acreditavam que esses modelos simples continham aspectos essenciais da solução "verdadeira".

O modelo proposto por De Sitter tem uma propriedade muito curiosa: dois pontos quaisquer no Universo afastam-se um do outro com velocidade proporcional à sua separação; portanto, pontos a uma distância 2d afastam-se um do outro duas vezes mais rapidamente do que pontos separados por uma distância d. Embora vazio, o Universo de De Sitter tem movimento! Sem a presença de matéria, a repulsão cósmica alimentada pela constante cosmológica provoca a expansão da geometria. Enquanto o Universo de Einstein tem matéria sem movimento, o de De Sitter tem movimento sem matéria; de certo modo, os dois modelos são complementares.

Já que o Universo de De Sitter era vazio, sua expansão não poderia ser percebida por um observador; mas, durante os primeiros anos da década de 1920, a partir dos trabalhos de Eddington, De Sitter e outros, algumas das propriedades físicas desse curioso Universo começaram a ser exploradas. Primeiro, se alguns grãos de poeira fossem espalhados no Universo de De Sitter, eles iriam, tal como sua geometria, distanciar-se uns dos outros com velocidades que crescem linearmente com a distância; como rolhas flutuando num rio, eles seriam "carregados" pela geometria. Outra imagem usada para descrever esse movimento utiliza um pão decorado com passas. À medida que o pão cresce no forno, todas as passas afastam-se umas das outras.[13]

Mesmo que a solução de De Sitter se referisse a um Universo sem matéria, alguns poucos grãos de poeira espalhados na vastidão do cosmo não comprometem suas aproximações. Se as velocidades crescem, contudo, com a distância, a separação entre dois grãos pode ser tão grande que suas velocidades de recessão poderão se aproximar da velocidade da luz! Cada grão, portanto, terá seu próprio *horizonte*, uma fronteira além da qual o resto do Universo é invisível. Conforme escreveu Eddington, "a região além [desse horizonte] [...] é completamente isolada por essa barreira temporal".[14] Essa limitação daquilo que podemos conhecer do Universo incomodou muitos cientistas da época. Mas, como o modelo de De Sitter era apenas uma aproximação grosseira...

Outra consequência do Universo de De Sitter é ainda mais fascinante do que a existência de horizontes. Se, em vez de grãos de poeira, espalharmos algumas fontes de luz, como, por exemplo, estrelas, no Universo de De Sitter elas iriam, tal como os grãos de poeira, afastar-se umas das outras com velocidades proporcionais às suas distâncias. Na época, sabia-se que as propriedades físicas das ondas são afetadas pelo movimento de suas fontes. Conhecemos esse efeito através de nossas experiências com sirenes ou buzinas em movimento; por exemplo, a sirene de uma ambulância que se aproxima de um observador tem um som mais agudo do que quando está em repouso. Se a sirene está se afastando do observador, o tom é mais grave do que se estivesse em repouso. Esse efeito é conhecido como *efeito Doppler*, em homenagem ao físico austríaco Johann Christian Doppler, que, em 1842, propôs que essa mudança no tom se deve a uma mudança no comprimento de onda da onda sendo emitida pela fonte em movimento.

As ideias de Doppler foram confirmadas de modo extremamente dramático pelo meteorologista holandês Christopher Buijs-Ballot, em 1845. Usando suas conexões com membros do governo, Buijs-Ballot conseguiu obter por alguns dias uma locomotiva e um trecho de uma ferrovia. Sua ideia era simples: se o efeito Doppler está relacionado com o movimento da fonte de ondas, por que não testá-lo usando notas musicais num trem em movimento? Ele convenceu um grupo de músicos da seção de sopros de uma orquestra a emitir a mesma nota, de pé num vagão aberto puxado pela locomotiva a uma velocidade constante conhecida. Numa plataforma ao lado da ferrovia, Buijs-Ballot colocou um grupo de especialistas capazes de distinguir notas musicais de ouvido. Fazendo com que o trem passasse em frente ao grupo de especialistas com velocidades diferentes, Buijs-Ballot podia testar a fórmula de Doppler. Os pobres músicos tiveram que soprar seus trombones e trombetas até ficarem roxos, lutando contra o barulho ensurdecedor da locomotiva e contra a densa fumaça negra voando ao seu encontro. Felizmente, após várias tentativas, os especialistas finalmente confirmaram a mudança de tom prevista pela fórmula de Doppler.[15]

O efeito Doppler me faz recordar as raras ocasiões em que ouvi meu pai tocar acordeão, um velho Scandalli que fazia parte da família havia muito tempo. Sentado na beira de sua cama, ele começava a tocar, seu corpo e mente entrelaçados com o instrumento, a música jorrando do fole vermelho numa dança rítmica de expansão e contração. Em expansão, os tons tornavam-se mais graves; em contração, os tons tornavam-se mais agudos.

Figura 9.4: O efeito Doppler: o comprimento de onda de uma fonte aproximando-se de um observador diminui (centro), enquanto o comprimento de onda de uma fonte afastando-se de um observador aumenta (embaixo).

Seus dedos voavam sobre o teclado, criando uma música ao mesmo tempo nova e velha, melodias cheias de mágica. A expansão e a contração do fole revelavam, mesmo que por apenas alguns instantes, os segredos do Universo, a dança de Xiva e a harmonia das esferas, o que pode e o que não pode ser conhecido, o brilho nos olhos de meu pai. Existem tantas maneiras de compreender o mundo...

Tal como as ondas de som, as ondas luminosas também são afetadas pelo movimento de suas fontes. Enquanto o comprimento de onda de uma fonte se afastando de um observador aumenta, o comprimento de onda de uma fonte se aproximando de um observador diminui, como o fole do acordeão de meu pai. Como o vermelho tem comprimento de onda maior do que o azul, fontes luminosas se afastando terão seu espectro desviado para o vermelho, enquanto fontes luminosas se aproximando terão seu espectro desviado para o azul. No Universo criado por De Sitter, todas as fontes luminosas se afastam umas das outras; se você estiver sentado sobre uma delas, todas as demais sofrerão um desvio para o vermelho. Mais ainda, a quantidade do desvio para o vermelho pode ser usada para calcular a velocidade de recessão de uma determinada fonte. Quanto maior o desvio para o vermelho, maior a velocidade de recessão e, portanto, maior a separação entre a fonte e o observador. O Universo de De Sitter ofereceu a primeira indicação de que, em um Universo em expansão, espectros de fontes de luz distantes serão desviados para o vermelho. Mas, como o Universo de De Sitter era apenas uma aproximação...

Enquanto as várias propriedades do Universo de De Sitter estavam sendo exploradas, em São Petersburgo, na Rússia, um ex-meteorologista chamado Aleksandr Aleksandrovitch Friedmann resolveu seguir uma rota completamente diferente. Excelente matemático, Friedmann dominou rapidamente os detalhes mais técnicos da relatividade geral. Inspirado pelas especulações cosmológicas de Einstein, Friedmann resolveu procurar outras possíveis soluções cosmológicas, talvez menos restritivas que as achadas por Einstein e De Sitter. Ele sabia que Einstein havia incluído a constante cosmológica para garantir que seu Universo permanecesse estático. Mas por que essa insistência num Universo estático? Talvez inspirado por anos de estudos em meteorologia, onde nada é estático, Friedmann acreditava que não existia nenhuma razão a priori para postularmos um Universo estático. Por que não investigar um Universo homogêneo e isotrópico, mas com uma geometria capaz de evoluir temporalmente? Friedmann descobriu que, se a distribuição de matéria no Universo não for estática, sua geometria também não o será;

a imaginação de Friedmann transformou o Universo como um todo numa entidade dinâmica.

Friedmann elaborou seus resultados num artigo intitulado "Sobre a curvatura do espaço", que apareceu em 1922. Nele, Friedmann mostrou que, com ou sem a constante cosmológica, as equações de Einstein possuem soluções representando universos dinâmicos. Mais ainda, os universos descobertos por Friedmann exibem vários tipos possíveis de comportamento, determinados pela quantidade total de matéria e pela presença (ou ausência) da constante cosmológica. Sem considerar detalhes que não são importantes para nós, Friedmann distinguiu duas classes principais de soluções: as que descreviam um Universo em expansão e as que descreviam um Universo oscilatório.

Em universos em expansão, a distância entre dois pontos sempre aumenta. O Universo de De Sitter representa um caso extremo dessa classe de soluções, em que a quantidade de matéria é tão pequena que seu efeito sobre a evolução do Universo pode ser desprezado; a constante cosmológica determina completamente a dinâmica desse Universo. Com ou sem a constante cosmológica, a presença de matéria diminui a taxa de expansão desses universos. Por conseguinte, podemos imaginar que, para uma densidade suficientemente grande de matéria, chamada de *densidade crítica*, a atração gravitacional causada pela matéria será poderosa o suficiente para reverter a expansão do Universo, provocando por fim seu colapso. Em princípio, esse ciclo de expansão e contração pode repetir-se indefinidamente, dando origem às soluções oscilatórias.[16]

Durante a década de 1920, o número de "universos de escrivaninha" cresceu rapidamente. Mas qual desses modelos representava melhor nosso Universo? Apenas as observações astronômicas poderiam responder a essa pergunta. Talvez seja irônico (mas também inspirador) que mesmo hoje, mais de setenta anos após Friedmann ter proposto suas soluções, ainda não possamos decidir qual o modelo cosmológico que melhor descreve nosso Universo. Sem dúvida, o número de possibilidades é bem menor, graças aos enormes avanços tanto em cosmologia observacional como na teoria de modelos cosmológicos; hoje conhecemos nosso Universo muito melhor do que nos anos 20, mas a verdade é que a questão está ainda em aberto, continuando a inspirar cosmólogos no mundo inteiro.

Inicialmente, Einstein não aceitou a possibilidade de universos dinâmicos. Ele escreveu para Friedmann, argumentando que suas soluções descrevendo universos em expansão eram incorretas, devido a erros de cálculo. No entanto, Einstein (e outros) rapidamente percebeu que era ele quem havia cometido um erro de cálculo. Ele publicou um artigo no mesmo jornal especializado em que Friedmann tinha publicado seu artigo, explicando seus erros e chamando as soluções de Friedmann de "clarificadoras".[17] Mais tarde, iria escrever que a inclusão da constante cosmológica nas equações da relatividade geral foi "sua maior burrice".[18] Um dos aspectos mais importantes da pesquisa científica é o modo como ela progride; a autoridade por si só jamais é suficiente para determinar o que está certo ou o que está errado, embora muitas vezes ela possa adiar a decisão final.

Adormecido em seu sono estático por milênios, o Universo foi subitamente sacudido de seu estupor pela coragem e brilho de um matemático relativamente desconhecido. Em sua nova dança, imagens ancestrais, sombras de um passado distante, irão inspirar — às vezes diretamente, às vezes indiretamente — a criatividade daqueles que escolheram enfrentar o mistério da Criação armados de sua razão, paixão e coragem intelectual.

HORIZONTES EM FUGA

Universos estáticos, universos em expansão, universos oscilatórios, universos abertos, universos planos, universos fechados (mas sem fronteiras); modelos proliferavam, possibilidades aumentavam, inspirando ainda mais a imaginação dos cosmólogos de escrivaninha, criadores de universos. A confusão era geral, tanto do público como dos cientistas. E então, qual é o melhor modelo para nosso Universo? Essa pergunta não é nada desprezível.

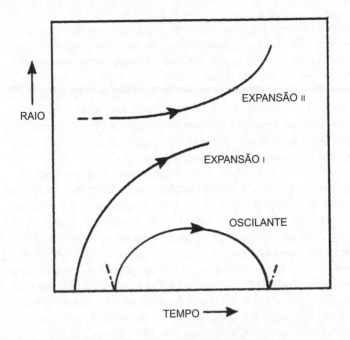

Λ	CURVATURA		
	ABERTA	PLANA	FECHADA
NEGATIVA	Oscilante	Oscilante	Oscilante
ZERO	Expansão I	Expansão I	Oscilante
POSITIVA	Expansão I	Expansão I	Todas

Figura 9.5: Universos dinâmicos: o gráfico mostra as possíveis soluções encontradas por Friedmann. Expansão I representa universos que começam sua evolução a partir de um raio nulo e continuam expandindo-se para sempre, enquanto Expansão II representa universos que iniciam sua evolução a partir de um raio finito (solução de Eddington-Lemaître), continuando sua expansão para sempre. Soluções oscilatórias alternam períodos de expansão e contração num ciclo que, em princípio, pode se repetir indefinidamente. Cada uma das soluções representa uma família de possibilidades. A tabela mostra quais as possíveis soluções para diversos valores da constante cosmológica Λ.

Afinal, fazemos parte do Universo e gostaríamos de conhecê-lo melhor. Antes as coisas eram relativamente mais simples, as pessoas tinham apenas que *acreditar* nas respostas dadas pela religião. Não importa que diferentes religiões deem diferentes respostas a questões relacionadas com a natureza do Universo. O importante é ter fé nas respostas dadas pela religião de sua escolha. Mas, agora, a confusão aumentou consideravelmente; os cientistas também querem responder a perguntas sobre a natureza do Universo. Será que também devemos acreditar neles?

Negativo. Você não tem de *acreditar* nos cientistas. Você tem de *compreender* suas ideias. Mais ainda, você deve duvidar seriamente de qualquer cientista que tente convencê-lo, baseado em argumentos científicos, da futilidade de sua crença religiosa. Em contrapartida, você também deve duvidar de qualquer sacerdote que tente convencê-lo, baseado em argumentos religiosos, da futilidade da ciência moderna. O importante aqui é evitar uma competição entre ciência e religião. Ciência não é um sistema de crenças, mas um sistema de conhecimento desenvolvido com o objetivo de organizar a realidade à nossa volta. Diferentes pessoas optam por diferentes caminhos; para alguns a ciência é suficiente, enquanto para outros a religião é suficiente. O essencial é evitar a trivialização do debate entre as duas. Se escolhermos cruzar as fronteiras entre a ciência e a religião, que seja para buscar sua complementaridade, como as vidas de Kepler, Newton ou Einstein ilustram de modo tão transparente. Em minha opinião, somos definidos por nossas escolhas, e o caminho da "procura" envolve tanto conhecimento como crença. Essa complementaridade é a essência do que define o ser humano.

Dada a proliferação de modelos cosmológicos, estava na hora de deixar de lado os universos de escrivaninha e dar uma olhada detalhada nos céus. Afinal, as respostas para nossas perguntas estão todas lá, pacientemente esperando por nós... Mas, para que seja possível dar uma boa olhada nos céus, são necessários bons instrumentos. Quanto mais distantes as fontes luminosas espalhadas pelo Universo, mais fracas elas são ao chegarem até nós. Através das vastas distâncias astronômicas, uma galáxia com bilhões de estrelas irá aparecer como um mero ponto, mesmo para um telescópio extremamente poderoso. Para que essa luz possa ser analisada e intensificada, os telescópios necessitam de espelhos de dimensões enormes. Esses espelhos não só são extremamente difíceis de serem construídos, como também são extremamente caros. Telescópios poderosos precisam de muito dinheiro e de tecnologia avançada, as assinaturas do que hoje chamamos de "Grande Ciência"; projetos caríssimos que envolvem um grande número de pessoas. Antes da Guerra Fria, da NASA e dos aceleradores de partículas poderosos, a "Grande Ciência" era dominada pela astronomia. Durante as primeiras duas décadas do século XX, a partir da ação combinada de astrônomos com grande poder de persuasão e patronos milionários, o centro de atividades da astronomia mudou-se da Europa para os Estados Unidos.

George Hale é quem talvez melhor simbolize essa nova era da astronomia americana. Durante a década de 1890, ele convenceu o milionário Charles T. Yerkes a financiar a construção de um enorme observatório em Williams Bay, no estado americano de Wisconsin, operado pela Universidade de Chicago. Quando terminado, o Observatório Yerkes possuía um poderoso telescópio refrator de quarenta polegadas, ainda hoje o maior do mundo em sua categoria.[19] A maioria dos astrônomos se contentaria com um observatório desse tamanho, mas não Hale. Ele queria telescópios ainda maiores e patronos ainda mais ricos. Quando Andrew Carnegie criou a Carnegie Institution, em 1902, Hale imediatamente foi ao seu encontro e conseguiu convencê-lo a financiar dois novos telescópios refletores no monte Wilson, na Califórnia, um de sessenta polegadas e outro, um gigante, de cem polegadas.

Em 1917, após uma série de problemas técnicos que envolveram desde a difícil construção do enorme espelho até mulas que se recusavam a subir as tortuosas estradas que levavam ao topo da montanha, o gigante de cem polegadas estava pronto para apontar seu olho solitário para o céu. Naquele mesmo ano, um jovem astrônomo chamado Edwin Hubble terminou seu doutoramento no Observatório Yerkes. Sua tese, "Investigações fotográficas de nebulosas distantes", não teve nenhuma distinção maior, mas era boa o suficiente para garantir seu futuro profissional. O interesse de Hubble em nebulosas distantes iria dominar a maior parte de sua carreira. O novo telescópio gigante e o jovem astrônomo iriam forjar uma parceria que transformaria o curso da cosmologia e nossa visão do Universo.

Hubble era uma dessas pessoas com o toque de Midas: um excelente atleta, destacando-se em boxe, atletismo, natação e basquete, um bolsista Rhodes (americanos com uma prestigiosa bolsa para estudar na Universidade de Oxford, na Inglaterra), atraente, seguro de si e um líder natural. Ele sabia o que queria e como consegui-lo. E, talvez ainda mais importante profissionalmente, uma vez que conseguia o que queria, ele sabia fazer com que todo mundo soubesse de seu feito. Com todas essas qualidades, Hubble sem dúvida estava destinado a ser famoso. Infelizmente, antes que ele e o gigante de cem polegadas pudessem se tornar parceiros, os Estados Unidos entraram para a Primeira Guerra Mundial. Sempre pronto para a ação, Hubble juntou-se à Força Expedicionária Americana com destino à França. Ele foi rapidamente promovido a capitão e em seguida a major. Ao que parece, sua única desilusão com a guerra foi que ele "quase não viu fogo".[20] Eu realmente acho que não conheço nenhum astrônomo que teria feito o mesmo comentário sobre sua participação numa guerra.

Hubble deixou o exército em agosto de 1919, aceitando uma generosa oferta de Hale para se juntar ao time de astrônomos trabalhando no observatório do monte Wilson. É fácil imaginar Hubble dizendo algo como: "Qual é a graça de fazer parte de um exército sem guerras para lutar?". E, depois, uma outra guerra estava em curso, travada por astrônomos e não por exércitos. E nessa guerra, para a satisfação de Hubble, o que não faltava era fogo.

Em 1920, o debate sobre a natureza das nebulosas atingiu seu clímax. Ambos os pontos de vista, que as nebulosas faziam parte da Via Láctea e que as nebulosas eram "universos-ilhas" localizados fora da Via Láctea, encontravam apoio nas observações da época, complicando a situação. No dia 20 de abril de 1920, Harlow Shapley, do observatório do monte Wilson, e Heber Curtis, do Observatório Allegheny, em Pittsburgh, encontraram-se perante a Academia Nacional de Ciências dos Estados Unidos para debater a evidência a favor e contra a existência de "universos-ilhas". Esse encontro ficou conhecido como "O Grande Debate".[21] Shapley estava convencido de que a Via Láctea era muito maior do que se acreditava na época. Outras nebulosas podiam facilmente estar contidas em seu volume. Curtis defendia o ponto de vista contrário, de que as nebulosas são galáxias como a Via Láctea, mas separadas por grandes distâncias. Eles discutiram a evidência observacional, tentando usá-la para defender suas opiniões opostas.[22] Mesmo que os argumentos apresentados por Shapley na conclusão do debate tenham sido mais persuasivos do que os de Curtis, o Grande Debate terminou como tinha começado: inconclusivo. Para que essa questão pudesse ser finalmente resolvida, eram necessárias melhores medidas das distâncias até as nebulosas espirais. E é aqui que Hubble entra nessa história.

Medir distâncias astronômicas é muito difícil. Como comparação, imagine a seguinte situação; tente estimar a distância entre você e um colega segurando uma lanterna numa noite escura. O procedimento tradicional é medir a intensidade da fonte luminosa (a lanterna) a uma distância fixa (essa intensidade é chamada de *luminosidade intrínseca*), e usar a *lei do quadrado inverso* para estimar a distância. Basicamente, a lei do quadrado inverso afirma que a intensidade da luz diminui de modo proporcional ao quadrado da distância. Portanto, com equipamento capaz de medir a intensidade da luz, é possível comparar a intensidade medida com a luminosidade intrínseca e obter a distância. Você pode imaginar que estender esse método às estrelas ou nebulosas não é nada trivial. A distância tem de ser estimada progressivamente, começando com o raio da Terra, a distância entre a Terra e a Lua, a distância entre a Terra e o Sol, a distância até as estrelas mais próximas (usando a paralaxe), e assim por diante, na esperança de encontrarmos uma "fonte padrão" no caminho, ou seja, um objeto que mantenha sempre a mesma luminosidade, como, por exemplo, a sua lanterna (com pilhas em excelente condição). A dificuldade em medir a distância até nebulosas distantes está em encontrar "fontes padrão" no caminho. É difícil enxergar lanternas a distâncias muito grandes, a menos, claro, que você tenha um telescópio extremamente potente.

No final de 1923, Hubble apontou o gigante de cem polegadas na direção da nebulosa de Andrômeda, buscando possíveis fontes padrão. Após expor uma placa fotográfica por meia hora, Hubble identificou o brilho intenso de uma estrela. Bom começo. Pacientemente (uma característica muito importante em astrônomos), Hubble continuou a registrar imagens de Andrômeda, sempre procurando pistas que iriam ajudá-lo a determinar a distância entre ela e o Sol. Para sua surpresa, ao comparar as várias imagens, Hubble percebeu que a estrela que ele havia descoberto na primeira placa não era uma estrela qualquer. Sua luminosidade variava periodicamente, de forma regular e previsível. Essa é a assinatura de um tipo de estrela conhecida como "variável Cefeida", que havia sido estudada em detalhe por Henrietta Leavitt, da Universidade de Harvard, dez anos antes.

Leavitt analisou o comportamento de variáveis Cefeida na Via Láctea e nas Nuvens de Magalhães. Após investigar milhares de estrelas, ela concluiu que existia uma relação clara entre o período de tempo separando a fase de brilho mais intenso e a de brilho menos intenso das Cefeidas e sua luminosidade intrínseca. Mesmo que os períodos variassem de alguns dias até meses, a luminosidade das Cefeidas mais brilhantes variava por períodos consistentemente mais longos. Como Shapley mostraria em 1918, uma vez que a luminosidade de cada Cefeida é corrigida, devido à sua distância, usando a lei do quadrado inverso, todas elas obedecem à mesma curva, que relaciona o período de variação da luminosidade e sua luminosidade intrínseca. As Cefeidas podiam ser usadas, portanto, como fontes padrão para a medida de distâncias. Uma vez que uma Cefeida fosse encontrada numa nebulosa, o "resto" era relativamente fácil: 1) medir o período de variação de sua luminosidade; 2) usando a curva de Shapley, obter sua luminosidade intrínseca; 3) uma vez que a luminosidade intrínseca da Cefeida é conhecida, sua distância pode ser estimada usando a lei do quadrado inverso.

Hubble procurou furiosamente variáveis Cefeida em Andrômeda e em outras nebulosas espirais. No início de 1924, ele escreveu para Shapley:

> Talvez lhe interesse saber que eu encontrei uma variável Cefeida na nebulosa de Andrômeda [...] Tenho a impressão de que mais variáveis serão encontradas após uma investigação meticulosa de placas fotográficas de exposição longa. Sem dúvida, o próximo período de observações será bem empolgante; temos de festejá-lo com a pompa e circunstância necessárias.[23]

Após ler a carta de Hubble, Shapley disse: "Eis aqui a carta que destruiu meu Universo".[24] Shapley, ardente defensor de um Universo limitado, com fronteiras definidas pela Via Láctea, forneceu o instrumento que destruiria sua visão. No final de 1924, Hubble havia descoberto doze variáveis Cefeida em Andrômeda e 22 em outras nebulosas espirais. O Grande Debate fora finalmente concluído, após séculos de especulação. Vivemos num Universo povoado por um número gigantesco de galáxias, espalhadas pela vastidão do espaço cósmico. Nossa galáxia, a Via Láctea, é apenas uma entre bilhões de outras, sendo sua posição perfeitamente irrelevante. Nosso planeta não ocupa uma posição especial no sistema solar, nosso Sol não ocupa uma posição especial em nossa galáxia, e nossa galáxia não ocupa uma posição especial no Universo. O que temos de especial é a habilidade de nos maravilharmos com a beleza do cosmo.

A participação de Hubble no desenvolvimento da cosmologia observacional não se limitou à resolução do enigma dos "universos-ilhas". Outra questão fundamental estava sendo arduamente debatida, alimentada do lado teórico pelo modelo, proposto por De Sitter, de um Universo vazio porém em expansão e, do lado observacional, pelas medidas de Slipher do desvio para o vermelho de várias nebulosas espirais.[25] O modelo de De Sitter previa uma relação linear entre a velocidade de recessão e a distância entre dois pontos no espaço. Embora fosse claro que nosso Universo não é vazio, era razoável esperar que essa relação, ou algo parecido, ainda seria válida num modelo mais próximo da realidade.

Alguns astrônomos tentaram estabelecer a relação entre velocidade e distância prevista por De Sitter, mas o uso de medidas de distância incorretas prejudicou esses resultados. Em 1924, o astrônomo alemão Carl W. Wirtz tentou simplificar a situação supondo que todas as nebulosas tinham o mesmo tamanho (diâmetro); se isso fosse aproximadamente verdade, ele poderia medir a distância de nebulosas distantes comparando seu diâmetro com o de nebulosas mais próximas, como se ele estivesse comparando o diâmetro de uma moeda a distâncias diferentes. Com essa suposição, Wirtz mostrou que as nebulosas distantes estavam se afastando com velocidades que aumentavam com a distância. Mas, como nebulosas não têm o mesmo diâmetro, seus resultados não foram levados muito a sério. Mais uma vez, o sucesso dependia de melhores medidas de distância.

Usando seu parceiro de cem polegadas, Hubble e seu colaborador Humason caçaram variáveis Cefeida em nebulosas relativamente próximas, de modo a estabelecer conclusivamente suas distâncias. Milton LaSalle Humason era uma dessas pessoas que contradiziam todas as teorias que defendem a necessidade de uma educação estruturada. Abandonando sua escola de ensino médio após apenas quatro dias de aulas, Humason encontrou trabalho como muleteiro durante a construção dos telescópios gigantes do Observatório de monte Wilson. Ele se afeiçoou ao lugar e à astronomia (e, ao que parece, à filha de um dos engenheiros), conseguindo uma posição como zelador do Observatório. Os astrônomos de monte Wilson perceberam rapidamente que Humason tinha uma espécie de habilidade mágica para lidar com os telescópios, frequentemente solicitando sua ajuda para resolver várias dificuldades que apareciam durante seu uso. Brincando com os telescópios nas suas horas vagas, ele rapidamente dominou as técnicas de observação astronômica. Para evitar maior embaraço para sua equipe de astrônomos, Hale resolveu promover Humason a astrônomo assistente. Daí em diante, ele podia fazer suas próprias observações.

De modo a testar a relação entre velocidade e distância, eram necessárias medidas tanto das velocidades como das distâncias. Para obter as velocidades, Hubble e Humason usaram o efeito Doppler, procurando desvios para o vermelho no espectro de nebulosas distantes: o desvio para o vermelho das linhas espectrais da nebulosa é proporcional à sua velocidade de recessão. Usando também dados obtidos por Slipher, em 1929 Hubble e Humason haviam coletado medidas de desvio para o vermelho de 46 nebulosas. Seus resultados eram claros: a maioria absoluta dos espectros estava desviada para o vermelho.

Para as medidas de distância, inicialmente Hubble usou a mesma técnica de variáveis Cefeida que havia resolvido a questão dos "universos-ilhas". No entanto, mesmo com o gigante de cem polegadas, Cefeidas só podiam ser encontradas em nebulosas relativamente próximas. Se a velocidade de recessão realmente aumentava com a distância, essa limitação era bastante desagradável, já que nebulosas vizinhas não se afastam com velocidades elevadas. De fato, devido a efeitos locais, como a atração gravitacional de galáxias vizinhas, velocidades em direções arbitrárias muitas vezes dominavam a velocidade de recessão na direção radial. Embora as variáveis Cefeida fossem um bom primeiro passo para estimativas de distância, Hubble tinha de encontrar outra "fonte padrão" para nebulosas mais distantes. Hubble procurou as estrelas mais brilhantes que podia encontrar em nebulosas vizinhas. Afinal, para que "fontes padrão" possam ser vistas a distâncias intergalácticas, elas precisam ser o mais brilhante possível. Seu plano era simples: já que ele conhecia a distância até as nebulosas vizinhas usando Cefeidas, poderia determinar a luminosidade intrínseca das estrelas mais brilhantes usando a lei do quadrado inverso. Hubble descobriu que as estrelas mais brilhantes tinham luminosidades intrínsecas semelhantes, como lanternas exatamente iguais espalhadas pela noite. (Ele realmente possuía o toque de Midas.) Supondo, portanto, que as estrelas mais brilhantes em nebulosas distantes têm a mesma luminosidade intrínseca que em nebulosas vizinhas, Hubble podia usá-las como fontes padrão, usando a lei do quadrado inverso para calcular sua distância.[26]

Em 1929, Hubble escreveu um artigo intitulado "Uma relação entre a distância e a velocidade radial de nebulosas extragalácticas", em que claramente defendia a existência de uma relação linear entre a velocidade de recessão e a distância de nebulosas distantes. O Universo não só era muito maior do que se imaginava até o início da década de 1920, como também era uma entidade dinâmica. Como Hubble afirmou no último parágrafo de seu artigo, uma nova era para a cosmologia estava começando, ligando teoria e observações:

> A propriedade que mais se destaca [dessas observações], entretanto, é a possibilidade de que a relação entre a velocidade de recessão e a distância esteja representando o efeito previsto por De Sitter, e que, portanto, dados numéricos possam ser usados para discutir questões sobre a curvatura global do espaço.[27]

Hubble continuou testando a relação entre velocidade e distância para nebulosas cada vez mais distantes. Em 1931, ele publicou um artigo com Humason melhorando consideravelmente seus resultados de 1929. Preocupado em ser propriamente reconhecido por seu trabalho, ele escreveu para De Sitter:

> A possibilidade de uma relação entre a velocidade de recessão e a distância das nebulosas não é nova — você, acredito, foi o primeiro a mencioná-la. Mas nossa nota preliminar de 1929 foi a primeira apresentação dos dados relevantes [...] para estabelecer a relação. Mais ainda, naquela nota, nós anunciamos um programa observacional com objetivo de testar a relação para distâncias ainda maiores — de fato, esgotando as possibilidades do telescópio de cem polegadas. O trabalho foi árduo mas recompensador, já que os novos resultados confirmaram nossos resultados de 1929. Por essas

razões, considero a relação entre a velocidade e a distância, em sua formulação, teste e confirmação, uma contribuição do observatório do monte Wilson e estou profundamente preocupado em que ela seja reconhecida como tal.[28]

Com sua combinação de gênio e ambição, Hubble sabia não só obter o que queria como também garantir que seus colegas tomassem conhecimento de seus feitos. No mesmo ano, De Sitter e Einstein visitaram Hubble em Pasadena, na Califórnia, proclamando o brilho e a fundamental importância de suas fantásticas descobertas.[29] Einstein enfim aceitou a expansão do Universo como uma realidade, removendo para sempre a constante cosmológica de suas equações. (Outros físicos insistem ocasionalmente em reintroduzi-la, especialmente em épocas de crise entre teoria e observação.) Mesmo que outras indicações apoiando a relação entre a velocidade de recessão e a distância existissem antes das investigações de Hubble, ele merece o crédito pela sua formulação detalhada e pela sua confirmação através de meticulosas observações. A relação, escrita simplesmente como $v = H d$, é conhecida como *Lei de Hubble*, e a constante H como constante de Hubble. Mesmo que algumas pessoas acreditassem que elas também mereciam crédito pela descoberta, ninguém se apresentou para desafiar o ex-boxeador.

A plasticidade do espaço-tempo, alicerce fundamental da relatividade geral, é maravilhosamente expressa na expansão do Universo. Carregadas pela geometria em expansão, bilhões de galáxias decoram, com sua infinita riqueza de luz e forma, a imensidão crescente do espaço. O Universo é uma entidade dinâmica, dançando a dança do devir, da transformação. Em todas as escalas, dos componentes mais minúsculos da matéria até o Universo como um todo, movimento e transformação emergem como símbolos da nova visão de mundo, substituindo a visão rígida da física clássica.

Novas ideias geram sempre novas perguntas. Essa curiosidade sem fim é a espinha dorsal da ciência. Já que o Universo está em expansão, é natural que os cosmólogos quisessem reconstruir sua história. Antigas questões voltam a inspirar — e a assombrar — a criatividade científica. Será que o Universo teve uma "origem"? Será que terá um fim? Qual seu tamanho? Qual a sua idade? Se teve um "início", será que podemos compreendê-lo? Como evoluiu de "lá" até "aqui"? Tal como sacerdotes e profetas fizeram em tempos ancestrais, cientistas irão dedicar-se a essas perguntas com renovada paixão e dedicação. Armados com seus novos instrumentos de descoberta, irão explorar as possibilidades da ciência até seus limites. Na verdade, talvez até um pouco além de seus limites. Afinal, se não forçarmos nossos limites, como poderemos expandir nossas fronteiras? O risco é o melhor amigo da curiosidade. A nova geração de modelos cosmológicos irá integrar o muito pequeno ao muito grande, usando ideias da física nuclear e das partículas elementares para reconstruir a evolução do Universo. Essa demonstração de coragem foi recompensada de modo espetacular quando cosmólogos obtiveram o modelo que descreve a infância do Universo, conhecido como o modelo do big bang.

Entretanto, quando lidamos com questões relacionadas a origens, conforme iremos discutir a seguir, a indagação científica encontra seus limites de validade. Modelos proliferam, inspirados por uma combinação de raciocínio físico e preconceitos pessoais. Algumas dessas ideias, embora vestidas cuidadosamente em jargão científico, curiosamente refletem certas imagens míticas propostas há muito tempo, criadas em contextos muito diferentes. Parece que nossa criatividade está fadada a repetir-se, mesmo que com uma simbologia diversa. Será que essa limitação é uma fraqueza da criatividade humana? Acredito que não. Mais do que qualquer outra coisa, essa limitação revela as raízes comuns da imaginação humana, e como ela é refletida nos vários veículos que encontramos para dar sentido ao mundo à nossa volta e às nossas vidas. Como a personagem Hannah na peça teatral *Arcadia*, de Tom Stoppard, comenta, "comparar os objetos de nossas buscas não faz sentido. É ao exercer nossa curiosidade que nos tornamos relevantes".[30]

10. ORIGENS

*Apenas Ele que é o Senhor dos céus sabe.
Apenas Ele sabe, ou talvez nem Ele saiba!*
Rig Veda, X

UM EXEMPLO DOMÉSTICO de dialética, contido num curto diálogo com meu filho Andrew, então com sete anos:

ANDREW: Pai, existe alguma coisa que possa viajar mais rápido do que a luz?
MG: Não.
ANDREW: E a escuridão?

Nada como uma criança para nos lembrar dos vários modos de perceber a realidade à nossa volta! Sem dúvida, quando tentamos organizar o mundo que nos cerca, o uso de opostos é extremamente útil. Dia-noite, fêmea-macho, morto-vivo, esquerda-direita, rico-pobre, as polaridades estão por toda parte. É muito provável que o nosso próprio cérebro seja produto dessa realidade polarizada, bem adaptado ao mundo onde ele deve funcionar. Em outras palavras, organizamos o mundo à nossa volta em termos de opostos porque nosso cérebro, sendo produto de interações otimizadas com essa realidade externa, foi desenvolvido para funcionar dessa maneira. Essa seria, numa versão simplificada, a explicação oferecida pela teoria da evolução para o desenvolvimento de nosso cérebro a partir da seleção natural. Mas, se esse for de fato o mecanismo através do qual nosso cérebro evoluiu, somos obrigados a enfrentar uma questão bastante desagradável. Se nosso cérebro, e, portanto, o modo como pensamos, é produto do ambiente em que ele funciona, será que podemos construir uma visão "pura" do mundo? Em outras palavras, será que podemos transcender a limitação de sermos "criaturas do mundo", de modo a construir uma visão realmente completa, sobre-humana, da realidade? Ou será que estamos aprisionados dentro de nossos próprios mecanismos racionais? Parece que temos de aceitar o fato de que nossa percepção da realidade é realmente limitada.

Quando essas questões começam a perturbar minha paz de espírito, escapo para as montanhas de New Hampshire, onde moro, ou escuto música, de preferência com a intensidade de Mahler: beleza externa e beleza criada por (alguns de) nós. Em breve, meu medo de estar para sempre condenado a ter uma percepção limitada do mundo é dissipado pela beleza da paisagem ou pela beleza da música, que fazem com que meu cérebro pulse com energia renovada. Eu me convenço de que, mesmo que horizontes possam existir, eles são horizontes em fuga, que nunca serão atingidos; numa terra de horizontes em fuga, um viajante inspirado sempre encontrará novas maravilhas. Pelo menos, essa é a minha metáfora para a criatividade humana.

E assim, armados com nosso cérebro finito, nos questionamos sobre o infinito e sobre como transcender a realidade bipolar em que vivemos. De todas as questões sobre a Natureza que podem ser formuladas, nenhuma é tão fundamental quanto a questão da origem do Universo, o que chamei de "A Pergunta", no capítulo 1. Com o desenvolvimento da cosmologia durante as três primeiras décadas do século XX, tornou-se possível, pela primeira vez na história da humanidade, que questões sobre a origem do cosmo fossem encaradas de modo quantitativo. Conforme veremos a seguir, as leis da física, juntamente com um sólido programa observacional, podem ser usadas para reconstruir os aspectos mais importantes da história do Universo com enorme precisão.

Claro que essa reconstrução ainda está longe de ser concluída (será que ela *pode* ser concluída?), e muitas questões de grande importância permanecem em aberto. Duas questões em aberto que concernem às "origens" e que são de muito grande interesse para mim são a da origem da matéria, ou seja, de onde veio a matéria que compõe tudo que existe no Universo, e a da origem do Universo como um todo. Embora ambas estejam relacionadas com problemas de "origens", elas são muito diferentes. Se por um lado é possível, ao menos em princípio, responder à questão da origem da matéria usando ideias bem estabelecidas (ou *quase* que bem estabelecidas) em física, a questão da origem do Universo é muito mais complicada. Mesmo que seja possível usar relatividade geral e mecânica quântica na construção de modelos matemáticos que descrevam de modo autoconsistente uma possível "origem", na minha opinião modelos por si sós não são suficientes para que realmente possamos entender a origem do Universo. Já que todos esses modelos *supõem* a validade das leis da física como ferramenta fundamental em sua construção, eles, por definição, não podem explicar qual a origem das próprias leis da física. Se simplesmente supusermos que as leis da física foram criadas juntamente com o Universo, cairemos forçosamente numa regressão infinita.

Na minha opinião, que também é defendida por outros colegas, como, por exemplo, Paul Davies, é a questão da origem das leis da física que lida de fato com "A Pergunta". Infelizmente, a resposta para tal pergunta está além do alcance das teorias físicas, pelo menos do modo como elas são formuladas no momento. Será que devemos então desistir de investigar essas questões através da física? Certamente não! Mas talvez, ao refletirmos sobre essas questões, e sobre nossas limitações ao lidarmos com elas, um pouco de humildade, tantas vezes esquecida no "calor" do debate científico, venha a ser restaurada.

O ÁTOMO PRIMORDIAL

Uma consequência imediata da Lei de Hubble é que, se o Universo está se expandindo, ele deve ter sido menor no passado. Consequentemente, já que a expansão do Universo é uma expansão do espaço, a distância entre dois pontos deve ter sido menor no passado.[1] Como vimos antes, galáxias são "carregadas" pela expansão, como rolhas flutuando num rio. De fato, se pudéssemos visualizar a evolução do Universo como um filme que podemos passar de trás para a frente ou vice-versa (algo que faremos várias vezes neste capítulo), passando o filme para trás, obrigatoriamente encontraríamos um instante no passado no qual as galáxias estariam agrupadas em uma região muito pequena do espaço.

É muito tentador imaginar que, como vemos galáxias afastando-se da Via Láctea em todas as direções, passando o filme de trás para a frente veríamos todas as galáxias do Universo caindo sobre nós. Será então que somos o centro do Universo? Certamente não! Lembre-se de que o Universo não tem um centro, que todos os pontos espaciais são equivalentes. O que vemos de nossa posição perfeitamente mundana no Universo é o que outros observadores verão de qualquer outro ponto no Universo. Se "eles" passassem o filme de trás para a frente, "eles" veriam todas as outras galáxias se aproximando "deles", de modo análogo ao que veríamos da nossa posição.

Usando a relação entre a distância e a velocidade de recessão e supondo que as velocidades de recessão permaneceram essencialmente constantes durante todo o período de expansão, Hubble obteve o intervalo de tempo necessário para as galáxias terem viajado de um ponto de concentração inicial até a sua distância atual:[2] ou seja, ele obteve uma medida aproximada da idade do Universo. Sua resposta foi 2 bilhões de anos. Sem dúvida um resultado fascinante, não fosse por um pequeno problema: na época, sabia-se que a idade da Terra era de pelo menos 3 bilhões de anos! (O número atual é próximo de 5 bilhões.) Como a Terra poderia ser mais velha do que o Universo? Essa discrepância embaraçosa não contribuiu nem um pouco para a popularidade da cosmologia.

Inicialmente, os cosmólogos tentaram lidar com esse problema redefinindo o significado da expressão "idade do Universo". Talvez tempo cosmológico e tempo geológico fossem coisas diferentes, ou talvez o início do tempo cosmológico tivesse ocorrido um pouco mais tarde do que se pensava. Essa situação preocupou De Sitter profundamente. Em 1932, ele escreveu que "essa é uma dificuldade muito séria para a teoria do Universo em expansão", um "paradoxo", e um "dilema".[3] Ele até sugeriu, num tom que traía seu desespero, que, como "o 'Universo', tal como o átomo, é uma hipótese, [ele] também deve possuir a liberdade de exibir propriedades e comportamentos que seriam contraditórios e impossíveis para uma estrutura material finita".[4]

Quase posso ver a expressão de desgosto de Einstein com esse tipo de atitude. Como tentativa final, De Sitter sugeriu que talvez a suposição de que o Universo é homogêneo e isotrópico tivesse de ser abandonada no futuro. Curiosamente, De Sitter não considerou a possibilidade de que as medidas de Hubble não fossem tão precisas quanto ele gostaria. Apenas em 1952 Walter Baade iria mostrar que melhores medidas de distância levam a um Universo confortavelmente mais velho do que a Terra; mas esse alívio foi apenas temporário. Mesmo hoje, devido às severas dificuldades em medir distâncias intergalácticas, a determinação precisa da idade do Universo ainda é alvo de muita controvérsia em astronomia. Estimativas flutuam entre 10 bilhões e 20 bilhões de anos, minha escolha pessoal sendo em torno de 15. Felizmente, escolhas pessoais não ajudam (ou pelo menos não deveriam ajudar) muito a definir questões científicas.

Por volta dessa época, uma nova voz apareceu em cosmologia. Georges Henri Joseph Edouard Lemaître nasceu em Charleroi, na Bélgica, no dia 17 de julho de 1894. Após uma infância cômoda e tranquila, Lemaître arquitetou um plano acadêmico bastante diferente; ele queria ser tanto padre como físico. Infelizmente, devido a problemas financeiros em sua família, Lemaître teve de adiar seus planos. Preocupado com seu futuro financeiro, seu pai aconselhou-o a esquecer essas tolas fantasias de clero e ciência e entrar para a escola de engenharia. Porém, quando o desejo de seguir uma carreira é suficientemente forte, é inútil tentar evitar o inevitável simplesmente por necessidades materiais; a carreira de Lemaître como engenheiro seria extremamente curta.

Essa história, guardadas as devidas proporções, lembra-me muito o que aconteceu comigo durante o meu processo de definição profissional. Quando terminei o segundo grau, também queria ser físico.[5] Lembro-me dos argumentos de meu pai, cuidadosamente construídos, contra essa decisão profissional. Preocupado com meu futuro, meu pai me perguntou se eu realmente acreditava que alguém iria me pagar um salário decente para "contar estrelas". Enquanto eu tentava justificar minha decisão, meu pai continuou seu ataque, com sua voz segura: "O Brasil precisa de engenheiros químicos". Desisti. Talvez eu pudesse ser o único engenheiro químico do mundo com uma foto autografada de Einstein decorando a parede do escritório. Que honra! Talvez eu pudesse estudar a teoria da relatividade como amador, como fiz com a música. Mas minha autonegação não durou muito. Após dois anos de experiências desastrosas no laboratório de química, me transferi para a física, a decisão mais feliz de minha vida profissional. Mesmo assim, lembro-me do medo que senti antes de tomar esse passo. Fui visitar Luiz, meu irmão mais velho (e, às vezes, mais sábio), que estava hospitalizado com um forte ataque de hepatite. Após eu ter exposto todos os pontos contra e a favor da minha mudança de carreira, Luiz tocou no ponto que realmente me preocupava: "Você é bom o suficiente?". "Hum, eu acho que sim", respondi, um tanto sem graça. "Então, vai fundo." E eu fui.

Lemaître formou-se em engenharia civil em 1913, começando seu treinamento como engenheiro de minas logo em seguida. Às vezes, só um evento muito dramático pode ser capaz de mudar a direção de uma vida. No meu caso, o evento foi minha participação (compulsória) no laboratório de química inorgânica. No caso de Lemaître, o "evento" foram 53 meses de exposição aos horrores da Primeira Guerra Mundial. Quando a guerra terminou, Lemaître sabia que ele tinha de seguir seu sonho. No outono de 1920, ele se matriculou conjuntamente num programa de pós-graduação em física-matemática e na Maison Saint Rombaut, parte do seminário da arquidiocese de Malines, onde adultos eram treinados para se tornarem padres.[6] Em setembro de 1923, Lemaître foi ordenado padre. Em outubro, ele se juntou ao grupo de pesquisa liderado por Eddington, em Cambridge. Após um ano em Cambridge, Inglaterra, Lemaître mudou-se para Cambridge, Massachusetts, onde se juntou ao grupo de Shapley, em Harvard. Com isso, Lemaître obteve uma sólida formação tanto em física teórica como em astronomia, uma combinação que iria determinar seus esforços para conectar aspectos teóricos e observacionais da cosmologia durante toda sua carreira.

Em 1927 Lemaître escreveu um artigo no qual basicamente redescobria as soluções cosmológicas prevendo a expansão do Universo encontradas anteriormente por Friedmann. No mesmo artigo, ele mostrou que essas soluções, tal como o modelo de De Sitter, também levavam a uma relação linear entre a velocidade de recessão e a distância de galáxias distantes. Infelizmente, o artigo foi publicado num jornal bastante obscuro e permaneceu desconhecido pela comunidade científica. Lemaître tentou discutir seus resultados com Einstein, mas este não mostrou muito interesse: "Vos calculs sont corrects, mais votre physique est abominable" (Seus cálculos estão corretos, mas sua física é abominável). Contudo, o futuro de Lemaître iria mudar em breve. Alguns anos mais tarde, Einstein iria aplaudir de pé suas ideias.

Após a publicação dos resultados de Hubble, muitos cosmólogos, incluindo Eddington e De Sitter, procuraram arduamente um modelo semirrealista do Universo que pudesse acomodar tanto a presença de matéria como sua expansão. Quando Lemaître soube disso, lembrou a seu ex-orientador (Eddington) que ele havia resolvido esse problema em 1927. (E Friedmann em 1922!) Eddington finalmente leu o artigo de Lemaître e conseguiu que uma tradução fosse publicada no importante jornal *Monthly Notices of the Royal Astronomical Society*. Finalmente, as ideias pioneiras de Lemaître receberam a atenção merecida. Gozando sua nova fama, Lemaître prosseguiu com a parte mais ambiciosa de seu plano: desenvolver, mesmo que qualitativamente, uma história completa do Universo. Conforme ele escreveu alguns anos mais tarde:

> O objetivo de qualquer teoria cosmogônica é procurar as condições mais simples possíveis que poderiam ter dado origem ao mundo. A partir dessas condições iniciais, a ação subsequente de forças físicas deve ser capaz de gerar toda a complexidade que observamos na Natureza.[7]

Em 1931, Lemaître publicou um artigo no jornal *Nature*, propondo a ideia do "átomo primordial". Segundo ele, a evolução inicial do Universo pode ser descrita nos termos da desintegração de um núcleo radioativo instável, combinando elementos de física nuclear com a segunda lei da termodinâmica. Nesse artigo, ele não demonstrou uma preocupação maior com a questão da origem do próprio núcleo. É interessante notar que a ideia do átomo primordial foi comparada em algumas ocasiões ao mítico "ovo cósmico" dos mitos de criação. Nas palavras de Lemaître:

> Supostamente, esse átomo existiu por apenas um instante. De fato, ele era instável e, *assim que passou a existir*, quebrou-se em fragmentos que, por sua vez, também quebraram-se em mais fragmentos; esses fragmentos, que incluíam elétrons, prótons, partículas alfa etc., escaparam em todas as direções. Como a desintegração do átomo foi acompanhada por um rápido crescimento do raio do espaço, o volume do Universo começou a crescer, sendo preenchido pelos próprios fragmentos do átomo primordial, sempre uniformemente [...] [grifo meu].[8]

Lemaître então passa a descrever como, a partir desses constituintes básicos da matéria, nuvens de gás se condensaram, dando origem a aglomerados de nebulosas. Ele até propôs que "raios fósseis", que ele associou com raios cósmicos, fragmentos desses "fogos de artifício cósmicos", estariam espalhados pelo Universo. Imagine a surpresa de Lemaître se soubesse que, de fato, "raios fósseis" permeiam o Universo, embora não estejam relacionados com raios cósmicos. Num certo sentido, Lemaître construiu toda a história do Universo em sua mente. Sua intuição era realmente genial. Mesmo assim, ele teve a humildade de conceder que sua imagem era apenas qualitativa e não quantitativa: "Naturalmente, não devemos dar muita importância a essa descrição do átomo primordial, já que ela certamente será modificada quando conhecermos melhor a física dos núcleos atômicos".[9] Essas palavras são realmente proféticas! O modelo cosmogônico de Lemaître, uma espécie de híbrido entre um modelo científico e um mito de criação, será o precursor do moderno modelo do big bang.

E Lemaître como padre? Como ele reconciliou sua visão científica da Criação com sua religiosidade? Lemaître fez todo o possível para manter as duas separadas. Ele insistiu que a hipótese do átomo primordial era puramente científica, não sendo de modo algum inspirada por sua visão religiosa da Criação. De fato, ele não reagiu muito favoravelmente à comparação feita pelo papa Pio XII, em 1951, entre o estado inicial do Universo descrito pela ciência e a interpretação católica da Criação segundo a Bíblia. Em 1958, cedendo à pressão de vários colegas, Lemaître finalmente concordou em tornar pública sua posição:

> Na minha opinião, essa teoria [científica da Criação] é imune a qualquer questionamento de natureza metafísica ou religiosa. Ela permite que o materialista negue a necessidade de um Ser transcendental [...] Já para o crente, ela remove qualquer tentativa de aproximação com Deus [...] Ela é semelhante ao Deus Invisível de Isaías, escondido no início [da Criação].[10]

A natureza do mistério está na mente de quem o contempla. Lemaître nunca negou a possibilidade de que o próprio processo de criação do átomo primordial pudesse vir a ser explicado cientificamente, propondo (mais uma vez com incrível presciência) que a resposta talvez seja encontrada ao aplicarmos a mecânica quântica ao Universo como um todo. Tal como com vários outros físicos que encontramos até aqui, o aspecto da religiosidade de Lemaître que tanto inspirou seu trabalho foi sua profunda veneração pela beleza da Natureza, e sua fé no poder da razão para desvendar os mistérios encontrados por aqueles que se aventuram um pouco mais além que a maioria. Lemaître passou sua vida explorando terras com horizontes em fuga.

O UNIVERSO DO SER

Mesmo que as ideias de Lemaître tenham recebido apoio de alguns cosmólogos, elas não foram levadas muito a sério por um longo tempo. Afinal, acreditar na existência de um evento marcando o "início de tudo", com todas suas conotações religiosas, era algo que muitos achavam repugnante. Como uma teoria científica do Universo pode ser formulada a partir de um evento que simplesmente é impossível de ser explicado por argumentos baseados em causa e efeito? E por que devemos acreditar que as leis da física são válidas nas condições extremas que certamente dominaram os primeiros "instantes"? O próprio Eddington, um devoto quacre, tentou evitar a questão da Criação *ex nihilo* propondo que, "já que eu não posso evitar a introdução da questão do início de tudo, parece-me que uma teoria satisfatória deve ser capaz de fazer com que o início de tudo *não seja particularmente abrupto de um ponto de vista estético*".[11] Eddington argumentou que, se no início toda a matéria estivesse distribuída homogeneamente num pequeno volume, seria impossível distinguir entre "identidade indiferenciável e o nada". Nesse universo, a evolução seria produto do crescimento progressivo de pequenas imperfeições, em oposição aos espetaculares "fogos de artifício cósmicos" de Lemaître.

À parte o abrupto aparecimento acausal do Universo em um determinado momento do passado, modelos cosmológicos evolucionários sofriam de um problema mais imediato; Hubble havia medido que o Universo é mais jovem do que a Terra. O desgosto filosófico por um Universo com um início e os problemas com as medidas da idade do Universo empreendidas por Hubble levaram um trio de físicos britânicos a propor um modelo cosmológico completamente diferente. No chamado modelo do *estado estacionário*, o Universo basicamente sempre foi o mesmo, não tendo uma origem temporal. Esse modelo descrevia um Universo do ser, sem um evento de criação, que nos faz recordar o mito jainista que examinamos no capítulo 1, ou mesmo o Eon de Parmênides. Sob um ponto de vista filosófico, as motivações que levaram o trio britânico a propor o modelo do estado estacionário não eram assim tão distintas das dos jainistas ou dos eleáticos; uma aversão a um evento de criação e uma aversão à ideia de transformação no nível mais fundamental da Natureza. Mesmo que hoje em dia o modelo do estado estacionário seja obsoleto (existem ainda alguns defensores, mas eles estão se tornando cada vez mais raros), sua breve vida nos fornece informação de importância fundamental no estudo do desenvolvimento da cosmologia moderna.

Em 1948, Thomas Gold e Hermann Bondi, e, independentemente, Fred Hoyle, todos de Cambridge, publicaram dois artigos no jornal *Monthly Notices* descrevendo sua nova teoria cosmológica sem um evento de Criação. Mesmo sendo bastante diferentes, os dois artigos são frequentemente tomados como representando a "escola de pensamento" do modelo do estado estacionário.[12] Eles propõem uma extensão do princípio cosmológico originalmente sugerido por Einstein conhecida como *princípio cosmológico perfeito*. Segundo esse princípio, o Universo não só é o mesmo em toda parte como também através dos tempos. Nesse caso, já que o Universo é infinitamente velho, o problema de sua idade desaparece. Tudo que restava para ser feito pelo trio era acomodar a recessão das galáxias no seu Universo do ser.

Ao expandir-se, o Universo torna-se menos denso, já que a mesma quantidade de matéria ocupa um volume cada vez maior. Quanto mais velho, portanto, for o Universo, menos denso ele será: uma característica típica dos modelos cosmológicos evolucionários. No entanto, no modelo do estado estacionário, o Universo não pode ter sua densidade média de matéria diminuída; por definição, ela deve permanecer constante. De modo a evitar essa "diluição" da matéria, Bondi, Gold e Hoyle sugeriram que, à medida que a expansão do Universo provoca a diminuição da densidade de matéria, mais matéria é criada, de modo a manter a densidade média de matéria constante. Talvez uma analogia possa ser útil. Imagine que você encheu uma banheira com água. Agora puxe a tampa do ralo, permitindo que a água escape. Você pode medir a razão com que a água está escapando acompanhando o nível de água na banheira. Se você abrir a torneira o suficiente, de modo que a mesma quantidade de água que estiver escapando pelo ralo esteja entrando de novo na banheira, você terá atingido uma situação semelhante ao modelo do estado estacionário; enquanto sua caixa-d'água não estiver vazia, o nível de água na banheira permanecerá constante.

"Espere um momento", você exclama, visivelmente irritado. "Brincar de encher e esvaziar banheiras é fácil, mas de onde vem essa matéria extra para manter a densidade de matéria do Universo constante no modelo do estado estacionário?" Ótima pergunta. A criação espontânea de matéria viola nossa lei mais querida, a lei da conservação de energia. Claro que o trio britânico sabia muito bem desse fato. Eles astutamente responderam que apenas podemos afirmar que a energia é conservada por intermédio de experimentos. E, já que todo experimento tem precisão limitada, como podemos saber se a energia é *exatamente* conservada? Quando calculamos a quantidade de matéria que deve ser espontaneamente criada para manter o Universo em estado estacionário, obtemos a taxa absurdamente minúscula de três átomos de hidrogênio por metro cúbico a cada milhão de anos. Certamente, ninguém pode medir uma violação da conservação de energia nesse nível. Mais ainda, o trio argumentaria, será que a criação espontânea de matéria é tão pior do que a criação abrupta do Universo como um todo?

Na mesma época em que o modelo do estado estacionário apareceu na literatura especializada, George Gamow e seus colaboradores propuseram o modelo do big bang. Nenhum dos dois grupos ou seus aliados levou o outro muito a sério. Enquanto os ingleses afirmavam que o modelo do big bang era filosoficamente indefensável, Gamow e seus colaboradores afirmavam que o modelo do estado estacionário era filosófico demais. De fato, o termo "big bang" foi criado por Hoyle para satirizar a ideia de um Universo com uma origem. Com a cordialidade (raramente) típica das disputas científicas, os dois times concordaram que a decisão final estava além de preconceitos filosóficos e preferências pessoais, devendo ser determinada por observações.

O primeiro problema enfrentado pelo modelo do estado estacionário apareceu por volta de 1952, quando Walter Baade, usando o telescópio de duzentas polegadas do observatório do monte Palomar, mostrou que a estimativa que Hubble fizera da idade do Universo estava incorreta devido a problemas em suas medidas de distância. A idade do Universo dobrou imediatamente, em breve chegando a ser cinco vezes maior do que o número original de Hubble, confortavelmente mais velha do que a Terra. Com isso, o problema da idade do Universo desapareceu (pelo menos temporariamente). O segundo problema encontrado pelo modelo do estado estacionário apareceu em 1955, quando um grupo de radioastrônomos de Cambridge, liderados por Martin Ryle, mostrou que seu levantamento de fontes de rádio (objetos astrofísicos que emitem radiação eletromagnética com comprimentos de onda de rádio) contradizia os cálculos de Hoyle: o modelo do estado estacionário previa um número menor de fontes do que o observado pelo levantamento de Cambridge. Oposição dentro da própria casa é a mais difícil de ser enfrentada.

O golpe de misericórdia veio em 1965, quando foi descoberto que o Universo é permeado por uma radiação de corpo negro composta de fótons muito frios. Como veremos em seguida, essa radiação havia sido prevista pelos proponentes do modelo do big bang como sendo os "raios fósseis" de uma época em que o Universo era muito mais quente do que hoje. O modelo do estado estacionário não pôde oferecer uma explicação plausível para esse fenômeno e teve de ser abandonado. Mudança e transformação caracterizam o Universo físico. Como Heráclito escreveu há mais de 25 séculos, "não se pode entrar duas vezes no mesmo rio".

O UNIVERSO DO DEVIR

Um dos aspectos mais notáveis da hipótese do átomo primordial de Lemaître foi sua sugestão de que os primeiros estágios da evolução do Universo foram praticamente dominados pela física do muito pequeno, em particular pela física atômica e pela física nuclear. A visão de Lemaître sugeriu uma profunda conexão entre a física do muito pequeno e a física do muito grande. Sua ênfase na física nuclear foi profética; quando Lemaître propôs seu "ovo cósmico radioativo" em 1931, a física nuclear ainda estava em sua infância. Por exemplo, o nêutron, companheiro do próton no núcleo atômico, só foi descoberto em 1932. No entanto, durante a década de 1930 a física nuclear avançou rapidamente, culminando com o dramático bombardeio de Hiroshima e Nagasaki em 1945 pelos Estados Unidos.

A assombrosa quantidade de energia liberada quando núcleos radioativos pesados são divididos (fissionados) em núcleos menores pelo bombardeio de nêutrons provocou uma mudança radical na história coletiva da humanidade; pela primeira vez em toda a história, temos o poder de nos aniquilar por completo centenas de vezes. Pela primeira vez em toda a História, é possível lutar numa guerra diferente de todas as outras, uma guerra sem vencedores. Conforme escreveu Oppenheimer após a detonação da primeira bomba atômica no deserto do estado americano do Novo México,

> nós esperamos até que os efeitos mais imediatos da explosão houvessem se acalmado para sairmos de nossos abrigos. A atmosfera geral era extremamente solene. Sabíamos que o mundo jamais seria o mesmo. Algumas pessoas riam, outras choravam. Mas a maioria permaneceu em silêncio. Eu me recordei de uma passagem das escrituras hindus, o *Bagavad-Gita*: Vishnu está tentando convencer o Príncipe a concluir suas tarefas. Para pressioná-lo, ele assumiu sua forma com vários braços e disse: "Agora sou a Morte, destruidora de mundos". Acho que todos nós, de uma forma ou de outra, estávamos pensando a mesma coisa.[13]

Deixando de lado o uso sombrio da energia nuclear pelos militares, a década de 1930 também presenciou a aplicação da física nuclear ao estudo de objetos astrofísicos. Em particular, tornou-se claro que a enorme quantidade de energia que é continuamente gerada pelas estrelas é o resultado de uma sequência (cadeia) de reações nucleares, ou seja, reações envolvendo combinações e desintegrações de núcleos atômicos. No final dos anos 30, Hans Bethe e outros haviam desenvolvido uma teoria explicando por que o Sol brilha. Também era bastante claro que o tipo de reação nuclear responsável pelo brilho do Sol é muito diferente das reações responsáveis pelo poder da bomba atômica. As reações de fissão que controlam a liberação de energia numa explosão nuclear são num certo sentido "reações destrutivas"; a energia é liberada quando núcleos pesados são divididos em núcleos menores. Já as reações nucleares que geram a energia das estrelas são "reações construtivas": a energia é liberada à medida que núcleos maiores são fundidos a partir de núcleos menores. Daí o nome reações de fusão nuclear.

Esse conceito da fusão progressiva de núcleos maiores a partir de núcleos menores é de extrema importância não só para compreendermos por que estrelas brilham, mas também para compreendermos a infância do Universo. Talvez seja oportuno usarmos alguns minutos para recordar como os químicos organizam a tabela periódica dos elementos. Existem 92 elementos químicos que ocorrem naturalmente. Para distingui-los, devemos contar o número de prótons em seus núcleos. O hidrogênio, o elemento mais leve, tem um próton em seu núcleo, enquanto o hélio, o segundo elemento mais leve, tem dois; o próximo, o lítio, tem três etc., até o urânio, que tem 92 prótons em seu núcleo. Como os prótons têm carga elétrica, para que um átomo seja eletricamente neutro ele deve ter o mesmo número de elétrons e de prótons; a carga negativa total dos elétrons neutraliza a carga positiva total dos prótons. Portanto, o hidrogênio tem um elétron, o hélio tem dois etc. O último membro do clã atômico é o nêutron, que é um pouco mais pesado do que o próton e eletricamente neutro. (Daí o nome, nêutron.) Ele divide com o próton a honra de ser parte do núcleo atômico.

O núcleo atômico é constituído de prótons e nêutrons. Por sua vez, núcleos são cercados por elétrons "orbitando" à sua volta.[14] Mas, se queremos entender o funcionamento dos átomos, é fundamental que exploremos as propriedades das forças agindo sobre seus constituintes básicos. Sabemos que, como o próton e o elétron têm cargas elétricas contrárias, eles são atraídos por uma força eletromagnética. Também sabemos, usando a mecânica quântica, por que o elétron não cai sobre o núcleo. Mas e o núcleo? Se o núcleo é composto de prótons, todos repelindo-se eletricamente, como ele permanece estável? Certamente algo mais poderoso que a repulsão elétrica entre os prótons está agindo para manter o núcleo estável, uma espécie de "cola nuclear". Esse algo é conhecido como *força forte*, que é aproximadamente cem vezes mais forte do que a repulsão elétrica existente entre os prótons. Não sentimos os efeitos da força forte no nosso dia a dia devido ao seu curtíssimo alcance. Contrariamente às forças gravitacionais e eletromagnéticas, que têm alcance infinito, diminuindo de modo proporcional ao quadrado da distância, a força forte opera apenas dentro de distâncias nucleares.

Um dos aspectos mais fascinantes da força forte é que ela não só faz com que os prótons sejam atraídos entre si, mas também com que os nêutrons sejam atraídos por outros nêutrons e prótons. Um núcleo com vários prótons e nêutrons permanece estável, portanto, devido à ação da força forte, a "cola nuclear". O fato de que a força forte é insensível a cargas elétricas adiciona uma nova dimensão à física nuclear. Já que nêutrons são eletricamente neutros, é possível que um dado elemento tenha números diferentes de nêutrons em seu núcleo. Por exemplo, o átomo de hidrogênio tem apenas um elétron e um próton e nenhum nêutron, mas é possível adicionar um ou dois nêutrons ao seu núcleo. Esses "primos mais pesados" do hidrogênio são conhecidos como *isótopos*. O deutério tem um próton e um nêutron, enquanto o trítio tem um próton e dois nêutrons em seu núcleo. Todo elemento tem vários isótopos, obtidos pela adição ou extração de nêutrons de seu núcleo.

Agora que conhecemos um pouco sobre núcleos e isótopos, podemos voltar à ideia de fusão progressiva. Como o deutério é sintetizado? Fundindo um próton e um nêutron. E o trítio? Fundindo outro nêutron ao deutério. E o hélio? Fundindo dois pró-

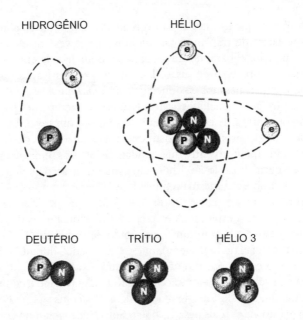

Figura 10.1: Átomos e isótopos.

tons e dois nêutrons, algo que pode ser feito de vários modos.[15] A fusão de elementos mais pesados continua, gerando a enorme quantidade de energia liberada pelas estrelas.

Sempre que um processo de fusão ocorre, até o elemento ferro, com 26 prótons, energia é liberada. Essa energia é chamada de *energia de ligação*. Ela é a quantidade de energia que devemos fornecer a um sistema de partículas interagindo entre si de modo a romper sua ligação. O conceito de energia de ligação também é útil fora da física nuclear. Qualquer sistema de partículas ligadas por alguma força tem uma energia de ligação associada. Por exemplo, o átomo de hidrogênio, feito de um elétron e um próton, tem uma energia de ligação. Se eu disturbar o átomo com uma energia maior do que sua energia de ligação, posso quebrar a ligação entre o próton e o elétron, que poderão, então, mover-se independentemente um do outro. O que Bethe e outros descobriram é que as estrelas são verdadeiros laboratórios alquímicos, capazes de transmutar elementos mais leves em elementos mais pesados, liberando uma quantidade imensa de energia durante esse processo de fusão. Essa fusão progressiva de núcleos cada vez mais pesados é conhecida como *nucleossíntese*.

Entretanto, qualquer sistema capaz de gerar energia mais cedo ou mais tarde esgotará sua reserva de combustível. Uma estrela se autoconsome para existir. Sua vida é uma busca desesperada de um equilíbrio entre duas tendências opostas, uma de implosão e a outra de explosão. Enquanto a intensa atração gravitacional da estrela sobre si mesma tende a fazê-la implodir, a liberação de energia térmica a partir dos processos de fusão nuclear faz com que ela tenda a explodir. A estrela existirá enquanto as duas tendências estiverem num dinâmico estado de equilíbrio. Composta na maior parte de hidrogênio, que é "queimado" durante bilhões de anos, a estrela por fim não conseguirá gerar energia suficiente para contrabalançar a atração inexorável da gravidade e começará a implodir. Seu destino final dependerá de sua massa. Para estrelas até oito vezes mais pesadas que o Sol, o hidrogênio no coração da estrela se fundirá e se transformará em hélio, o hélio, em carbono, e o carbono, em oxigênio. A violenta liberação da energia gerada por esses processos de fusão projeta material das camadas mais externas da estrela através do espaço, criando uma nebulosa planetária. Para estrelas oito vezes mais pesadas do que o Sol, a enorme pressão da gravidade em seu coração provocará a fusão de elementos ainda mais pesados do que o oxigênio, chegando até o ferro, o núcleo mais fortemente ligado. A estrela então explode com uma fúria tremenda, num fenômeno conhecido como explosão do tipo *supernova*.

Portanto, o carbono, o oxigênio e outros elementos pesados, que não só fazem parte de nosso organismo como também são fundamentais para nossa sobrevivência, foram sintetizados no interior de estrelas moribundas antes de serem projetados através do espaço interestelar. Nós somos filhos das estrelas.

Um dos físicos que investigavam os processos físicos responsáveis pela geração de energia por estrelas era George Gamow, o futuro pioneiro do modelo do big bang. Nascido em Odessa, Ucrânia, no dia 4 de março de 1904, Gamow foi aluno de Alexander Friedmann, o primeiro a propor um Universo dinâmico. Com a morte tragicamente prematura de Friedmann, em 1925, Gamow tornou-se o que poderíamos chamar de um órfão acadêmico. Após completar sua tese de doutoramento, ele visitou Copenhague e Cambridge, tornando-se professor em Leningrado (hoje novamente São Petersburgo) em 1931. Durante os dois anos seguintes, Gamow tentou escapar da União Soviética várias vezes, onde ele concluiu ser impossível trabalhar livremente em pesquisa. A filosofia partidária havia invadido as universidades, determinando o que podia e o que não podia ser estudado pelos cientistas. Por exemplo, qualquer estudo em cosmologia, ou outros tópicos relacionados à relatividade geral de Einstein, estava proibido, pois eles eram considerados contrários ao materialismo dialético. O dogmatismo necessariamente leva à ignorância. E a ignorância inspira o dogmatismo.

Em 1933, Gamow finalmente conseguiu escapar enquanto participava de uma conferência na Bélgica. Logo após sua fuga, ele aceitou uma posição como professor na Universidade de George Washington, em Washington, D.C., onde permaneceu até 1956. Em 1935, Gamow publicou seu primeiro artigo sobre nucleossíntese estelar, isto é, a síntese de núcleos em estrelas. Inspirado por seu trabalho, Gamow perguntou-se se os processos de fusão que ocorrem no interior de estrelas poderiam explicar a síntese de *todos* os elementos químicos encontrados na Natureza. Mais ainda, será que esses processos poderiam também explicar por que alguns elementos são mais abundantes do que outros? Após anos de investigação, em 1946 Gamow estava convencido de que a nucleossíntese estelar não era suficiente para explicar a abundância de todos os elementos, especialmente os mais leves. Ele então sugeriu uma explicação radicalmente diferente: talvez os elementos mais leves tivessem sido produzidos durante os primeiros instantes de existência do Universo. A proposta de Gamow tornou o Universo uma fornalha cósmica.

A ideia de uma infância quente para o Universo não era nova. Embora o átomo primordial de Lemaître fosse suficientemente frio para preservar as ligações nucleares entre seus constituintes, durante a década de 1930, Richard Tolman, do Instituto de Tecnologia da Califórnia (Caltech), e outros descobriram que um Universo dinâmico, conforme determinado pelas soluções de Friedmann, era muito denso e muito quente durante os primeiros estágios de sua evolução. Evitando a questão mais complicada da "singularidade inicial", ou seja, o ponto a partir do qual o próprio espaço e o tempo apareceram e no qual as leis da física deixam de funcionar (o "aleph" de Jorge Luis Borges?), Tolman aplicou a termodinâmica ao Universo em expansão, calculando a razão com que ele se resfriava, à medida que se expandia. Mais ainda, era possível prever a temperatura do Universo durante sua evolução. Tudo que era necessário era a quantidade e composição de matéria e radiação (isto é, fótons) que faziam parte da "sopa primordial". Se suposições plausíveis pudessem ser feitas sobre esses ingredientes, a história do Universo poderia em princípio ser reconstruída em detalhes.

Em 1947, Gamow recrutou a ajuda de dois colaboradores, Ralph Alpher e Robert Herman. Na época, Alpher era estudante de pós-graduação na Universidade George Washington, enquanto Herman trabalhava no laboratório de física aplicada da Universidade Johns Hopkins. Durante os seis anos seguintes, o trio iria elaborar a física do modelo do big bang, dando-lhe uma forma não muito diferente da que conhecemos hoje. O cenário desenvolvido por Gamow começa com o Universo cheio de prótons, nêutrons e elétrons. Esse "componente material" do Universo foi chamado de *ylem* por Alpher. Fora seu componente material, o Universo era banhado por fótons altamente energéticos, o "calor" do Universo primordial. O Universo era tão quente nesse estágio inicial que nenhuma ligação entre seus constituintes era possível; tentativas de ligação entre, por exemplo, um próton e um nêutron para formar o núcleo de deutério eram impedidas devido a colisões com fótons. Os elétrons, sendo ligados aos prótons pela força eletromagnética, muito mais fraca do que a força nuclear forte, não tinham a menor chance. Quando a temperatura é muito alta (fótons muito energéticos) nenhuma ligação é possível.

A que temperaturas estamos nos referindo aqui? Em torno de 500 bilhões de graus Celsius. Os vários constituintes básicos da matéria moviam-se livremente, colidindo entre si e com fótons, mas sem ligar-se para formar núcleos ou átomos, como pedaços de legumes num quentíssimo minestrone. À medida que o modelo do big bang evoluiu e chegou à versão aceita hoje, os ingredientes básicos da sopa mudaram, mas não sua receita básica.

A partir desse estado inicial, estruturas materiais complexas começarão a aparecer. A aglomeração hierárquica da matéria progrediu continuamente, juntamente com a expansão e resfriamento do Universo. À medida que a temperatura caiu, ou seja, que os fótons se tornaram menos energéticos, ligações nucleares entre prótons e nêutrons tornaram-se possíveis. Quando o Universo tinha em torno de um centésimo de segundo de vida, uma era conhecida como *nucleossíntese primordial* começou, durante a qual o deutério, o trítio, o hélio e seu isótopo, o hélio 3, e um isótopo do lítio, o lítio 7, foram formados. Os núcleos mais leves foram cozidos durante os primeiros momentos de existência do Universo. Gamow, em seu tom sempre irreverente, escreveu sua própria versão do Livro do Gênesis:

> No início Deus criou a radiação e o ylem. E o *ylem* não tinha forma ou número, e os núcleos [os prótons e os nêutrons] moviam-se livremente sobre a face das profundezas.
> E Deus disse: "Faça-se a massa dois". E a massa dois apareceu. E Deus viu o deutério, e ficou satisfeito.
> E Deus disse: "Faça-se a massa três". E a massa três apareceu. E Deus viu o trítio e o tralfium,* e ficou satisfeito [...]
> E Deus disse: "Faça-se o Hoyle". E o Hoyle apareceu. E Deus olhou para o Hoyle e lhe disse para fazer elementos pesados do modo que ele preferisse.

* Nome dado por Gamow para o isótopo hélio 3 (2 prótons e 1 nêutron).

E o Hoyle decidiu fazer elementos pesados em estrelas, e espalhá-los através do espaço em explosões do tipo supernova [...] [16]

Para Gamow e seus colaboradores, o processo de fusão progressiva dos núcleos mais leves demorou em torno de 45 minutos. Com valores mais modernos para as razões das várias reações nucleares, a nucleossíntese demorou cerca de três minutos. O feito mais notável da teoria de Gamow, Alpher e Herman é que eles podiam *prever* a abundância dos núcleos mais leves. Em outras palavras: usando a cosmologia relativista e a física nuclear, podiam prever a quantidade de hélio que foi sintetizada durante os estágios iniciais da evolução do Universo. Seus cálculos indicaram que cerca de 24% da massa total do Universo é feita de hélio. Essas previsões teóricas podiam então ser testadas através de observações e comparadas com a produção de hélio no interior das estrelas.

Embora o modelo do big bang tenha atraído alguma atenção durante a década de 1950, parcialmente devido aos esforços de Gamow para popularizar suas ideias, nenhum programa observacional extenso foi iniciado com o objetivo de testar suas previsões. A ideia de usar o próprio Universo como uma espécie de fornalha para "cozinhar" os núcleos mais leves era considerada um pouco exótica demais. Por que não tentar sintetizar todos os elementos em estrelas? Afinal, sabemos que estrelas existem e que reações nucleares ocorrem em seu interior. Vários modelos foram sugeridos tentando produzir no interior de estrelas todo o hélio observado. Entretanto, após anos de discussões, em 1964 ficou claro que condições muito mais extremas do que as encontradas no interior de estrelas são necessárias para produzir todo o hélio observado no Universo. Para alguns físicos, as ideias de Gamow começaram a tornar-se imperativas.

O hélio e os demais núcleos sintetizados nos primeiros momentos da existência do Universo são como fósseis dessa época primordial. De certa forma, o trabalho do cosmólogo é semelhante ao trabalho do paleontólogo, já que ambos tentam reconstruir a história de toda uma era a partir de escassos fragmentos e pistas. A diferença principal é que a física tem o poder de fazer previsões que podem, em princípio, ser testadas, fazendo com que o trabalho do cosmólogo seja mais simples; nós podemos prever que um determinado tipo de fóssil existe! Se encontramos o fóssil de acordo com a previsão da teoria, a teoria fica confirmada, pelo menos até que novas descobertas desafiem sua validade. Caso contrário, a teoria tem de ser reformulada. O único problema, comum tanto em cosmologia como em paleontologia, é que certos fósseis são muito difíceis de ser encontrados.

Gamow fez uma previsão ainda mais espetacular do que a abundância de núcleos leves. Após o Universo ter passado pela era da nucleossíntese, os "ingredientes" da sopa cósmica eram basicamente núcleos leves, elétrons, fótons e neutrinos, partículas que, como os fótons, não têm massa e que são muito importantes em desintegrações radioativas. O próximo passo no processo da aglomeração hierárquica da matéria é a formação dos átomos. À medida que o Universo se expandiu e resfriou, os fótons tornaram-se progressivamente menos energéticos. Num certo ponto, quando o Universo tinha em torno de 300 mil anos de idade, as condições tornaram-se propícias para que elétrons e prótons formassem átomos de hidrogênio. Antes dessa época, sempre que um elétron e um próton tentavam ligar-se através de sua atração eletromagnética, colisões com fótons ciumentos destruíam a ligação entre os dois, numa espécie de triângulo amoroso que não se resolvia. Mas, quando a temperatura dos fótons caiu para aproximadamente 3 mil graus Celsius, a atração elétrica entre elétrons e prótons era forte o suficiente para suportar os golpes dos fótons; finalmente, os átomos de hidrogênio puderam se formar. Liberados do complicado triângulo amoroso, os fótons iniciaram uma dança solitária através do Universo, desprezando daí por diante todas essas ligações e interações que parecem ser tão importantes para os constituintes da matéria.

Gamow mostrou que esses fótons teriam uma distribuição de frequências idêntica às encontradas no espectro de um corpo negro. Mesmo que na época do *desacoplamento* a temperatura dos fótons fosse elevada, após 15 bilhões de anos de expansão do Universo, essa temperatura caiu bastante. A previsão da temperatura atual dos fótons primordiais obtida por Gamow e seus colaboradores não foi muito precisa, já que seu cálculo dependia dos detalhes de certos processos nucleares ainda não muito estudados no final dos anos 40. Entretanto, em 1948, Alpher e Herman calcularam que esse banho cósmico de fótons teria atualmente uma temperatura de cinco graus positivos acima do zero absoluto, ou seja, 268 graus Celsius negativos.[17] (O valor medido atualmente é 2,73 graus Kelvin.) Portanto, de acordo com o modelo do big bang, o próprio Universo é um corpo negro, imerso num banho de fótons extremamente frios, cujo espectro é dominado por comprimentos de onda na região de micro-ondas, os "raios fósseis" da infância do cosmo.[18]

Embora o modelo do big bang houvesse previsto claramente a existência da radiação cósmica de fundo e a tecnologia necessária para detectar sua presença estivesse disponível já em meados da década de 1950, nenhum grupo experimental decidiu que o projeto era interessante o suficiente. Apenas em 1964 um grupo da Universidade de Princeton, liderado por Robert Dicke, decidiu construir uma antena de rádio especialmente desenhada para procurar os fótons primordiais. Enquanto isso, não muito longe de Princeton, Robert Wilson e Arno Penzias, do laboratório da Companhia Telefônica Bell (Bell Labs), estavam usando uma antena de rádio de sete metros de abertura no estudo da radiação emitida pelos restos de uma supernova localizada a 10 mil anos-luz da Terra. Como o sinal recebido era extremamente fraco, Penzias e Wilson precisavam ter certeza de que sua antena era o mais livre possível de ruídos de fundo e de interferências. Infelizmente, eles detectaram uma espécie de chiado que teimava em driblar todos seus esforços para "purificar" o sinal recebido pela antena. Eles investigaram cuidadosamente seu equipamento, mas o chiado não ia embora. Até um ninho de pombos, confortavelmente instalados dentro da antena, foi encontrado e retirado, juntamente com seus "restos", a que Penzias e Wilson se referiram como sendo "uma substância dielétrica branca". Mesmo assim, o

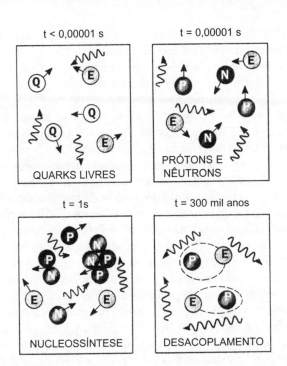

Figura 10.2: Alguns episódios importantes na história do Universo primordial: o tempo associado a cada episódio é apenas aproximado. As linhas onduladas representam fótons. Quarks são os constituintes de prótons, nêutrons e outras partículas que interagem através da interação forte. (Ver a próxima seção para mais detalhes sobre quarks.)

chiado recusava-se a desaparecer. Penzias e Wilson descobriram que o ruído da antena não só era muito persistente, como também era independente da direção em que a antena era apontada: ou seja, o ruído vinha de todas as direções do céu!

Confrontados com esse dilema, Penzias e Wilson fizeram o que a maioria dos cientistas faz quando está em apuros: conversaram com seus colegas, na esperança de que alguém tivesse alguma ideia de como lidar com o problema. Por fim, a trilha levou-os a Princeton, onde Dicke e seu grupo ainda estavam trabalhando na construção de sua antena. Jim Peebles, um jovem físico teórico trabalhando no grupo de Dicke, havia (independentemente) redescoberto os argumentos de Gamow e seus colaboradores propondo a existência da radiação de fundo cósmico. De repente, tudo passou a fazer sentido! Penzias e Wilson haviam descoberto os "raios fósseis" que se originaram após o desacoplamento de matéria e radiação, uma espécie de fotografia do Universo quando ele tinha apenas 300 mil anos de idade. Por mais de 10 bilhões de anos esses fótons viajaram através do espaço intergaláctico, um vestígio da infância ultraquente do Universo, o grande triunfo do modelo do big bang.

Os artigos de Penzias e Wilson e do grupo de Princeton apareceram lado a lado numa edição do *Astrophysical Journal* de 1965. Por sua descoberta, Penzias e Wilson ganharam o prêmio Nobel em 1979. Gamow, que morreu em 1968, deve ter sorrido (na verdade, sendo Gamow, ele provavelmente festejou como louco e saiu para um passeio em sua motocicleta) quando finalmente viu seu trabalho ser comprovado. O Universo primordial era mesmo uma fornalha que cozinhou os elementos mais leves, deixando uma radiação composta por fótons em frequências de micro-ondas como lembrança das extremas condições físicas que reinaram durante o início de sua história. Muitos cientistas expressaram seu arrependimento por não terem levado as ideias de Lemaître, Gamow, Alpher e Herman a sério muito antes da descoberta de Penzias e Wilson. Mas, como vimos tantas vezes neste livro, certas ideias só são aceitas quando elas se tornam absolutamente inevitáveis.

COSMOGONIA REVISITADA

O modelo do big bang desenvolvido por Gamow, Alpher e Herman reconstruiu a história do Universo de 0,0001 segundo depois do "início" até o desacoplamento dos fótons 300 mil anos depois, ou seja, até o evento que deu origem à radiação cósmica de fundo descoberta por Penzias e Wilson. É realmente notável que a combinação da cosmologia relativista e da física nuclear seja capaz de reconstruir quantitativamente a história dos primeiros instantes da evolução do Universo. Mas, como sempre, o sucesso do modelo de Gamow não foi suficiente para aplacar a curiosidade humana. Uma vez obtido um cenário científico plausível capaz de reconstruir uma etapa da infância do Universo, a tentação de mergulhar cada vez mais profundamente no passado e de nos aproximarmos cada vez mais do "momento da Criação" torna-se irresistível. A pergunta na mente de todos é: "Será que os cosmólogos podem chegar a compreender a origem do Universo?". Será que é possível responder à "Pergunta" cientificamente?

Encontramos essa questão anteriormente, quando argumentei que os modelos matemáticos descrevendo a origem do Universo não podem ser a resposta final. É até possível que algum modelo venha a ser a resposta *científica* à "Pergunta", mas, na minha opinião, não é óbvio que a questão da origem do Universo deva ser respondida apenas através de uma argumentação científica. Pelo menos não dentro da ciência tal como ela é formulada hoje em dia. Afinal, qualquer resposta científica à questão da origem do Universo deve se basear em teorias físicas, no caso, a relatividade geral e a mecânica quântica, ou suas possíveis extensões.[19] Sempre que um físico propõe um modelo descrevendo a origem do Universo, ele tem de usar leis físicas bem conhecidas. Um modelo físico da origem do Universo, portanto, não pode lidar com a questão da origem das próprias leis da física, ou por que esse Universo opera desse modo e não de outro. Sem dúvida, a ciência nos oferece muitas respostas sobre os sutis mecanismos dinâmicos da Natureza, mas não devemos nos esquecer de suas limitações. A questão de por que existe algo ao invés de nada deve sempre inspirar nossa humildade.

Em vez de apresentar aqui uma curta revisão das várias ideias científicas que foram sugeridas nas duas últimas décadas para lidar com a questão da origem do Universo, prefiro seguir uma rota menos convencional. Sem dúvida, mencionarei algumas dessas ideias no decorrer da minha argumentação, mas minha intenção aqui não é ser exaustivo ou pedagógico, e sim objetivo; irei usar as ideias que são úteis para a apresentação do meu ponto de vista. Uma revisão mais completa das ideias cosmogônicas dos últimos vinte anos ocuparia facilmente outro volume.

Vamos começar retornando ao primeiro capítulo deste livro. O ponto central daquele capítulo foi o desenvolvimento da classificação dos mitos cosmogônicos baseada nas várias respostas dadas por diferentes culturas à questão da Criação. (Talvez seja uma boa ideia dar uma olhada no diagrama da página 377) Focando minha discussão na questão do início do tempo, argumentei que existem duas classes principais de mitos de criação; mitos que assumem um início temporal para o Universo — um momento de Criação — e mitos que assumem que o Universo existiu e existirá para sempre — mitos atemporais. Dentro de cada uma dessas duas classes, mostrei que existem várias opções; mitos com uma origem temporal supõem que a criação do mundo foi produto de um criador ou criadores, ou que o mundo apareceu a partir do Nada, ou que o mundo emergiu a partir de um caos primordial.

Mitos sem uma origem temporal são de dois tipos: ou o Universo é eterno, como no exemplo do jainismo, ou o Universo é continuamente criado e destruído, em um ciclo que se repete eternamente, como na dança de Xiva, do mito hindu.

Com essa classificação dos mitos de criação em mente, vamos nos concentrar nos vários modelos cosmológicos que resultaram da aplicação da relatividade geral ao Universo como um todo. Irei argumentar que é possível obter uma classificação dos modelos cosmogônicos modernos que segue em espírito a classificação dos mitos cosmogônicos do capítulo 1. Podemos classificar os vários modelos de acordo com a forma como eles tratam a questão da origem do Universo. Mais uma vez, ou os modelos assumem uma origem temporal para o Universo ou não. (Não é que exista muito espaço para alguma opção intermediária!)

Vamos começar com modelos que não supõem uma origem temporal para o Universo. Encontramos dois modelos desse tipo. O modelo do estado padrão, proposto por Bondi, Gold e Hoyle em 1948, supôs que o Universo existiu e existirá eternamente, e que a matéria é continuamente criada, de modo a manter constante a densidade média de matéria no Universo. O outro tipo de modelo cosmogônico sem uma origem temporal é o modelo cíclico, ou o "Universo Fênix", como ele às vezes é chamado. Vimos que os modelos de Friedmann, com sua geometria fechada, levam a um Universo que, em princípio, alternará períodos de expansão e contração. Embora tenha sido argumentado que, devido à produção de entropia durante cada ciclo, apenas um número relativamente pequeno de ciclos tenha se passado até agora, esses argumentos se baseiam na aplicação da relatividade geral e da termodinâmica às condições extremamente violentas que dominaram a dinâmica do Universo primordial. A discussão da viabilidade teórica do Universo Fênix ainda está em aberto. De qualquer forma, para nós, o importante é que esse modelo é uma possibilidade matemática.

E modelos com uma origem temporal para o Universo? Aqui, tal como na classificação dos mitos de criação, os modelos propostos até agora também pertencem a três categorias. Certos modelos propõem a "criação a partir de algo", outros supõem a "criação a partir de nada", e há ainda outros que supõem que "a ordem surgiu do caos primordial". Um exemplo de um modelo que supõe a "criação a partir de algo" é a hipótese do átomo primordial de Lemaître. Ele não explicou de onde veio seu "ovo cósmico", mas uma vez que sua existência é aceita, a evolução subsequente do Universo segue as leis da física, ao menos de forma qualitativa. O modelo do big bang proposto originalmente por Gamow também supôs um estado inicial no qual certas partículas de matéria estavam presentes. Mesmo que seja claramente diferente do modelo de Lemaître (um big bang "frio", já que as ligações nucleares não foram impedidas pelo calor), o modelo de Gamow pertence à mesma categoria, já que aceita a existência de "algo" no início, sem questionar muito de onde essas partículas vieram.

Extensões modernas do modelo de Gamow seguem uma rota semelhante. Com o rápido desenvolvimento da física de partículas elementares durante as últimas quatro décadas, tornou-se claro que os constituintes fundamentais da matéria não são os prótons e os nêutrons; prótons, nêutrons e centenas de outras partículas que foram sistematicamente descobertas em aceleradores de partículas são compostos por constituintes ainda mais fundamentais chamados *quarks*. Como novas ideias em física são em geral projetadas em cosmologia, os quarks foram transplantados para a história do Universo primordial. Antes da existência de prótons e nêutrons, o Universo era povoado por quarks livres, elétrons e fótons, estendendo a validade do modelo do big bang para ainda mais perto do "instante inicial". Os ingredientes da sopa primordial mudaram, mas a receita permaneceu praticamente a mesma.

Essa tradição continuou durante as décadas de 1980 e 1990. Com mais ideias vindas da física de partículas elementares, o relógio foi recuado até um milésimo-bilionésimo de segundo (ou 10^{-12} segundo) depois do "bang". Esse intervalo de tempo pode ser ridiculamente pequeno para nossos padrões, mas, para as partículas elementares que dominavam a dinâmica do Universo primordial, esse intervalo de tempo é gigantesco. Por exemplo, um fóton demora 10^{-24} segundo para atravessar uma distância equivalente ao "diâmetro" de um próton. Usando novas ideias da física de partículas, é possível voltar ainda mais no tempo, chegando cada vez mais perto do "bang". Mas, para isso, entramos no domínio de teorias que no momento são especulativas.

É nessa área que concentro boa parte de minha pesquisa, na tentativa de alargar cada vez mais as fronteiras de nosso conhecimento da história primordial do Universo, na direção do instante inicial. Várias ideias foram propostas nas duas últimas décadas, algumas delas extremamente inspiradas e belas. Entretanto, elas devem aguardar sua confirmação através de experimentos antes de serem aceitas pela comunidade científica. Essa é a razão principal que me levou a excluí-las deste livro. Um dos aspectos agridoces da pesquisa científica é que a Natureza não revela seus segredos muito facilmente.

Matematicamente, a extrapolação dos modelos de Friedmann até o instante inicial, $t = 0$, leva ao que chamamos de *singularidade*: a densidade da matéria se torna infinita, a curvatura do espaço-tempo se torna infinita e a distância entre dois "ob-

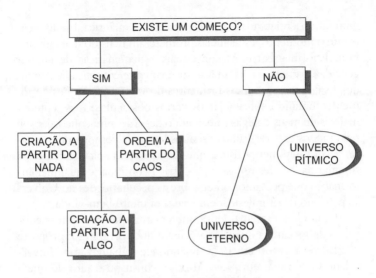

Figura 10.3: Respostas científicas à "Pergunta".

servadores" tende a zero. Mesmo que essa crise seja um pouco desagradável sob um ponto de vista formal, não deve ser levada muito a sério. Ela assinala os limites de validade da relatividade geral e da física atual na descrição dos primeiros momentos de existência do Universo, ou seja, a singularidade assinala nossa ignorância dos fenômenos físicos que ocorrem nessas condições extremas. Algo mais é necessário, e várias ideias têm sido propostas para lidar com esses problemas de nossas teorias atuais. As ideias mais promissoras tentam combinar relatividade e mecânica quântica de uma forma ou outra.

Como vimos no capítulo 8, um dos efeitos mais surpreendentes da mecânica quântica é a "nebulosidade" intrínseca da matéria observada em distâncias atômicas e subatômicas, consequência da dualidade onda-partícula. Bem, perto da singularidade cosmológica, a própria geometria do Universo deve ser tratada através da mecânica quântica; com isso, os conceitos de tempo e espaço também se tornam nebulosos.

Várias ideias foram propostas na tentativa de unificar de algum modo a relatividade geral e a mecânica quântica. Infelizmente, até o momento, essas ideias prometeram mais do que cumpriram. Enormes barreiras conceituais e matemáticas devem ser vencidas, tornando essa união extremamente complicada. Alguns dos físicos teóricos mais brilhantes do mundo estão neste momento tentando sobrepujar os vários obstáculos; mas, como a maioria de meus colegas trabalhando nessa área irá concordar (ou pelo menos deveria), ainda estamos longe de compreender a natureza dos fenômenos físicos que tomaram parte na vizinhança da singularidade. Mesmo assim, a corrida continua, e qualquer informação que possamos obter sobre as peculiaridades do Universo próximo da singularidade inicial será muito bem-vinda.

Uma ideia extremamente interessante que visa aplicar conceitos da mecânica quântica à origem do Universo foi proposta por Edward Tryon em 1973, quando ele trabalhava na Universidade Colúmbia, em Nova York. Tryon usou o fato de que a "nebulosidade" típica dos processos quânticos não é apenas limitada a medidas conjuntas de posição e velocidade, mas também pode ser aplicada a medidas conjuntas de energia e tempo. Em outras palavras, no mundo do muito pequeno é possível violar a lei de conservação de energia durante minúsculos intervalos de tempo.

Esse resultado não é tão absurdo quanto parece. Imagine uma bola de bilhar em repouso no chão. Se a bola não está em movimento, ela não tem energia cinética. Mais ainda, se medimos a energia potencial gravitacional a partir do chão, a bola também não tem energia potencial. (Ela não pode "cair" ainda mais.) Podemos, portanto, dizer que a bola está num estado de energia nula. Agora transforme a bola num elétron. De acordo com o princípio de incerteza de Heisenberg, não podemos localizar o elétron e, ao mesmo tempo, medir sua velocidade. Esse fato é uma consequência da "nebulosidade" inerente ao elétron. Portanto, em mecânica quântica, não podemos afirmar que o sistema está num estado com energia nula, mas apenas que o sistema está em seu estado de menor energia possível, seu estado fundamental. No entanto, se existe uma incerteza na medida de energia de um sistema, então é possível que a própria energia do seu estado fundamental flutue. Se chamarmos esse estado fundamental do sistema de *vácuo quântico*, concluímos que, devido a essas flutuações em sua energia, o vácuo quântico tem sempre alguma estrutura interna, que não existe um "vácuo absoluto", ou seja, um vácuo completamente perfeito ou vazio. Em mecânica quântica, o conceito de "nada" deixa de fazer sentido.

Devido a essas flutuações de energia do vácuo quântico, vários fenômenos muito interessantes tornam-se possíveis. Por exemplo, sabemos pela relatividade especial que energia e matéria podem ser convertidas uma na outra, conforme expressa a equação $E = mc^2$. Portanto, flutuações quânticas na energia do vácuo podem ser convertidas em partículas de matéria! Parece absurdo? Talvez, mas esse fenômeno é rotineiramente observado em experimentos envolvendo colisões de partículas. Essas partículas que surgem como flutuações do vácuo são conhecidas como *partículas virtuais*, vivendo por um tempo microscopicamente pequeno, antes de desaparecerem mais uma vez no dinâmico vácuo quântico, numa contínua dança de criação e destruição de matéria.

Tryon estendeu a ideia de flutuações quânticas ao Universo como um todo e argumentou que, se no início tudo que existia era o vácuo quântico, ou seja, "o nada", flutuações na energia desse vácuo primordial poderiam dar origem ao próprio Universo. Em outras palavras, Tryon propôs que o Universo como um todo surgiu a partir de uma flutuação do vácuo, a partir do "nada quântico". Essa proposta pode ser classificada como um modelo que propõe que o Universo teve uma origem temporal a partir do "nada". Entretanto, devemos nos lembrar que o significado do termo *nada*, aqui e em outros modelos que sugerem uma criação quântica do Universo, deve ser interpretado sob a lente da mecânica quântica, o "vácuo quântico", e não o Nada metafísico representando o vazio absoluto.

Finalmente, existem modelos em que o conceito de singularidade é substituído por uma espécie de caos geométrico. O Universo em que vivemos, com sua geometria isotrópica (a mesma em todas as direções), evolui a partir desse caos primordial, onde a geometria não é isotrópica. Essa ideia, conhecida como o "Universo mixmaster", foi proposta originalmente pelo físico americano Charles Misner em 1969 e desenvolvida pelos russos V. A. Belinski, I. M. Khalatnikov e E. M. Lifshitz em 1970. Segundo Misner, na vizinhança da singularidade não existe nenhuma razão para supormos que a geometria era isotrópica, ou seja, que as três direções espaciais evoluíam temporariamente da mesma forma. Uma vez abandonada essa suposição, Misner mostrou que a geometria segue um comportamento extremamente complexo, no qual as três direções espaciais alternam períodos de expansão e contração no tempo, cada vez mais rigorosos à medida que se aproximam da singularidade, ou seja, de $t = 0$. No Universo *mix-master*, portanto, o próprio conceito de singularidade se torna nebuloso, devido à dança caótica de expansão e contração da geometria. Conforme lemos no texto clássico sobre a relatividade geral escrito por Misner, Kip Thorne e John Wheeler,

> a extrapolação da evolução do Universo até a singularidade em $t = 0$ mostra um comportamento extraordinariamente complexo, no qual sequências de comportamentos semelhantes mas não precisamente idênticas são repetidas um número infinito de vezes.[20]

Os exemplos usados aqui para ilustrar minha classificação dos modelos cosmogônicos certamente não são exaustivos. Existe uma ampla literatura em cosmologia dedicada a modelos que descrevem a origem do Universo, variações em torno dos temas básicos que foram apresentados aqui. Entretanto, espero que o leitor interessado seja capaz de discernir a classe a que cada um desses modelos pertence, ou, se for necessário, expandir minha classificação.

É importante que minha intenção ao apresentar num único livro classificações de mitos de criação e de modelos cosmogônicos fique bem clara. Não acredito que as teorias cosmológicas modernas estejam simplesmente reinventando ideias ancestrais sobre a Criação. Conforme vimos, a linguagem e simbologia empregadas são completamente diferentes. Mais ainda, os cosmólogos do século XX certamente não construíram modelos matemáticos descrevendo o Universo inspirados por mitos de criação. Modelos científicos são descrições quantitativas do mundo natural, enquanto mitos são histórias criadas para organizar e dar sentido às nossas vidas. Entretanto, o desejo de compreender o Universo em que vivemos é comum a ambos, assim como o fascínio exercido pela questão mais fundamental sobre nossa existência.

Quando comparamos as duas classificações, incluindo sempre as diferenças de interpretação pertinentes a cada uma, como, por exemplo, o significado dos termos *nada* ou *caos* em cada contexto, deparamo-nos com um senso inevitável de repetição, provocado pelo reconhecimento de que as metáforas básicas por trás dos mitos e dos modelos científicos têm muito em comum. Embora essa repetição sugira que essa comparação possa ser levada adiante, acredito que essa atitude não levará a resultados relevantes. Não existe muito sentido em comparar os detalhes do mito de criação jainista com o modelo do estado padrão, ou o mito hindu da dança de Xiva com o Universo Fênix de Friedmann.

Meu objetivo principal ao desenvolver essas classificações e discuti-las conjuntamente no final deste livro é simples: exacerbar as metáforas comuns a ambas, as imagens mitopoéticas utilizadas tanto em mitos de criação como em modelos cosmogônicos na descrição da origem do Universo. Essas imagens exibem, de modo fascinante, a riqueza e as limitações da criatividade humana ao confrontar o problema da origem de todas as coisas. A riqueza expressa nas belíssimas variações em torno dos temas principais, a versatilidade e a cor de ambas as linguagens, mítica e científica, reveladas nas histórias e modelos sobre a Criação. Limitações devido ao número finito de respostas encontradas, a barreira que necessariamente encontramos ao confrontar o Absoluto tanto através da ciência como através da religião. Apenas podemos explicar a existência do Universo por intermédio de nossa imaginação humana, inventando histórias e modelos sobre horizontes em fuga. O Ser precede o Devir.

Epílogo
DANÇANDO COM O UNIVERSO

Com nossa visão acalmada pelo poder
Da harmonia, e tomados por um êxtase profundo,
Nós vislumbramos a essência vital de todas as coisas.
William Wordsworth

DOS CANTOS RITUAIS de nossos antepassados até as equações descrevendo flutuações primordiais de energia, a humanidade sempre procurou expressar seu fascínio pelo mistério da Criação. Neste livro, compartilhamos esse fascínio, fonte de inspiração das tantas histórias e teorias que visam construir uma ponte entre o Ser e o Devir, entre o absoluto e o relativo. Seguimos a longa estrada que levou dos mitos de criação à ciência, estrada ornamentada pelas várias histórias de coragem e desespero, fracasso e sucesso daqueles que forjaram nossa visão do Universo através dos tempos. Espero que após esta longa jornada eu tenha, ao menos, conseguido traçar os contornos do que compreendemos, do que não compreendemos e do que não podemos compreender.

Como vimos, a cosmologia é a única disciplina da física que lida com questões que podem também ser legitimamente formuladas fora do discurso científico. Essa característica faz com que a cosmologia, assim como os cosmólogos, seja percebida de modo um pouco diferente do resto das disciplinas científicas ou mesmo de outros cientistas. (O mesmo pode ser dito de biólogos estudando questões relacionadas com a origem da vida.) Em geral, os livros sobre as propriedades de materiais magnéticos ou lasers não são muito populares em comparação com os livros sobre o Universo, mesmo sendo os materiais magnéticos ou os lasers muito mais importantes no nosso dia a dia do que as questões sobre o modelo do big bang ou sobre os buracos negros.

Sem dúvida, vários cosmólogos são ateus. Eles não procuram (e não deveriam procurar!) Deus nem nenhuma conexão religiosa em suas equações ou dados experimentais. Mesmo assim, são atraídos pelas "grandes questões", que podem abranger desde a origem do Universo e da matéria até a distribuição de galáxias no Universo. Seria ingênuo de minha parte tentar entender por que certos físicos decidem dedicar-se ao estudo das questões cosmológicas. As razões são tão variadas quanto o número de cosmólogos ao redor do mundo. Somos o produto de nossas escolhas, e a decisão do que fazer com nossas vidas é certamente subjetiva; mas, pelo menos, posso falar por mim mesmo.

No meu caso, a decisão de me tornar cosmólogo foi inspirada pelo clássico livro de Steven Weinberg, intitulado *Os três primeiros minutos*. Descobri esse livro quando estava no terceiro ano do curso de física da Pontifícia Universidade Católica do Rio de Janeiro. Como parte das exigências de um dos cursos, tive de preparar um seminário sobre um tema de minha escolha. O livro de Weinberg me impressionou tanto que resolvi falar sobre ele. Aprendi que era possível estudar cientificamente questões relacionadas com a origem do Universo e com a origem da matéria. Aprendi também que era possível até fazer previsões *quantitativas* sobre o comportamento do Universo durante seus primeiros instantes de existência usando o modelo do big bang. E ainda mais espetacularmente: algumas dessas previsões foram confirmadas pelas observações! A cosmologia não é magia, mas uma ciência quantitativa. A ideia de dedicar minha vida ao estudo dessas "grandes questões" tornou-se uma obsessão. Inspirado pelo "sentimento cósmico-religioso" de Einstein, decidi seguir esse caminho. Finalmente, descobri que não era assim tão impossível receber um salário para "contar estrelas".

Quanto mais eu aprendia sobre relatividade, mecânica quântica e como essas disciplinas são aplicadas ao estudo do Universo, mais eu queria aprender. E como sempre, quanto mais aprendemos, melhor dimensionamos nossa ignorância, melhor compreendemos nossas limitações perante o infinito poder criativo da

Natureza. É comum dizer-se que a ciência é um processo. Eu acrescentaria que a ciência é um processo sem fim, uma "procura" num território sem fronteiras. Vejo com grande suspeita pronunciamentos afirmando que a ciência está morta, que todas as grandes descobertas realmente relevantes já foram feitas. Como é possível ser assim tão cego para a História ou para a nossa vasta ignorância? Basta lembrarmos a "supermente" de Laplace, ou as afirmações feitas por alguns dos grandes físicos do final do século XIX, que acreditavam que a física estava chegando ao fim. Às vezes, como uma espécie de exercício psicológico, tento me colocar no lugar de cientistas que realmente acreditam que a ciência de sua época esteja praticamente no final. Como resultado, pergunto-me se essa confiança não é uma expressão da frustração desses cientistas, uma espécie de compensação perante o inevitável senso de humildade que sentimos ao confrontarmos racionalmente o mundo natural.

A Natureza jamais vai deixar de nos surpreender. As teorias de hoje, das quais somos justamente orgulhosos, serão consideradas brincadeira de criança por futuras gerações de cientistas. Nossos modelos de hoje certamente serão pobres aproximações para os modelos do futuro. No entanto, o trabalho dos cientistas do futuro seria impossível sem o nosso, assim como o nosso teria sido impossível sem o trabalho de Kepler, Galileu ou Newton. Teorias científicas jamais serão a verdade final: elas irão sempre evoluir e mudar, tornando-se progressivamente mais corretas e eficientes, sem chegar nunca a um estado final de perfeição. Novos fenômenos estranhos, inesperados e imprevisíveis irão sempre desafiar nossa imaginação. Assim como nossos antepassados, estaremos sempre buscando compreender o novo. E, a cada passo dessa busca sem fim, compreenderemos um pouco mais sobre nós mesmos e sobre o mundo a nossa volta.

Em graus diferentes, todos fazemos parte dessa aventura, todos podemos compartilhar o êxtase que surge a cada nova descoberta; se não por intermédio de nossas próprias atividades de pesquisa, ao menos ao estudarmos as ideias daqueles que expandiram e expandem as fronteiras do conhecimento com sua criatividade e coragem intelectual. Nesse sentido, você, eu, Heráclito, Copérnico e Einstein somos todos parceiros da mesma dança, todos dançamos com o Universo. É a persistência do mistério que nos inspira a criar.

GLOSSÁRIO

AÇÃO À DISTÂNCIA: Suposição, essencial na física newtoniana, de que objetos podem se influenciar mutuamente sem contato físico direto, como no caso da atração gravitacional entre o Sol e os planetas.

ATOMISMO: Doutrina originalmente proposta por filósofos pré-socráticos da Grécia antiga que propõe que o Universo é composto por constituintes materiais indivisíveis chamados átomos.

CAMPO: Uma região do espaço onde um efeito físico existe. Esse efeito é uma manifestação de pelo menos uma das quatro forças fundamentais da Natureza, gravitação, eletromagnetismo e as forças nucleares forte e fraca.

COMPRIMENTO DE ONDA: Distância entre duas cristas consecutivas de uma onda.

CONSTANTE COSMOLÓGICA: Parâmetro, introduzido por Einstein em 1917, que garante a estabilidade de seu modelo cosmológico finito e estático.

CORPO NEGRO: Um objeto capaz de absorver radiação perfeitamente. Kirchhoff mostrou que o interior de uma cavidade oca pode imitar um corpo negro. De modo a estudar a natureza da radiação no interior da cavidade, Kirchhoff imaginou-a escapando de um orifício em uma das paredes. Essa radiação é conhecida como radiação de corpo negro e é determinada pela temperatura do corpo negro.

COSMOGONIA: Estudo da origem do Universo.

COSMOLOGIA: Estudo da evolução e das propriedades físicas do Universo.

DEÍSMO: Crença de que, após criar o Universo e suas leis naturais, Deus não interferiu mais no mundo.

DENSIDADE CRÍTICA: A densidade de energia que determina se o Universo irá expandir-se para sempre ou se ele irá implodir. Seu valor atual é aproximadamente 10^{-29} g/cm^3.

DESACOPLAMENTO: De acordo com o modelo do big bang, desacoplamento é o evento que marca o período de formação dos átomos, quando fótons, livres das interações com prótons e elétrons, passam a propagar-se através do Universo. Esses fótons têm um espectro de corpo negro a uma temperatura atual de aproximadamente três graus absolutos, a radiação de fundo cósmico descoberta por Penzias e Wilson em 1965.

DESVIO GRAVITACIONAL PARA O VERMELHO: A amplificação do comprimento de onda da radiação emitida na presença de um campo gravitacional não uniforme.

DUALIDADE ONDA-PARTÍCULA: Fótons ou constituintes fundamentais da matéria podem comportar-se como partículas ou como ondas, dependendo do aparato experimental. A dualidade onda-partícula só é relevante para objetos cujo comportamento é determinado pela mecânica quântica, como átomos ou partículas subatômicas.

EFEITO DOPPLER: Ondas sendo emitidas por uma fonte em movimento (ou sendo recebidas por um observador em movimento!) têm seu comprimento modificado. Se a fonte se aproxima do observador, o comprimento de onda diminui; caso contrário, o comprimento de onda aumenta.

EFEITO FOTOELÉTRICO: Efeito em que uma radiação eletromagnética de comprimento de onda suficientemente curto (por exemplo, violeta ou ultravioleta) pode eletrizar uma amostra metálica. A radiação é energética o suficiente para expulsar elétrons da superfície metálica, tornando-a positivamente carregada. A interpretação do efeito proposta por Einstein em termos de fótons rendeu-lhe o prêmio Nobel em 1921.

ELÉTRON: Partícula elementar negativamente carregada encontrada em átomos.

ENERGIA CINÉTICA: A energia carregada por objetos em movimento.

ENERGIA DE LIGAÇÃO: Energia associada com a ligação entre dois ou mais componentes de um sistema físico através da ação de uma força atrativa. Essa é a energia que deve ser fornecida por um agente externo para separar os componentes de um sistema físico.

ENERGIA POTENCIAL: Energia armazenada em um sistema físico. Por exemplo, uma mola pode armazenar energia potencial elástica, enquanto um objeto alçado a uma certa altura armazena energia potencial gravitacional.

ENTROPIA: Medida quantitativa do grau de desordem de um sistema físico. De acordo com a segunda lei da termodinâmica, a entropia de um sistema isolado não pode decrescer.

EPICICLO: Ferramenta matemática inventada na Grécia antiga para modelar órbitas de objetos celestes. Um epiciclo consiste em um círculo cujo centro gira em torno de um outro círculo maior. (Ver figura 2.7)

ESPAÇO ABSOLUTO: De acordo com a física newtoniana, espaço absoluto é a arena geométrica onde fenômenos naturais ocorrem. Suas propriedades são independentes do estado de movimento de observadores.

ESPAÇO-TEMPO: De acordo com a teoria da relatividade, espaço-tempo é a arena quadridimensional onde fenômenos naturais ocorrem. Distâncias no espaço-tempo são independentes do estado de movimento dos observadores.

ESPECTRO: O espectro de uma fonte de radiação eletromagnética é composto de radiação de várias frequências, separadas por algum instrumento. Por exemplo, o espectro da luz visível é composto pelas sete cores do arco-íris.

ESPECTROSCÓPIO: Instrumento que separa a radiação eletromagnética em seus componentes de frequências diferentes.

ESTADO ESTACIONÁRIO (OU PADRÃO): A situação de aparente estabilidade atingida por um sistema físico através do equilíbrio exato entre ganho e perda.

ESTADO FUNDAMENTAL: Nível de energia mais baixo de um sistema físico. Para sistemas quânticos, a energia do estado fundamental nunca é exatamente zero.

ÉTER (aristotélico): Substância material que compõe objetos celestes situados acima da esfera lunar.

ÉTER (eletromagnético): Segundo físicos do século XIX, meio material que suporta a propagação de ondas eletromagnéticas.

FLOGISTO: Fluido hipotético que, segundo químicos antes e durante a vida de Lavoisier, era liberado durante a combustão de substâncias.

FORÇA: Ação sobre um objeto capaz de mudar seu estado de movimento.

FORÇA CENTRÍPETA: Força que age na direção do centro do movimento.

FORÇA FORTE: Interação, ativa em distâncias nucleares, responsável por manter a estabilidade do núcleo atômico. A força forte é aproximadamente cem vezes mais poderosa do que a repulsão elétrica sofrida por prótons no núcleo.

FÓTON: A luz (ou radiação eletromagnética) exibe a dualidade onda-partícula. Em interações com partículas de matéria, a luz age como uma partícula cuja energia é proporcional à sua frequência. Esses "pacotes de luz" são conhecidos como fótons.

FREQUÊNCIA (DE UMA ONDA): Número de cristas de uma onda que passam por um ponto fixo em um segundo.

GEOMETRIA NÃO EUCLIDIANA: Geometria dos espaços curvos.

HIPÓTESE CALÓRICA: Suposição segundo a qual o calor é um fluido capaz de ser transferido através do contato entre os corpos. A hipótese calórica foi praticamente abandonada após 1789, devido aos estudos detalhados de Benjamin Thompson.

INDUÇÃO: Processo segundo o qual um magneto em movimento pode gerar uma corrente elétrica em um circuito vizinho.

INÉRCIA: Reação de um corpo a qualquer mudança em seu estado de movimento.

ISÓTOPO: Um elemento químico é identificado pelo número de prótons em seu núcleo. Átomos com o mesmo número de prótons em seu núcleo mas com número diferente de nêutrons são chamados isótopos.

LEI DE HUBBLE: Relação obtida empiricamente por Hubble em 1929, em que a distância e a velocidade de recessão de galáxias distantes são diretamente proporcionais. A relação é consequência da expansão do Universo.

LINHAS DE FORÇA: Técnica de visualização desenvolvida por Faraday para representar espacialmente a presença de campos elétricos e magnéticos.

LUMINOSIDADE INTRÍNSECA: A luminosidade de um objeto é uma medida da energia emitida em um intervalo de tempo. Sendo uma propriedade intrínseca do objeto, ela não depende de sua distância. Entretanto, a luminosidade observada de um objeto cai de modo proporcional ao quadrado da distância.

MASSA: Uma medida da quantidade bruta de matéria em um objeto.

MISTICISMO RACIONAL: Termo que introduzi para representar a inspiração, essencialmente religiosa, que tem um papel importante no processo criativo de muitos cientistas tanto do passado como do presente. O misticismo racional deve ser distinto do misticismo puro, que defino como uma crença subjetiva sem uma base racional.

MITO DE CRIAÇÃO: Mito que trata da criação do mundo.

MOVIMENTO INERCIAL: Movimento com velocidade constante realizado por um corpo que não está submetido a forças externas. Um objeto em movimento inercial só sairá desse estado de movimento através da ação de uma força (primeira lei de Newton).

MOVIMENTO RETRÓGRADO: Movimento aparentemente "para trás" de planetas em relação ao fundo de estrelas fixas.

NÚCLEO: Parte dos átomos positivamente carregada. O núcleo consiste em prótons e nêutrons ligados através da força nuclear forte.

NUCLEOSSÍNTESE: Processo de síntese de núcleos pesados a partir de núcleos mais leves. Nucleossíntese primordial refere-se à formação de núcleos relativamente leves durante os primeiros segundos de existência do Universo. Nucleossíntese estelar refere-se à formação de núcleos mais pesados durante os últimos estágios de vida de estrelas.

ONDA ESTACIONÁRIA: Uma onda estacionária é composta de duas ou mais ondas propagando-se em direções opostas, de tal modo que a onda resultante parece não se mover.

PARADOXO DE OLBERS: Por que, em um Universo infinito, e portanto presumivelmente com um número infinito de estrelas, o céu noturno é escuro e não iluminado.

PARALAXE ESTELAR: O movimento aparente de estrelas relativamente próximas da Terra em relação ao fundo de estrelas mais distantes. (Ver figura 2.6.)

PESO: Resposta de uma massa à ação da aceleração gravitacional.

PRINCÍPIO COSMOLÓGICO: Introduzido por Einstein, o princípio cosmológico afirma que, em média, o Universo é o mesmo em todos os lugares e em todas as direções. Matematicamente, o princípio afirma que o Universo é homogêneo e isotrópico. Em 1948, esse princípio foi generalizado pelos proponentes do modelo do estado padrão, resultando no "princípio cosmológico perfeito", que afirma que o Universo não só é homogêneo e isotrópico mas também invariante no tempo, ou seja, o Universo é eterno.

PRINCÍPIO DA COMPLEMENTARIDADE: Introduzido por Bohr, o princípio da complementaridade afirma que onda e partícula são dois modos complementares e incompatíveis de representarmos objetos quânticos.

PRINCÍPIO DA RELATIVIDADE: As leis da física são idênticas para observadores inerciais. A restrição da validade do princípio apenas para o movimento inercial é removida na teoria da relatividade geral.

PRINCÍPIO DE EQUIVALÊNCIA: Os efeitos de um campo gravitacional podem ser simulados por um movimento acelerado.

PRINCÍPIO DE INCERTEZA: Em sua formulação mais popular, o princípio de incerteza de Heisenberg afirma que é impossível medirmos simultaneamente a posição e a velocidade de um objeto quântico com precisão arbitrariamente alta.

QUANTIDADE DE MOVIMENTO: O produto da massa de um objeto por sua velocidade.

QUARKS: Constituintes elementares dos prótons, nêutrons e todas as outras partículas que interagem através da força nuclear forte. Atualmente, existem seis tipos de quarks, todos observados indiretamente em aceleradores de partículas.

RADIAÇÃO ELETROMAGNÉTICA: Radiação emitida por cargas elétricas quando em movimento acelerado.

RAIO DE CURVATURA: O parâmetro dependente do tempo que determina a distância relativa entre dois observadores em modelos cosmológicos homogêneos e isotrópicos.

RAIOS CÓSMICOS: "Chuveiros" de partículas que penetram em nossa atmosfera, provenientes do espaço.

REFRAÇÃO: Deflexão sofrida por um raio de luz ao propagar-se de um meio (por exemplo, ar) para outro (por exemplo, água).

SALVAR OS FENÔMENOS: Segundo a doutrina platônica, o esforço para explicar os complicados movimentos dos objetos celestes em termos de simples movimentos circulares.

SINGULARIDADE: Em seu uso técnico, singularidade expressa um valor particular do argumento de uma função matemática que gera resultados infinitos.

SUPERNOVA: O evento explosivo que marca a morte de uma estrela muito maciça. Durante uma explosão de supernova, a luminosidade da estrela pode chegar a ser 1 bilhão de vezes maior do que a luminosidade do Sol.

TEÍSMO: A crença na existência de um Deus ou deuses cuja presença é imanente ao mundo.

TELESCÓPIO REFLETOR: Telescópio cujo elemento principal de foco é um espelho.

TELESCÓPIO REFRATOR: Telescópio cujo elemento principal de foco é uma lente.

TEMPO ABSOLUTO: De acordo com a física newtoniana, o tempo absoluto flui sempre à mesma razão, independentemente do estado de movimento dos observadores.

TEORIA CINÉTICA: A parte da física que estuda as propriedades térmicas de sistemas físicos assumindo que eles são compostos por constituintes microscópicos.

TERMODINÂMICA: A parte da física que estuda as propriedades térmicas de sistemas físicos a partir de suas propriedades macroscópicas, como temperatura e pressão.

VÁCUO QUÂNTICO: O estado fundamental, ou seja, de menor energia, de um sistema quântico.

NOTAS

1. MITOS DE CRIAÇÃO [pp. 14-37]

1. Feynman, vol. I, p. 2.
2. Glashow, p. 5.
3. Citado em Sproul, p. 7. A maioria dos mitos de criação mencionados aqui podem ser encontrados no livro de Sproul, uma importante fonte de inspiração para este capítulo. Para mais exemplos e análises de mitos de criação, consultar a bibliografia.
4. A palavra *quântica* refere-se à física usada na descrição de fenômenos atômicos e subatômicos.
5. Citado em Coomaraswamy, p. 78.
6. Ovid, *Metamorphoses*. Bloomington: Indiana University Press, 1973, pp. 3-5. Tradução do autor.

2. OS GREGOS [pp. 38-85]

1. Bacon, *Advancement of learning*, Great Books, vol. 28, p. 1.
2. Wells, p. 89.
3. Cf. North, p. 28.
4. O período pré-socrático cobre aproximadamente um século do pensamento grego, do início do século VI a.C. até o nascimento de Sócrates, por volta de 470 a.C.
5. *Enciclopédia britânica*, vol. 11, p. 670.
6. Koestler, p. 23.
7. Citado em Hetherington, *The presocratics*, p. 58.
8. Os fragmentos da obra de Heráclito citados aqui podem ser encontrados no *Dictionary of scientific biography*, vol. 6, p. 290.
9. A numeração dos fragmentos segue o livro de H. Diels e W. Kranz, *Die Fragmente der Vorsokratiker*.
10. Duas semanas após escrever essas linhas, rompi meu tendão de Aquiles durante uma partida de voleibol; os deuses não têm um senso de humor muito generoso.
11. Nós concebemos ou descobrimos as leis da física? Em outras palavras, devemos interpretar essas leis como uma invenção da mente humana, ou será

que elas existem por si sós, apenas para serem descobertas por nós ou por qualquer outra forma de inteligência? Essa questão reaparecerá, em várias versões, no desenrolar deste livro.

12. Citado em Koestler, p. 41.

13. Não é muito claro se ouvintes ocidentais modernos considerariam a música clássica da Grécia antiga agradável.

14. Cf. Cohen e Drabkin, p. 41.

15. Embora não exista um consenso entre os especialistas, em geral se acredita que Pitágoras foi o primeiro a avançar a ideia da esfericidade da Terra.

16. Citado em Hetherington, p. 63.

17. Gomperz, *The development of the Pythagorean doctrine*, in Munitz, p. 36.

18. Teofrasto foi um dos pupilos de Aristóteles. Sua compilação da história da filosofia de Tales até Platão se tornou a referência básica para o estudo do pensamento pré-socrático.

19. Lucrécio, *The Nature of the Universe*, in Munitz, p. 43.

20. Citado em Lloyd, p. 66.

21. Em 388 a.C., Dionísio I, rei de Siracusa, perguntou a Platão se ele, Dionísio I, era um homem feliz. Platão respondeu que apenas um louco poderia ser ao mesmo tempo um tirano e feliz. Furioso, Dionísio I tentou vender Platão como escravo. Se não fosse a influência de um amigo poderoso, esse teria sido o fim do Platão filósofo. Contratado como tutor de Dionísio II, filho e sucessor de Dionísio I (curta, a memória da família), Platão se envolveu em uma briga entre o rei e seu tio que quase lhe custou a vida. Aristóteles, o maior discípulo de Platão, foi muito mais bem-sucedido como tutor de reis. Entre seus vários pupilos, se encontra nada menos que o jovem Alexandre, o Grande.

22. Acredito que esses dois pontos de vista representam a posição da maioria das pessoas que pensam nesses assuntos, incluindo *físicos* tanto do passado como do presente.

23. Para uma discussão histórica da proposta da rotação da Terra em torno de seu eixo, ver Cohen & Drabkin, p. 105.

24. Se você acha esse argumento dos aristotélicos convincente, espere até o próximo capítulo.

25. Nas palavras de Arquimedes, "qualquer sólido mais leve do que um líquido irá, ao ser posto nesse líquido, afundar de forma tal que o peso do sólido seja igual ao peso do líquido deslocado pelo sólido" (Cohen e Drabkin, p. 237). Ele usou essa ideia para checar se uma coroa encomendada pelo seu amigo, o rei Híeron II, de Siracusa, como presente para os deuses era feita de ouro sólido ou se o artesão misturara prata ao ouro, tentando trapacear o rei. Usando sua nova descoberta, Arquimedes mostrou claramente que o artesão tentara trapacear o rei.

26. Cohen & Drabkin, p. 108.

27. Citado em Taub, p. 137.

28. Ibid., p. 142.

3. O SOL, A IGREJA E A NOVA ASTRONOMIA [pp. 88-128]

1. Citado em Koestler, p. 92.
2. Wells, p. 160.
3. Citado em Koestler, p. 90.
4. Ver o artigo de J. L. E. Dreyer, in Munitz. Uma contagem diferente (com um total de onze esferas) pode ser encontrada no artigo de E. Grant, in Hetherington, p. 181.
5. Uma descrição da cosmologia de Dante pode ser encontrada no artigo de A. Cornish, in Hetherington, p. 201.
6. Citado em Wells, pp. 205-6.
7. Lembre-se da discussão no capítulo 1 de como nossa percepção da realidade é baseada na distinção entre os opostos.
8. Cusa, *De docta ignorantia*, in Munitz, p. 147.
9. Cf. North, p. 248.
10. Whitehead, p. 6.
11. Koestler, p. 145.
12. Lembre-se de que com o equante o centro do epiciclo não gira uniformemente em torno do centro da deferente, mas sim em torno do equante (ver capítulo 2).
13. Lerner & Verdet, *Copernicus*, in Hetherington, p. 152.
14. Citado em Koestler, p. 148.
15. Lerner & Verdet, p. 153.
16. Ibid., p. 154.
17. Cf. Cohen, p. 116.
18. Citado em Koestler, p. 149.
19. Citado em Koestler, p. 150.
20. Citado em Koestler, p. 572.
21. Citado em Koestler, p. 162.
22. A escolha desse título reflete a crença de Copérnico de que os planetas estavam presos a esferas celestes, que os carregavam em suas órbitas em torno do Sol.
23. Citado em Koestler, p. 171.
24. Citado em Koestler, p. 229. Todas as seleções dos escritos de Kepler citados aqui podem ser encontradas no livro de Koestler.
25. Se não fosse pela intervenção de Kepler, ela certamente também teria morrido na fogueira.
26. Lembre-se de que, de acordo com Aristóteles, a mutação só era possível abaixo da esfera lunar. Portanto, os cometas eram considerados como sendo fenômenos atmosféricos raros. O mesmo se dava com os meteoros, explicando por que o estudo do clima ficou conhecido como meteorologia.
27. Hoje sabemos que fora os cinco planetas visíveis a olho nu, existem três outros: Urano, Netuno e Plutão. Mas na época de Kepler a lista terminava em Saturno.

28. Cf. North, p. 315.

29. Ele pensava que a força entre o Sol e os planetas estava confinada ao plano da órbita, como aros em uma roda de bicicleta conectando o centro da roda à sua extremidade. Na verdade, a força espalha-se igualmente em todas as direções, tal como a luz do Sol.

30. Parece que o duelo foi o resultado de uma disputa com um de seus familiares. Contudo, não se tratava de uma briga para defender a honra de uma donzela, mas para decidir qual dos dois era o melhor matemático.

31. O objetivo dos experimentos alquímicos de Tycho nunca ficou esclarecido. É tentador especular que ele estivesse procurando uma nova amálgama para seu nariz, já que sofria constantemente de dores e desconforto.

32. O evento estudado por Tycho é chamado hoje em dia de "supernova", uma enorme liberação de energia que ocorre quando estrelas suficientemente grandes chegam ao fim do seu ciclo de vida regular.

33. Lembre-se de nossa discussão no capítulo 2 sobre a paralaxe estelar e como ela pode ser usada para confirmar o movimento da Terra em torno do Sol.

34. Citado em Koestler, p. 295.

35. Um círculo pode ser dividido em 360 graus. Por sua vez, um grau pode ser dividido em sessenta minutos, e um minuto pode ser dividido em sessenta segundos. Portanto, oito minutos de um grau é um ângulo extremamente pequeno.

36. Holton, p. 73.

37. Cf. ibid., p. 81.

38. Ele insistia que a música celeste não era para os ouvidos, mas para o intelecto.

39. W. Shakespeare, *The merchant of Venice*, ato V, cena I, Great Books, vol. 24, p. 431.

40. J. Milton, " The hymn", v. 125-32, Great Books, vol. 29, p. 4.

41. Como o planeta gira em torno do Sol em uma órbita elíptica, a distância do planeta ao Sol varia entre uma separação máxima, conhecida como afélio, e uma separação mínima, o periélio. A distância mediana é a média entre as duas.

42. Curiosamente, num de seus delírios hipocondríacos, Kepler escreveu a Mästlin dizendo que ele tinha uma ferida em seu pé em forma de cruz, a marca do Judeu Errante.

43. Citado em Koestler, p. 427.

4. O HERÉTICO RELIGIOSO [pp. 129-56]

1. Citado em Westfall, 1989, p. VI.

2. Este é um ótimo exemplo da mente de um físico em ação. A pedra e a corda podem imitar perfeitamente o movimento oscilatório do candelabro com suas velas. Galileu não teve de voltar até a catedral para tentar convencer o padre da necessidade de estudar o "movimento pendular" usando o grande cande-

labro. Uma boa experiência mantém os ingredientes mais essenciais de um fenômeno complicado, um passo fundamental quando tentamos descrevê-lo em termos de um modelo matemático.

3. Experimentos, para Galileu, consistiam tanto em experimentos reais como em "experimentos mentais" que, por serem de execução difícil ou impossível, ocorrem na mente do cientista. Esse tipo de experimento é uma ferramenta muito importante no desenvolvimento de teorias.

4. Seu método consistia em observar a Lua quando ela estava semi-imersa em sombras. Ele raciocinou que, da mesma forma que, durante o pôr do sol, na Terra podemos ver apenas o topo das montanhas, mas não suas bases, se ele pudesse ver uma área iluminada na parte ensombreada da Lua, essa área deveria corresponder ao topo de uma montanha. Usando o teorema de Pitágoras e conhecendo o raio da Lua, Galileu pôde calcular a altura do pico.

5. Citado em Koestler, p. 371.

6. Citado em Koestler, p. 436.

7. Uma exposição detalhada desse ponto de vista pode ser encontrada no artigo de Winifred L. Wisan, "Galileo and God's creation", *Isis*, vol. 77, 1986, p. 473.

8. Lembre-se de que, no arranjo medieval do cosmo, a órbita de Vênus está mais próxima da Terra do que a órbita do Sol (Terra no centro, circundada por Mercúrio, Vênus, Sol etc.). Portanto, segundo esse arranjo, seria impossível observar uma fase cheia de Vênus, pois para isso o Sol teria de estar entre a Terra e Vênus.

9. Citado em Koestler, p. 439.

10. Citado em Koestler, p. 442.

11. Infelizmente, ainda se acreditava que o prefácio escrito por Osiander tivesse sido escrito por Copérnico.

12. Citado em Koestler, p. 452.

13. Citado em Koestler, p. 454.

14. Lembre-se de que nessa época, com exceção das ideias de Kepler, que de qualquer modo Galileu não levava a sério, o conceito de força gravitacional ainda não havia sido desenvolvido.

15. Citado em Koestler, p. 462.

16. Cf. Westfall, 1989.

17. Citado em Koestler, p. 468.

18. Citado em Wisan, p. 481.

19. No subtítulo, Galileu explica que o livro resumia uma discussão de quatro dias sobre os dois sistemas principais do mundo, ptolomaico e copernicano. Apenas após 1744 o título foi mudado para *Diálogo sobre os dois sistemas principais do mundo, ptolomaico e copernicano*.

20. Ficou arranjado que Maria Celeste, filha de Galileu e freira carmelita, iria recitar os salmos para seu pai.

21. O texto completo da abjudicação de Galileu pode ser encontrado em G. de Santillana, *The crime of Galileo*.

22. Adivinhe quem eram as três personagens do livro. E Simplício continua sendo o tolo aristotélico!

23. G. Galileo, *Dialogues concerning the two new sciences*, tradução de H. Crew e A. de Salvio, Great Books, vol. 26, p. 26.

5. O TRIUNFO DA RAZÃO [pp. 157-88]

1. Citado em Cohen, p. 174.
2. Cf. Westfall, 1980, p. 40.
3. Citado em Westfall, 1980, p. 53.
4. Por colegas quero dizer físicos teóricos, já que nossos amigos da física experimental seguem horários que mais se parecem a turnos em hospitais. E, por alguma razão desconhecida, eles preferem o turno que vai das onze da noite até as sete da manhã. Nós, teóricos, frequentemente tentamos imaginar o que realmente se passa nesses laboratórios na penumbra da noite.
5. Existem nos escritos de Bacon várias referências à Natureza como sendo a "fêmea selvagem" que deve ser conquistada através da razão, que ele pensava ser uma característica puramente masculina. Essa infeliz metáfora pode ter tido um papel muito importante na caracterização da ciência como um empreendimento masculino, assim como na exploração irracional da Natureza durante a Revolução Industrial, atitudes que sobrevivem até nossos dias.
6. Um estudo das pesquisas em alquimia de Newton pode ser encontrado em Betty J. T. Dobbs, *The Janus face of genius*.
7. Citado em Westfall, 1980, p. 143.
8. Citado em Westfall, 1980, p. 155.
9. Citado em Westfall, 1980, p. 179.
10. Séries infinitas são sequências infinitas de números que obedecem a uma certa regra, como, por exemplo, na série $1 + 1/2 + 1/4 + 1/6 + 1/8 +...$
11. Citado em Westfall, 1980, p. 202.
12. Conforme veremos em nossa discussão sobre mecânica quântica no capítulo 8, de certa forma tanto Newton como Huygens estavam ao mesmo tempo certos e errados, embora por razões que eles jamais poderiam ter imaginado.
13. Citado em Westfall, 1980, p. 274.
14. Citado em Westfall, 1980, p. 245.
15. Citado em Westfall, 1980, p. 403.
16. Minha discussão dos *Principia* e todas as citações de seu texto são extraídas da tradução de Andrew Motte, Great Books, vol. 32.
17. Mesmo que você não esteja caindo, a atração gravitacional da Terra está permanentemente acelerando-o para baixo. Para que você se convença de que isso é verdade, imagine o que aconteceria se o chão sob seus pés fosse subitamente removido!

18. Claro, essa aproximação só faz sentido se os dois corpos estiverem separados espacialmente.
19. Citado em Westfall, 1980, p. 470.
20. I. Newton, *Principia*, livro III, Great Books, vol. 32, p. 270.
21. Claramente, essa discussão deixa de lado a matemática pura, que opera sob um grupo de regras diferentes.
22. Citado em Cohen e Westfall, p. 336.
23. Citado em Cohen e Westfall, p. 331.
24. Citado em Cohen e Westfall, p. 333.
25. I. Newton, *Opticks*, Great Books, vol. 32, p. 541.
26. Einstein, 1982, p. 46.

6. O MUNDO É UMA MÁQUINA COMPLICADA [pp.190-240]

1. Por exemplo, seria impossível para uma inteligência localizar todas as entidades instantaneamente, já que medidas tomam tempo. A menos que essa inteligência fosse onisciente e onipresente, algo de que Laplace com certeza não teria gostado muito.
2. Um ano-luz é a distância atravessada por um raio de luz em um ano, aproximadamente 9 trilhões de quilômetros. Portanto, a luz que recebemos agora de Andrômeda foi gerada 2 milhões de anos atrás! Ao mergulharmos nas profundezas do espaço estamos efetivamente viajando para o passado.
3. Citado em Harrison, p. 108.
4. Davies, *The mind of God*.
5. O raciocínio de Kepler mais uma vez estava muito além de seu tempo. Ele não só perguntou: "Por que seis?", pela primeira vez (o mesmo número de planetas conhecidos na época), como também examinou e descartou vários argumentos que elaborou para responder a essa pergunta. Finalmente, Kepler decidiu deixá-la como um desafio para futuras gerações de cientistas. Ele antecipou a existência de toda uma nova área em física, muito ativa hoje em dia, que lida com a formação de padrões complexos em sistemas físicos.
6. Kolb, p. 174.
7. Citado em Harrison, p. 108.
8. Citado em Ferris, p. 164.
9. Citado em Ferris, p. 165.
10. Citado em Glashow, p. 197.
11. Isso só é estritamente correto na ausência de ar. Um corpo caindo na presença de ar atingirá uma "velocidade terminal" que será constante. Entretanto, não recomendo que você tente esse experimento na sua próxima viagem de avião; para um corpo humano caindo na horizontal, a velocidade terminal é de cerca de trezentos quilômetros por hora.
12. Esse experimento mental é adaptado de Motz e Weaver, pp. 163-6.

13. Para nossa discussão, aqui, não precisamos trabalhar com uma definição precisa do que seja complexidade. De fato, existem muitas definições de complexidade, nenhuma delas muito satisfatória.

14. Citado em Glashow, p. 205.

15. Idem, ibidem.

16. Em seus experimentos, Joule utilizou água (agitada com pequenas pás) em vez de um gás. Mas já que a física envolvida é qualitativamente a mesma, não precisamos descrever em detalhes seus experimentos.

17. Citado em Motz & Weaver, p. 179.

18. Citado em Glashow, p. 235.

19. Citado no *Dictionary of Scientific Biography*, vol. 2, p. 267.

20. Leitores do século XXIV irão sem dúvida rir de nossa pretensão de sermos muito bem informados.

21. Franklin não só era um inventor muito criativo, como também de muita sorte. Um ano após suas experiências, G. W. Richmann tentou repetir o truque da pipa em São Petersburgo, Rússia. Ele foi fulminado em questão de minutos.

22. Para aqueles que não estão familiarizados com as ideias da mecânica quântica, o motivo pelo qual eu usei aspas em "girando" ficará claro no capítulo 8.

23. Citado em Glashow, p. 333.

24. Células voltaicas eram uma invenção recentemente chegada da Itália. Seu nome é uma homenagem ao conde Alessandro Volta, o primeiro a demonstrar que uma bateria podia sustentar uma corrente elétrica.

25. Magnetos e outros materiais naturalmente magnéticos têm seu magnetismo originado no movimento de cargas elétricas no nível atômico. Magnetismo é eletricidade em movimento.

26. Citado em *Biographical note to Michael Faraday*, Great Books, vol. 42, p. 163.

27. Ibid., p. 163.

28. Ibid., p. 163.

29. M. Faraday, *Experimental researches in electricity*, Great Books, vol. 42, p. 503.

30. Citado em March, p. 73.

31. Einstein, 1982, p. 269.

32. Glashow, p. 357.

33. Essas "imagens" são recriadas em computador usando um código de tradução, de modo a torná-las visíveis.

7. O MUNDO DO MUITO VELOZ [pp. 242-67]

1. Citado em Lindley, p. 44.

2. *Webster's ninth new collegiate dictionary*, 1ª edição digital, 1992.

3. Essa é, provavelmente, a razão pela qual eles parecem ser "bizarros".

4. Citado em Holton, p. 214.
5. Citado em Holton, p. 266.
6. Citado em Holton, p. 268.
7. Citado em Holton, p. 266.
8. Se eu estiver errado, a culpa é inteiramente minha, e não de Einstein.
9. Citado em Clark, p. 580.
10. Citado em Clark, p. 580.
11. Citado em Clark, p. 578.
12. Pais, Abraham, *Physics Today*, vol. 47, 1994, p. 30.
13. Não sei se Einstein tinha o hábito de presentear todos os seus anfitriões com suas gravatas.
14. Einstein, 1979, p. 9.
15. Clark, p. 25.
16. Pais, p. 14.
17. Existe alguma confusão na literatura sobre esse fato. Escolhi seguir os dados de Pais. Mas se, de fato, as notas de Einstein eram baixas, a culpa não era dele, e sim de um sistema educacional incapaz de lidar com a independência intelectual dos gênios.
18. Einstein, 1979, p. 9.
19. Ibid., p. 49.
20. Os argumentos a seguir são inspirados no livro de divulgação científica escrito pelo próprio Einstein, que é um modelo de clareza. Ver A. Einstein, *Relativity*, Great Books, v. 56.
21. Não digo que não existe miséria no mundo de hoje, longe disso; mas, pelo menos, agora temos a possibilidade (se não sempre a intenção) de aliviá-la através dos benefícios da ciência moderna.
22. Uma argumentação muito convincente deste ponto pode ser encontrada no ensaio de G. Holton, "Einstein, Michelson e o experimento crucial", em Holton.
23. Holton, p. 205.

8. O MUNDO DO MUITO PEQUENO [pp. 268-301]

1. Eu adoraria saber a opinião de Kirchhoff sobre a descoberta, em meados dos anos 60, de que o Universo está imerso em radiação de corpo negro, a chamada radiação de fundo cósmico, ou do fato de essa radiação ser a melhor evidência que temos de que o Universo, agora tão frio, foi muito tempo atrás uma fornalha extremamente quente.
2. M. Planck, *Scientific autobiography*, Great Books, vol. 56, p. 82.
3. Ibid., p. 83.
4. A expressão matemática para o "centavo" mínimo de energia é $E = hf$, onde f é a frequência da radiação e h é uma constante conhecida como constan-

te de Planck. Planck originalmente obteve seu valor ao ajustar sua fórmula aos resultados experimentais.

5. Planck, p. 84.
6. Cohen, p. 422.
7. Essas palavras, usadas por Einstein no título de seu trabalho sobre o efeito fotoelétrico, representavam sua opinião — a qual ele não abandonaria até o final de sua vida — de que a teoria quântica é uma teoria provisória, opinião também expressa por Planck em seus esforços para "explicar" seus resultados em termos clássicos.
8. Citado em Glashow, p. 460.
9. Citado em Pais, p. 185.
10. Seu segundo filho, Eduard, nasceu no dia 28 de julho de 1910. Era uma criança sensível e melancólica, com grande talento para as artes, que infelizmente nunca pôde se manifestar por completo. Conforme lemos no livro de Pais, "Einstein reconheceu bem cedo sinais de demência precoce em seu filho mais novo. Após vários episódios, Eduard foi internado no Hospital Burghölzli, em Zurique, onde morreu em 1965" (Pais, p. 187). Existe também alguma evidência de que Einstein e Mileva tiveram uma filha quando ainda estudantes no ETH. Ela foi mandada para a Sérvia, aos cuidados dos pais de Mileva. Ninguém sabe o que aconteceu com ela.
11. Um material *fluorescente* tem a propriedade de brilhar quando irradiado. Já um material *fosforescente* continuará a brilhar por algum tempo mesmo após ter irradiado.
12. Citado em Glashow, p. 419.
13. Cargas aceleradas irradiam ondas eletromagnéticas.
14. Glashow, p. 420.
15. Infelizmente, a fosforescência é um processo químico, que não tem nenhuma relação com os raios X ou outros tipos de radiação.
16. Eficiência? Mais dados para sua demonstração? Ou talvez seguindo o conselho do mesmo fantasma que pôs a tela fluorescente perto do aparato experimental de Röntgen? Citado em Park, p. 314.
17. Citado em Glashow, p. 423.
18. Citado em Park, p. 341.
19. Luz aqui significa radiação eletromagnética, visível ou não.
20. Citado em Glashow, p. 449.
21. Citado em Glashow, p. 449.
22. Moore, p. 195.
23. Citado em Moore, p. 226.
24. Citado em Holton, p. 140.
25. Oppenheimer, p. 81.
26. Born, p. 91.
27. A busca de diferentes formulações para a mecânica quântica continua ainda hoje. No entanto, todas as tentativas até o momento de incorporar um

certo "realismo" a uma nova formulação falharam, com os experimentos sempre confirmando as previsões da teoria tradicional. Temos de esperar para ver se Einstein finalmente tinha ou não razão.

28. Einstein, 1982, p. 270.
29. Ibid., p. 276.
30. Ibid., p. 315.
31. Ibid., p. 11.
32. Essas citações, e muitas outras, podem ser encontradas em Einstein, 1982.

9. INVENTANDO UNIVERSOS [pp. 304-46]

1. Kundera, p. 139.
2. Citado em Pais, p. 179.
3. Isso é exatamente o que acontece com os astronautas em "zero G" (ausência de gravidade), mesmo que zero G não seja um nome adequado para o caso dos astronautas em órbita; uma espaçonave orbitando em torno da Terra não está em gravidade zero, mas em queda livre. Apenas estando muito longe de qualquer corpo maciço é que a espaçonave estará (quase) em zero G. A lição aqui é clara: a queda livre pode simular a ausência de gravidade, mas apenas isso.
4. Você também percebe que, na verdade, as bolas não caem; é o chão da cabine que, ao acelerar "para cima", choca-se com as bolas, criando a falsa sensação de que são as bolas que estão caindo.
5. Para os leitores que são físicos "amadores": o princípio de equivalência é uma consequência da igualdade entre a "massa inercial" (m_i) — isto é, a massa que responde à ação de uma força segundo $F = m_i\, a$ — e a "massa gravitacional" (m_g) — isto é, a massa que é atraída por outra massa segundo a lei da gravitação universal de Newton, $F = GMm_g/R^2$.
6. Citado em Clark, p. 146.
7. Citado em Pais, p. 181.
8. Gustav Krupp pertencia à mesma família Krupp responsável em grande parte pelo rearmamento da Alemanha durante o governo Hitler. É uma ironia profundamente trágica que a mesma família que financiou uma expedição tentando provar as teorias de um cientista judeu duas décadas mais tarde explorasse prisioneiros judeus em condições de trabalho subumanas.
9. Ou maçãs caindo de árvores. Suficientemente perto da massa central, as trajetórias são linhas verticais na direção do centro de atração.
10. Citado em Pais, p. 285.
11. A Associação Médica Americana determinou que tentar "visualizar" geometrias fechadas em três dimensões pode elevar sua pressão arterial a níveis perigosos para sua saúde. Como alternativa, sugere-se visualizar geometrias fechadas em duas dimensões, como, por exemplo, a superfície de um balão.

12. Einstein, 1956, p. 107.

13. Rolhas flutuando num rio ou passas num pão doce não fazem justiça à expansão do Universo, mas, às vezes, uma imagem aproximada é melhor do que nenhuma imagem. Infelizmente, uma imagem que uns podem achar útil outros podem achar confusa; esse é um dos maiores desafios que os cientistas interessados em popularizar ideias científicas encontram em seu trabalho.

14. Citado em North, p. 521.

15. Uma versão muito divertida desse experimento pode ser encontrada no livro de Kolb.

16. Pense no esforço que fazemos para encher um balão de borracha; se a tensão na borracha representa a matéria do Universo, a cada vez que sopramos ar no balão (a "força" da expansão), a borracha oferece uma resistência ao crescimento do balão ("atração" gravitacional). Se esgotamos o ar em nossos pulmões, o balão implode. Enquanto tivermos energia, podemos repetir esse ciclo de expansão e contração do balão indefinidamente...

17. Citado em Pais, p. 288.

18. Citado em Clark, p. 231.

19. Um telescópio refrator tem como seu elemento de foco principal uma lente, enquanto um telescópio refletor tem como seu elemento de foco principal um espelho. A expressão "quarenta polegadas" refere-se ao diâmetro do elemento de foco principal do telescópio, lente ou espelho (uma polegada = 2,54 centímetros).

20. Citado em Kolb, p. 217.

21. Para uma discussão mais detalhada do "Grande Debate", consulte o livro de Kolb.

22. O Grande Debate serve para ilustrar o quanto o progresso em ciência segue rotas tortuosas, e a importância de crenças individuais na interpretação (temporária) da pesquisa de ponta.

23. Citado em Hetherington, p. 355.

24. Citado em Hetherington, p. 356.

25. Em parte devido à sua morte tragicamente prematura em 1924, o trabalho de Friedmann permaneceu praticamente desconhecido durante a primeira metade da década de 1920.

26. Essa suposição (mesma luminosidade intrínseca) não funciona para galáxias muito distantes; suas estrelas mais brilhantes estarão em geral num estágio de evolução diferente, produzindo luminosidades diferentes. No entanto, para as galáxias que Hubble estava investigando, a suposição era razoável.

27. Citado em Kolb, p. 225.

28. Citado em Christianson, p. 230.

29. Stoppard, p. 75.

30. Stoppard, p. 75.

10. ORIGENS [pp. 347-81]

1. Sistemas gravitacionalmente ligados, como galáxias ou sistemas solares, não participam da expansão do Universo. Ou seja, as dimensões das galáxias ou sistemas solares não crescem com o tempo. A expansão se dá a distâncias intergalácticas. O mesmo é verdade para objetos que não são ligados gravitacionalmente, como pessoas e casas. Caso contrário, o mundo seria realmente muito estranho, até mesmo para Alice e o Rei Vermelho.

2. O Universo não cresceu muito desde 1930, ao menos em termos de distâncias de relevância cosmológica.

3. De Sitter, *Relativity and modern theories of the Universe*, in Munitz, p. 317.

4. Ibid., p. 318.

5. Sonhos de me tornar músico haviam sido abandonados, talvez sabiamente, alguns anos antes. "Melhor ser um amador eficiente do que um profissional esfomeado", meu pai argumentou.

6. Para uma curta biografia de Lemaître, consulte o artigo de A. Deprit em *The big-bang and Georges Lemaître*, ed. A. Berger (D. Reidel, Dordrecht, Holanda, 1984).

7. Lemaître, *The primeval atom*, in Munitz, p. 353.

8. Ibid., p. 343.

9. Ibid., p. 342.

10. Citado em Deprit, *Monsignor Georges Lemaître*, in Berger, p. 388.

11. Eddington, *The expanding Universe*, in Munitz, p. 334.

12. Segundo a lenda, a ideia do modelo do estado padrão ocorreu a Gold quando ele, Bondi e Hoyle foram assistir a um filme de terror. O filme, bastante bizarro, terminava do mesmo modo que começava. A ausência de uma clara evolução temporal na narrativa do filme inspirou Gold a perguntar a seus colegas se o mesmo não poderia ser verdade para o Universo.

13. Citado em Rhodes, p. 676.

14. As aspas são para que nos recordemos de que o conceito de órbita não é realmente adequado para descrever as trajetórias de elétrons em torno do núcleo, conforme vimos em nossa discussão sobre mecânica quântica.

15. Por exemplo, fundindo dois deutérios, quatro átomos de hidrogênio, ou um trítio e um próton.

16. Kragh, *Big-bang cosmology*, in Hetherington, p. 384.

17. Graus absolutos são medidos na escala Kelvin. Para transformar da escala Kelvin para a escala em graus Celsius use a relação $K = C + 273$, onde K é a temperatura em graus Kelvin e C é a temperatura em graus Celsius.

18. Essa história já foi contada diversas vezes. Para o leitor que deseja mais detalhes, recomendo os livros de Weinberg, Silk, Kolb e Smoot listados na bibliografia.

19. O leitor interessado pode encontrar vários livros sobre as teorias que

generalizam a relatividade e a mecânica quântica e suas possíveis aplicações à questão da origem do Universo. O texto mais popular é *Uma breve história do tempo*, de Stephen Hawking. Na bibliografia sugiro mais alguns títulos.

20. Misner, Thorne e Wheeler, p. 806.

BIBLIOGRAFIA E LEITURA ADICIONAL

Nesta bibliografia você encontrará referência para todos os textos citados nas notas, assim como outros textos de interesse. Vários dos trabalhos originais podem ser encontrados na coleção *Great books of the western world*, editada por Mortimer J. Adler e publicada pela Encyclopedia Britannica. Uma outra fonte de trabalhos originais é a compilação editada por Milton Munitz, *Theories of the Universe*.

ADLER, Mortimer J. (ed.) *Great books of the western world*. Chicago, IL: Encyclopedia Britannica, 1990.
BARNES, Jonathan. *The presocratic philosophers*. Londres: Routledge & Kegan Paul, 1979.
BARROW, John D. *The origin of the Universe*. Nova York, NY: Basic Books, 1994.
_____ & SILK, Joseph. *The left hand of creation: the origin and evolution of the expanding Universe*. Oxford, Inglaterra: Oxford University Press, 1983.
BERGER, A. (ed.). *The big-bang and Georges Lemaître*. Dordrecht: D. Reidel, 1984.
BORN, Max. *The born-Einstein letters*. Nova York, NY: Walker, 1971.
CHRISTIANSON, Gale E. *Hubble: mariner of the nebulae*. Nova York, NY: Farrar, Straus and Giroux, 1995.
CLARK, Ronald W. *Einstein: the life and times*. Londres: Hodder and Stoughton, 1973.
COHEN, Bernard I. *Revolution in science*. Cambridge, MA: Harvard University Press, 1985.
_____ & WESTFALL, Richard S. (eds.). *Newton: texts, backgrounds, commentaries*. Nova York, NY: W. W. Norton, 1995.
COHEN, M. R. & DRABKIN, I. E. *A source book in Greek science*. Cambridge, MA: Harvard University Press, 1975.
CROWE, Michael, J. *Modern theories of the Universe*. Nova York, NY: Dover, 1994.
DAVIES, Paul C. W. *The mind of God: the scientific basis for a rational world*. Nova York, NY: Simon & Schuster, 1992.
DE SANTILLANA, Giorgio. *The crime of Galileo*. Chicago, IL: University of Chicago Press, 1955.
Dictionary of scientific biography. Nova York, NY: Charles Scribner's Sons, 1972.
DOBBS, Betty Jo Teeter. *The Janus face of genius: the role of Alchemy in Newton's thought*. Cambridge: Cambridge University Press, 1991.
DYSON, Freeman. *Disturbing the Universe*. Nova York, NY: Harper & Row, 1979.

DYSON, Freeman. *Infinite in all directions*. Nova York, NY: Harper & Row, 1988.
EINSTEIN, Albert. *The meaning of relativity*. Princeton, NJ: Princeton University Press, 1956.
_____ *Autobiographical notes*. Traduzido e editado por Paul Arthur Schilpp. La Salle, IL: Open Court, 1979.
_____ *Ideas and opinions*. Carl Seelig (ed.). Nova York, NY: Crown, 1982.
FERRIS, Timothy. *Coming of age in the Milky Way*. Nova York, NY: William Morrow, 1988.
FEYNMAN, Richard P., LEIGHTON, Robert B. & SANDS, Matthew. *The Feynman lectures on Physics*. Reading, MA: Addison-Wesley, 1963.
FREUND, Philip. *Myths of Creation*. Nova York, NY: Washington Square Press, 1966.
GAMOW, George. *The creation of the Universe*. Nova York, NY: Viking Press, 1952.
GLASHOW, Sheldon L. *From Alchemy to quarks*. Pacific Grove, CA: Brooks/Cole, 1994.
HARRISON, Edward. *Masks of the Universe*. Nova York, NY: Macmillan, 1985.
HETHERINGTON, Norriss S. (ed.). *Cosmology: historical, literary, philosophical, religious, and scientific perspectives*. Nova York, NY: Garland, 1993.
HOLTON, Gerald. *Thematic origins of scientific thought*. Cambridge, MA: Harvard University Press, 1973.
KIRK, G. S., RAVEN, J. E. & SCHOFIELD, M. *The presocratic philosophers: a critical history with a selection of texts*. Cambridge: Cambridge University Press, 1983.
KOESTLER, Arthur. *The sleepwalkers*. Middlesex: Penguin, 1959.
KOLB, Rocky. *Blind watchers of the sky*. Nova York, NY: Addison-Wesley, 1996.
KUNDERA, Milan. *The unbearable lightness of being*. Londres: Faber and Faber, 1984.
LEACH, Maria. *The beginning: Creation myths around the world*. Nova York, NY: Funk & Wagnals, 1956.
LEDERMAN, Leon M. & SCHRAMM, David N. *From quarks to the cosmos: tools of discovery*. Nova York, NY: W. H. Freeman, 1989.
LINDLEY, David. *The end of Physics: the myth of an unified theory*. Nova York, NY: Basic Books, 1993.
LLOYD, G. E. R. *Early Greek science: thales to Aristotle*. Londres: Chatto Windus, 1970.
LONG, Charles H. *Alpha: the myths of Creation*. Nova York, NY: G. Braziller, 1963.
MACLAGAN, David. *Creation myths: man's introduction to the world*. Londres: Thames and Hudson, 1977.
MARCH, Robert. *Physics for poets*. Nova York, NY: McGraw-Hill, 1992.
MISNER, C. W., THORNE, K. S. & WHEELER, J. A. *Gravitation*. Nova York, NY: W. H. Freeman, 1973.
MOORE, W. *Schrödinger: life and thought*. Cambridge: Cambridge University Press, 1989.
MOTZ, Lloyd & WEAVER, J. H. *The story of physics*. Nova York, NY: Avon, 1989.
MUNITZ, Milton K. (ed.). *Theories of the Universe: from Babylonian myth to modern science*. Glencoe, IL: Free Press, 1957.

NORTH, John. *The Norton history of Astronomy and Cosmology*. Nova York, NY: W. W. Norton, 1995.

OPPENHEIMER, J. Robert. *Science and common understanding*. Nova York, NY: Simon & Schuster, 1953.

PAGELS, Heinz R. *The cosmic code*. Nova York, NY: Bantam, 1982.

_____ *Perfect symmetry*. Nova York, NY: Bantam, 1986.

PAIS, Abraham. *Subtle is the Lord: the science and the life of Albert Einstein*. Oxford: Oxford University Press, 1982.

PARK, David. *The how and the why: an essay on the origins and development of physical theory*. Princeton, NJ: Princeton University Press, 1988.

RHODES, Richard. *The making of the atomic bomb*. Nova York, NY: Simon & Schuster, 1988.

SILK, Joseph. *The big-bang: the creation and evolution of the Universe*. São Francisco, CA: Freeman, 1980.

SMITH, Robert W. *The expanding Universe: Astronomy's "Great Debate" 1900-1931*. Cambridge: Cambridge University Press, 1982.

SMOOT, George & DAVIDSON, Keay. *Wrinkles in time*. Nova York, NY: W. Morrow, 1993.

SPROUL, Barbara C. *Primal myths*. San Francisco, CA: Harper San Francisco, 1979.

STOPPARD, Tom. *Arcadia*. Londres: Faber and Faber, 1993.

TAUB, Liba Chaia. *Ptolemy's Universe*. Chicago, IL: Open Court, 1993.

THORNE, Kip S. *Black holes and time warps: Einstein's outrageous legacy*. Nova York, NY: W. W. Norton, 1994.

WEINBERG, Steven. *The first three minutes*. Nova York, NY: Basic Books, 1977.

WELLS, H. G. *A short history of the world*. Middlesex: Penguin, 1965.

WESTFALL, Richard S. *Never at rest: a biography of Isaac Newton*. Cambridge: Cambridge University Press, 1980.

_____ *Essays on the trial of Galileo*. Notre Dame, IN: Notre Dame University Press, 1989.

WHITEHEAD, Alfred North. *Science and the modern world*. Nova York, NY: Macmillan, 1925.

ZEE, A. *Fearful symmetry: the search for beauty in modern Physics*. Nova York, NY: Collier, 1986.

_____ *An old man's toy: gravity at work and play in Einstein's Universe* Nova York, NY: Macmillan, 1989.

ÍNDICE ONOMÁSTICO

Adams, John, 238
Agamenon, 48
Agostinho, santo, 69, 83, 88-90
Alexandre, o Grande, 78, 392
Alighieri, Dante, 88, 91
Alpher, Ralph, 366, 368, 370, 372
Ampère, André-Marie, 225
Anaximandro, 43-4, 50, 56, 59, 61
Anaxímenes de Mileto, 44, 56, 61
Anne, rainha, 185
Apolodoro, 40
Apolônio de Perga, 76-8, 82
Aristarco, 72-6, 78, 82, 95-6
Aristóteles, 40, 42, 45, 56-7, 63, 68-72, 78-80, 82, 84-5, 91-2, 115, 134, 144, 147, 160, 243, 392-3
Arquimedes, 74-6, 78, 82, 84, 96, 392

Baade, Walter, 351, 359
Bacon, Francis, 38, 128, 161, 169, 396
Bacon, Roger, 92-3, 95, 206
Barberini, cardeal Maffeo, 130, 138, 141, 146; *ver também* Urbano VIII, papa
Barberini, Francesco, 152
Barbosa, Beatriz Rodrigues, 44*n*
Barrow, Isaac, 164, 168-9
Beatles, 248
Becquerel, Henri, 280-1
Belinski, V. A., 380
Bellarmino, cardeal, 137, 141-3, 145-6, 152
Bentley, Richard, 181, 184
Berlin, Isaiah, 157
Bernoulli, Daniel, 215

Bessel, Friedrich, 75
Bethe, Hans, 361, 363
Bohr, Niels, 247, 283-5, 287, 290, 293-300, 389
Boltzmann, Ludwig, 216-8, 239, 245, 274-5, 283
Bondi, Hermann, 357, 374, 403
Borges, Jorge Luis, 304, 366
Born, Max, 294-7
Boyle, Robert, 161, 181
Bragg, W. H., 279-80
Brahe, Joergen, 112-3
Brahe, Tycho, 112-6, 118-23, 125, 127, 138, 394
Broglie, Louis de, 289-91, 293
Brown, Robert, 274
Brudzewo, Alberto de, 95
Bruno, Giordano, 59, 85, 130, 324
Buijs-Ballot, Christopher, 330
Bunsen, Robert, 201-2

Cabral, Pedro Alvares, 96
Caccini, Tommazo, 140
Calipo, 68
Carlos Magno, 90
Carnegie, Andrew, 337
Carnot, Nicolas Léonard Sadi, 206-8
Castelli, padre Benedetto, 138-42
Cavendish, Henry, 222
Cícero, 63
Clausius, Rudolf, 208, 211
Cohen, I. Bernard, 274
Collins, John, 168
Colombo, Cristóvão, 95
Compton, Arthur, 287

409

Confúcio, 45
Constantino, o Grande, 89
Copérnico, Nicolau, 10, 75, 81, 94--103, 106, 110-5, 121, 130, 132, 141-2, 145, 149-50, 152-3, 160, 385, 393, 395
Coulomb, Charles Augustin de, 222
Cristiano IV, 118
Curie, Marie, 277, 281
Curie, Pierre, 281
Curtis, Heber, 339
Cusa, Nicolau de, 92-4

Da Vinci, Leonardo, 96
Darwin, Charles, 238
Davidson, Charles, 318
Davies, Paul, 195, 349
Davy, Humphry, 226-7
Demócrito, 57-61, 63
DeMoivre, Abraham, 171
Descartes, René, 160-1, 165, 169, 173, 176, 180, 190
Dicke, Robert, 370-1
Dionísio I, 392
Dionísio II, 392
Dobbs, Betty Jo Teeter, 162
Donne, John, 129
Doppler, Johann Christian, 330

Eddington, Arthur, 248, 323, 327, 329, 352-3, 356
Ehrenfest, Paul, 324
Einstein, Albert, 10, 36, 182, 187, 223, 231, 233, 242, 245-3, 256, 258-9, 262, 265-7, 273-7, 284, 287, 292--3, 295-301, 304-6, 308-10, 312, 315-8, 320, 322-9, 332-4, 336, 345, 351-3, 357, 365, 383, 385-7, 389, 399-400
Einstein, Eduard, 400
Einstein, Hans Albert, 257
Elci, Arturo d', 138-9
Elisabete I, 121

Eratóstenes, 79
Euclides, 78, 84, 154, 319
Eudóxio de Cnido, 66-8, 72, 82

Faraday, Michael, 225-7, 229-33, 245, 300, 388
Ferdinando II, 128
Fermat, Pierre de, 319
Feynman, Richard, 16, 289
Filipe da Macedônia, 78
Filolau de Crotona, 54-6, 61, 73
Fitzgerald, George, 265
Flaamsteed, John, 172
Fonseca, Carlos Alberto Louro, 44n
Foscarini, Paolo, 141-2, 145
Foucault, Jean-Bernard, 202
Franklin, Benjamin, 186, 219-21, 398
Fraunhofer, Joseph, 199-202, 224
Frederico II, 112, 116, 118
Friedmann, Aleksandr Aleksandrovitch, 332-4, 353, 365-6, 375-6, 381, 402

Galileu Galilei, 10, 36, 58, 85, 94, 100, 122, 129-56, 160, 167, 169, 173, 177, 179-80, 187, 190, 193, 197--8, 200, 231, 243, 245, 256, 309, 384, 394-5
Gamow, George, 272, 358, 364-9, 372--3, 375
Gassendi, Pierre, 160-1
Gautama, Sidarta, o Buda, 45, 265
Giese, cônego Tiedemann, 97, 100-3
Gilbert, William, 85, 121
Glashow, Sheldon, 17, 233, 280
Gold, Thomas, 357, 374, 403
Gomperz, Theodor, 55
Grassi, Orazio, 136, 146
Gregório I, papa, 89
Grossman, Marcel, 320

Hale, George, 337-8, 342
Halley, Edmond, 170-1, 179, 325

Hallifax, lorde, 185
Heisenberg, Werner, 288-9, 291-2, 294, 296, 299, 378, 389
Heraclides do Ponto, 72-4, 82
Heráclito de Éfeso, 38, 45-7, 56, 61, 359, 385, 391
Herman, Robert, 366, 368, 370, 372
Héron, 79
Herschel, John 325
Herschel, William, 198-9, 325
Hertz, Heinrich, 236, 274
Híeron II, 392
Hiparco, 78-80, 82
Hitler, Adolf, 401
Holton, Gerald, 123, 266, 399
Homero, 38-40
Hooke, Robert, 169-71, 185
Hoyle, Fred, 357-9, 367, 374, 403
Hubble, Edwin, 301, 306, 337-45, 350-1, 353, 356, 359, 388, 402
Huggins, William, 202-3
Humason, Milton LaSalle, 342-4
Hume, David, 195
Huygens, Christian, 165, 169-70, 396

Isaías, 88, 355

Jaime I, 38
Jaime VI, 118
James, William, 296
Jinasena, 33
João de Sacrobosco, 91
João Paulo II, papa, 129
Jorge III, 213
Joule, James, 210, 214, 398

Kant, Immanuel, 193-4, 197, 224
Katherine, mãe de Kepler, 104
Katherine, tia de Kepler, 104
Kelvin, lorde, 192, 208
Kepler, Friedrich, 119, 124
Kepler, Heinrich, irmão de Kepler, 104
Kepler, Heinrich, pai de Kepler, 103

Kepler, Johannes, 10, 50, 65, 83, 85, 94, 103-8, 110-2, 114-5, 118-28, 132, 135-6, 149, 160, 162-3, 170-1, 177, 180, 187, 190, 196, 223, 231, 245, 252, 286, 325, 336, 384, 393--5, 397
Kepler, Sebaldus, 103
Khalatnikov, I. M., 380
Kirchhoff, Gustav, 201-2, 270-1, 386, 399
Kirk, G. S., 44*n*
Koch, Pauline, 252
Koestler, Arthur, 44, 97, 128
Kohn, Isidoro, 249
Kohn, Ruth, 249
Kolb, Rocky, 198, 402-3
Krupp, Gustav, 318, 401
Kundera, Milan, 307
Kunigunda, tia de Kapler, 104

Lactâncio, santo, 84
Laércio, Diógenes, 40, 59
Lagrange, Louis de, 190
Lao-Tseu, 45
Laplace, marquês de, *ver* Simon, Pierre, marquês de Laplace
Laue, Max von, 279-80
Lavoisier, Antoine Laurent de, 205-6, 214, 388
Le Verrier, Urbain, 238
Léa, sobrinha de Isidoro Kohn, 249-50
Leão III, papa, 90
Leão X, papa, 100
Leavitt, Henrietta, 340
Leibniz, Willhelm Gottfried, 192
Lemaître, Georges Henri Joseph Edouard, 351-6, 359-60, 366, 372, 375, 403
Lenita, sobrinha de Isidoro Kohn, 250
Leucipo, 57-9, 61
Lewis, Gilbert, 275
Lifshitz, E. M., 380
Lippershey, Johannes, 134

411

Lorena, grã-duquesa Cristina de, 137, 139, 142
Lorentz, Hendrick, 245-6, 265-6, 277
Lorini, padre Niccoló, 140-1
Lucrécio, 60-2
Lutero, Martinho, 101

Maavira, 33
Mach, Ernst, 217
Maculano, Vicenzo, 152
Maquiavel, 155
Marconi, Guglielmo, 236
Maria Celeste, filha de Galileu, 395
Maric, Mileva, 257, 277, 400
Mästlin, Michael, 106, 115, 394
Matias II, 124
Maupertuis, Pierre Louis Moreau de, 190
Maxwell, James Clerk, 216, 231-4, 236-7, 239, 245, 254, 256, 265, 269, 274, 276, 283, 290, 300, 305
Medici, Cosimo II de, 135-6, 139, 147
Messier, Charles, 198
Michelangelo, 96, 155
Michelson, Albert, 244-6, 265, 269
Millikan, Robert, 277, 287
Milton, John, 125-6
Minkowski, Hermann, 266
Misner, Charles, 380
Morley, Edward, 244, 246, 265, 269
Muehleck, Barbara, 118-9, 124

Nagaoka, Hantaro, 282
Napoleão Bonaparte, 190-1
Nernst, Walther, 277
Newton, Hannah Ayscough, 158, 160
Newton, Isaac, 10, 36, 123, 127, 131, 134, 154-5, 157-74, 176-87, 190, 192-5, 199-200, 216-8, 221-2, 231-4, 238-9, 243, 245-7, 283, 292, 301, 305, 311, 315, 320, 324, 336, 384, 389, 396, 401
Newton, William, 158

Newton-John, Olivia, 294
Niccolini, Francesco, 151
Novara, Domenico Maria de, 95

Oersted, Hans Christian, 224-5, 227, 229, 233
Olbers, Heinrich, 325, 389
Oldeburg, Henry, 170
Oppenheimer, Julius Robert, 296, 360
Oresme, Nicole d', 256
Orsini, Alessandro, 145
Osiander, Andreas, 101-3, 395
Ostwald, Wilhelm, 277
Ovídio, 28, 32

Pais, Abraham, 248, 252, 297, 399-400
Paley, William, 194-5
Park, David, 400
Parmênides, 47-9, 61, 356
Pauli, Wolfgang, 290, 296
Pauling, Linus, 248
Paulo III, papa, 102
Paulo V, papa, 137
Peebles, Jim, 372
Pegado, Maria Adelaide, 44n
Pelé, 248
Penzias, Arno, 370-2, 386
Péricles, 38
Perrin, Jean, 218
Petreius, 101
Pio XII, papa, 355
Pitágoras, 49-52, 61, 74, 125, 392, 395
Planck, Max, 244-5, 271-5, 277, 279, 284, 293, 400
Platão, 38, 42, 45-6, 50, 63-6, 69-70, 72-3, 79-80, 82, 93, 98-9, 160, 307, 392
Plutarco, 96
Pope, Alexander, 157
Priestley, Joseph, 221-2

Ptolomeu, Claudio, 72-3, 76, 79-84, 91, 94, 98, 102, 121, 127, 141
Ptolomeu, general, 78

Raven, J. E., 44*n*
Rayleigh, lorde, 245
Rheticus, Georg Joachim, 100-1
Riccardi, Niccolo, 150-2
Richmann, G. W., 398
Rodolfo II, 118, 124
Röntgen, Wilhelm, 278-81, 400
Roosevelt, Franklin Delano, 247-8
Rosenberg, barão, 120
Rumford, conde, 213-4, 226
Rumford, condessa, 214
Rutherford, Ernest, 59, 281, 283
Ryle, Martin, 359

Scheiner, padre, 138
Schillings, Anna, 97
Schneider, Jacob, 249
Schoenberg, cardeal, 100
Schrödinger, Annie, 292
Schrödinger, Erwin, 290-6, 299
Shakespeare, William, 125, 132, 292
Shapley, Harlow, 339-41, 352
Silvestre II, papa, 84
Simon, Pierre, marquês de Laplace, 186, 190-1, 193-5, 217, 238, 295, 316, 384, 397
Simplício, 42, 65, 147
Sitter, Willem de, 328-9, 332-3, 341--2, 344-5, 350-1, 353
Slipher, Vesto, 325-6, 341, 343
Smith, Barnabas, 159-60
Sócrates, 57, 63, 391
Smoluchowski, Marian, 274
Sommerfeld, Arnold, 285
Spielberg, Steven, 247
Stahl, Georg Ernst, 205
Stokes, Henry, 160

Stoppard, Tom, 346

Tales de Mileto, 40, 42-3, 45-6, 56, 61, 253, 392
Teofrasto, 57, 392
Thompson, Benjamin, 213, 388; *ver também* Rumford, conde,
Thomson, Joseph John, 281-3
Thomson, William, 208; *ver também* Kelvin, lorde,
Thorne, Kip, 380
Tolman, Richard, 366
Tomás de Aquino, santo, 69, 91
Tryon, Edward, 378-9

Urbano VIII, papa, 130, 138, 146-7, 149-50

Vedel, Anders, 113
Viviani, 133
Volta, Alessandro, 398

Waczenrode, Lucas, 95
Wallenstein, Albrecht von, 128
Waterson, John James, 215-6
Watt, James, 206
Weinberg, Steven, 383, 403
Weizmann, Chaim, 248
Wells, H. G., 38
Westfall, Richard, 146, 167
Wheeler, John Archibald, 320, 380
Whitehead, Alfred North, 96
Wilson, Robert, 370-2, 386
Wirtz, Carl W., 342
Wisan, Winifred L., 395
Wordsworth, William, 382
Wren, Christopher, 170-1

Yerkes, Charles T., 337

Zenão, 48-9, 57, 61

413

MARCELO GLEISER nasceu no Rio de Janeiro, em 1959. Doutorou-se no King's College (Inglaterra). Foi pesquisador do Fermi National Accelerator Laboratory (Chicago) e do Institute for Theoretical Physics da Universidade da Califórnia. É professor catedrático de física e astronomia no Dartmouth College (New Hampshire), tendo recebido o título de Appleton Professor of Natural Philosophy. A National Science Foundation, a NASA e a OTAN concederam-lhe bolsas de pesquisa. É articulista do jornal *Folha de S.Paulo*. Em 1994 foi premiado pelo presidente Clinton com o Presidential Faculty Fellows Award. Em 2001 recebeu o prêmio José Reis de Divulgação Científica do CNPq. Dele, a Companhia das Letras publicou também *Retalhos Cósmicos*, *O fim da Terra e do Céu*, *A harmonia do mundo* e o livro infantojuvenil *O livro do cientista*.

1ª edição Companhia das Letras [1997] 2 reimpressões
2ª edição Companhia das Letras [1997] 15 reimpressões
1ª edição Companhia de Bolso [2006] 14 reimpressões

Esta obra foi composta pela Verba Editorial
em Janson Text e impressa pela Gráfica Bartira em
ofsete sobre papel Pólen Soft da Suzano S.A.

A marca FSC® é a garantia de que a madeira utilizada na fabricação do papel deste livro provém de florestas que foram gerenciadas de maneira ambientalmente correta, socialmente justa e economicamente viável, além de outras fontes de origem controlada.